Hendrik Preßler

Die zweite Ausbildungsphase angehender Lehrkräfte

Analyse episodischer Interviews

zum Belastungsempfinden

im Vorbereitungsdienst

Dieses Buch ist auch als E-Book erhältlich.

Bibliografische Information
der Deutschen Nationalbibliothek:
Die Deutsche Nationalbibliothek verzeichnet
diese Publikation in der Deutschen Nationalbibliografie;
detaillierte bibliografische Daten sind im Internet
über http://dnb.dnb.de abrufbar.

© 2019 Hendrik Preßler
Herstellung und Verlag:
BoD – Books on Demand, Norderstedt

ISBN: 978-3-7504-2629-0

Zur Entstehung dieses Buches

Den wenigsten Studierenden kommt nach der müßigen Zeit des Studiums wohl die Idee, ihre geistigen Ergüsse der breiten Öffentlichkeit zugänglich zu machen. Wie viele richtungsweisende Gedankengänge, Anschauungen oder Problemlösungen mögen anderen interessierten Menschen durch dieses sträfliche Vernachlässigen neuen Wissens verborgen bleiben?

Diesem Egoismus wollte ich mich ebenfalls hingeben – sicherlich bestärkt durch die Nachwirkungen der hunderten von Seiten an Haus- und Abschlussarbeiten. Bis mich meine Dozentin Prof. Dr. Badel darauf aufmerksam machte, dass bis zum jetzigen Zeitpunkt keine Forschungsergebnisse zum Belastungsempfinden von Referendaren an berufsbildenden Schulen existieren. Meine Masterarbeit eine Pionierarbeit, die ein bisher unberührtes Forschungsterrain erschloss? Dies ließ mich hellhörig werden.

Tatsächlich stieß ich während meiner Recherche für meine Masterarbeit auf keine adäquate Literatur in diesem Bereich der Belastungsforschung. Diese Tatsache zeigte mir erstmals deutlich, wie wenig Wertschätzung der Ausbildungssituation von Wirtschaftspädagogen innerhalb der Wissenschaft entgegengebracht wird. Nichtsdestotrotz entschloss ich mich dafür, 30 der renommiertesten deutschen Verlage meine Abschlussarbeit zuzusenden, in der Hoffnung, dass meine neugeschöpften Erkenntnisse in Bälde für potenziell interessierte Leser zugänglich würden. Die Vorfreude hielt nicht lange an, da keiner der Verlage beabsichtigte, neuerworbenes Wissen über wirtschaftlichen Erfolg zu stellen. Trotz dieser ernüchternden Umstände ließ ich mich nicht entmutigen und suchte mein Glück im Selbstverlag, sodass das Belastungsempfinden von angehenden Berufsschullehrern letztendlich doch für jeden Interessierten zugänglich geworden ist.

Obgleich diesem Buch eine Danksagung angefügt ist, so möchte ich Ihnen – werte Leserschaft – meinen tiefen Dank aussprechen. Nicht nur, weil Sie dieses Buch erworben haben, sondern vielmehr, weil Sie zeigen, dass diesem kleinen Bereich der Forschung – der Wirtschaftspädagogik – sehr wohl Aufmerksamkeit gebührt. Bitte versuchen Sie sich, diese Neugierde für vermeintliche Randerscheinungen aufrecht zu erhalten!

Nun wünsche ich Ihnen viel Freude beim Durchdringen meiner Gedanken! Es grüßt Sie herzlich

Hendrik Preßler
(Master of Education)

Inhaltsverzeichnis

1 Vorbemerkungen

Der Beruf des Lehrers stellt für den durch die Potsdamer Lehrerstudie[1] bekannt gewordenen Psychologen Uwe Schaarschmidt eine der kräftezehrendsten beruflichen Beschäftigungen dar, was sich anhand eines komplexen Gebildes an Anforderungen äußert (vgl. Schaarschmidt 2005: 15). Dies affirmieren die im Jahr 2004 von der Kultusministerkonferenz (KMK) definierten Standards für die Lehrerbildung, welche aus Lehrerinnen und Lehrern[2] Experten für das Lehren und Lernen machen, die sich dabei ihres Erziehungsauftrags bewusst sind, während sie neben ihrer Beurteilungs- und Beratungsaufgabe ihre Kompetenzen permanent weiter zu entwickeln haben sowie zu einem positiven Schulklima beitragen sollen (vgl. KMK 2004: 3).

Mit der gleichen Assimilation an ebenjene Standards sehen sich angehende Lehrkräfte konfrontiert, die nach dem Übergang in die berufliche Praxis der Mannigfaltigkeit lehrerspezifischen Tätigkeiten gegenüberstehen (vgl. Tynjälä und Heikkinen 2011: 12 f.). Dass diese erste Konfrontation mit der Lehrerpraxis Stress- und Burnout-Symptome zur Folge haben kann (vgl. Christ et al. 2004), erscheint hinsichtlich dieser Fülle an neuen Eindrücken und Aufgaben nachvollziehbar. Dies bestätigen Längsschnittstudien, welche die Perzeption von Stress und Burnout zu Beginn des Vorbereitungsdienstes untersuchten und eine sukzessive Steigerung konstatieren (vgl. Klusmann et al. 2012; Dicke et al. 2015).

Um diesem sog. Praxisschock[3] und den damit verbundenen offensichtlichen Belastungen des Referendariats bereits während der Studienzeit der Lehramtsanwärter angemessen zu begegnen, wurde in Berlin von dessen Senat und in Kooperation mit den Universitäten des Bundeslandes ein

---

[1] Die Potsdamer Lehrerstudie untersuchte im Auftrag des Deutschen Beamtenbundes das Belastungsempfinden von 7.693 Lehrkräften und stellte diese in Relation zu anderen Berufssparten. Insgesamt nahmen fast 17.000 Personen an der Erhebung teil (vgl. Schaarschmidt 2005: 12-14).

[2] Aus Gründen der Vereinfachung und besseren Lesbarkeit werden im weiteren Verlauf dieses Buches lediglich die männlichen Wortformen verwendet, wobei diese sämtliche Geschlechtsdefinitionen inkludieren soll.

[3] Was genau unter einem Praxisschock verstanden wird, erklären im Einzelnen die Erläuterungen aus Kapitel 3.2.1.

Praxissemester für kommende Lehrkräfte konstituiert, um den Studierenden einen umfassenden Einblick in die vielfältigen Abläufe des Schullebens
zu ermöglichen (vgl. Buchholtz et al. 2018: 5).

An einem solchen Praxissemester nahm der Verfasser dieses Buches teil
und konnte an einem Berliner Oberstufenzentrum (OSZ) im Schuljahr
2017/18 für fünf Monate die umfänglichen Aufgaben eines Lehrers erstmalig
selbst erleben. Gleichzeitig nutzte er den engen Kontakt zu den dort anzu-
treffenden Referendaren, um diese im Rahmen des sog. Lernforschungspro-
jekts[4] (LFP) nach ihrer Belastungswahrnehmung im Vorbereitungsdienst zu
befragen. Dies geschah anhand von Interviews unter vorangestellter Fragestellung – Inwieweit belasten die Gegebenheiten des Vorbereitungsdienstes
das Privatleben von Referendaren? –, die sich auf das Privatleben der Referendare beschränkte und aufzeigte, wie schwierig es den Befragten fällt, Berufliches und Privates voneinander abzugrenzen (vgl. Preßler 2018).

Diese ersten zutage geförderten Erkenntnisse der Befragungen sollen mithilfe des vorliegenden Elaborats erweitert werden, das in fünf extensive Bereiche untergliedert ist: In den folgenden beiden Kapiteln werden neben
dem theoretischen Hintergrund, auf dem dieses Buch fußt, ebenso die aktuellen empirischen Befunde zu den Belastungen im Lehrerberuf vorgestellt, um ansatzweise einen Überblick darüber zu erhalten, in welchem
Ausmaß negativ perzipierte Beanspruchung unter den Lehrern (in Ausbildung) vorherrscht. In Kapitel 4 werden die methodisch-methodologischen
Arbeitsschritte, die in dieser wissenschaftlichen Auseinandersetzung stattfinden, detailliert beschrieben. Mit deren Hilfe können umfangreiche In-
terviewanalysen realisiert werden, die in Kapitel 5 in einer quantitativen
Auswertung münden, während sich das sechste Kapitel einer qualitativen
Inhaltsanalyse nach den Vorstellungen des Psychologen Philipp Mayring
(2015) widmet. Die abschließenden Bemerkungen resümieren die erarbeiteten Ergebnisse und geben einen Ausblick, inwiefern auf die offenkundigen
Schwierigkeiten – bezogen auf die Belastungsausmaße des Lehrerberufs –
reagiert werden kann.

---

[4] Neben dem Hospitieren und Unterrichten in der Schule sind die Studierenden
ebenfalls dazu verpflichtet, ein Lernforschungsprojekt durchzuführen, in dem
die angehenden Lehrer »das System und den Alltag von Schule [...] beobach-
ten und sich in einem überschaubaren Rahmen an Fragen zur Bildungsforschung [versuchen können]« (Buchholtz et al. 2018: 5).

Zuvor sei angemerkt, dass sich die Repräsentativität dieser Erhebung durch die überschaubare Stichprobe (N = 5), deren Datensätze einzig dem Kontext einer einzigen Berufsschule des Bundeslandes Berlin zugeordnet werden kann, nicht mit groß angelegten Studien, wie bspw. der erwähnten Potsdamer Lehrerstudie, messen kann. Unter dieser Prämisse werden die Analyseergebnisse dieses Buches in Relation zu anderen Evaluationen gesetzt, um mit deren Hilfe mögliche Überschneidungen bzw. Abweichungen des Belastungserlebens angehender Lehrer festzumachen. Hierfür steht für den weiteren Verlauf folgende Fragestellung im Mittelpunkt:

Welchen typischen Belastungssituationen sind Referendare während ihrer Zeit im Vorbereitungsdienst ausgesetzt?
Welche Copingstrategien werden von den Lehramtsanwärtern als Präventions- und Gegenmaßnahmen angewendet?

2 Theoretischer Hintergrund

Bevor eine dezidierte Auseinandersetzung mit einigen der konventionellen Theorien zu Belastung und Stress stattfinden kann, bedarf es im Vorhinein die wichtigsten Begrifflichkeiten, die maßgeblich für dieses Buch sind, zu erläutern. Hierbei stellt sich die Auswahl passender Definitionen als schwieriger heraus als gedacht, worauf auch in einer Vielzahl von Gesamtdarstellungen verschiedener Autoren hingewiesen wird: »In der Stress- und Belastungsforschung ist immer wieder ein babylonisches Begriffswirrwarr beklagt worden« (Zapf und Semmer 2004: 1008), welches eine exakte begriffliche Abgrenzung erschwert. Trotz dieser definitorischen Uneinigkeiten soll im folgenden Kapitel ein Verständnis für die Themenkomplexe »Belastung«, »Beanspruchung« und »Stress« gewonnen werden.

2.1 Begriffsabgrenzungen

2.1.1 Belastung

Als Vorreiter der Arbeitswissenschaften definierten Walter Rohmert und Joseph Rutenfranz (1975) innerhalb des deutschsprachigen Raums Belastungen als »objektive, von aussen [sic] her auf den Menschen einwirkende Grössen [sic] und Faktoren« (Rohmert und Rutenfranz 1975: 8). Nach heutigen Erkenntnissen ist diese Form der Definition nicht mehr ausreichend, weil lediglich auf bestimmte äußerliche Anforderungen, wie bspw. audiovisuelle oder klimatische Arbeitsbedingungen, eingegangen wird (vgl. Zapf und Semmer 2004: 1008). Einen ebenso großen Einfluss wie die eben genannten äußeren Faktoren üben jedoch auch innere Faktoren sowie erlebte Spannungszustände eines Menschen aus, die sich aus dem Verhältnis von objektiven Bedingungen und persönlichen Ansprüchen ergeben. Diese Differenz nehmen einzelne Individuen als psychische Belastung wahr (vgl. Greif 1991: 7). Aus diesem Grund wird eine erweiterte Definition von Belastung[5] für das nachfolgende Vorgehen notwendig. Die bereits aus

---

[5] Auch wenn der Begriff »Belastung« durch die Industrienorm DIN EN ISO 10075-1 mit den Worten »Psychische Belastung ist die Gesamtheit aller erfassbaren Einflüsse, die von außen auf den Menschen zukommen und psychisch auf ihn einwirken« (Joiko et al. 2010: 9) fixiert ist, wird für dieses

dem Jahr 1990 stammende Begriffserklärung von den Wissenschaftlern
Klaus Scheuch und Harry Schröder greift neben handlungsregulations-
theoretischen Herangehensweisen der gegenwärtigen deutschsprachigen
arbeitswissenschaftlichen Forschung auch Anschauungsweisen der anglo-
amerikanischen Stressforschung auf und integriert diese:

> [...] Belastung [impliziert] Anforderungen bzw. Anforderungs-
> komplexe und moderierende Faktoren der Situation, mit denen
> sich ein Lebewesen auseinandersetzen muss, um die Homöostase[6]
> der Körperfunktionen und das Gleichgewicht zur Umwelt zu er-
> halten, ein bestimmtes Ziel zu erreichen und Bedürfnisse bzw.
> Motive zu befriedigen. (Scheuch und Schröder 1990: 76)

Im Hinblick auf die Belastung von Lehrkräften spricht der Psychologe
Bernd Rudow (1994) über eine Kontroverse, die im Bereich des Lehrerberufs vorzufinden sei. So müssen sich die Pädagogen während der Ausübung ihres Unterrichts zeitgleich mit objektiven Anforderungen und mit
subjektiven Leistungs- und Handlungsvoraussetzungen arrangieren. Belastungen können dann entstehen, wenn die Anforderungen ein solches
Ausmaß annehmen, dass im Organismus des Lehrers die psychophysische Beanspruchung positive oder negative Folgen fabriziert (vgl. Rudow
1994: 13).

2.1.2   Beanspruchung

An dieser Stelle sei angemerkt, dass Belastungen per se nichts Schlechtes
sein müssen, da sie grundsätzlich neutral konnotiert sind. Sie führen lediglich zu unterschiedlichen Reaktionen bei Personen, die von dem jeweiligen
Individuum positiv oder negativ empfunden werden können. Demnach
wird als Beanspruchung die psychophysische Wirkung von Belastung verstanden (vgl. Ulich und Wülser 2009: 54-56). Auch Scheuch und Schröder beschreiben Beanspruchung unter Einbeziehung der eben genannten
Gesichtspunkte:

Buch die umfangreichere Definition von Scheuch und Schröder verwendet
(vgl. S. 14).

[6]   Unter Homöostase kann im Allgemeinen das Equilibrium der physiologischen
Körperfunktionen verstanden werden (vgl. Klaus 1967: 254).

Beanspruchung[7] [Hervorhebung im Original] ist die Wirkung der Belastung auf das Lebewesen und dessen Wechselbeziehung zur Umwelt. Sie umfasst belastungsbedingte Reaktionen und Veränderungen von Organen und Organsystemen, die Handlungsfähigkeit sowie das Beanspruchungserleben. (Scheuch und Schröder 1990: 76 f.)

Des Weiteren lässt sich der Begriff auf verschiedenen Ebenen weiter ausdifferenzieren, exemplarisch auf körperlicher, psychisch-emotionaler oder auf Verhaltensebene (vgl. Ulich und Wülser 2009: 72). Ferner unterscheidet Rudow zwischen kurzfristigen Beanspruchungsreaktionen, zu denen u. a. Ermüdung oder Monotonie zählen, und langfristen Beanspruchungsfolgen, zu denen sich u. a. psychosomatische Störungen oder Burnout subsumieren lassen (vgl. Rudow 1994: 43-46). Die bekannteste andauernde negative Beanspruchungsfolge stellt sicherlich das Burnout-Syndrom dar, welches sich hauptsächlich für den Lehrerberuf als symptomatisch darstellt (vgl. Kap. 2.4.3 und 3.3). Auch positive Beanspruchungsfolgen sind für Individuen erreichbar, welche sich in einer Erweiterung der eigenen Handlungskompetenz oder der Zufriedenheit im Beruf widerspiegeln (vgl. Rudow 1994: 45).

2.1.3 Stress

Als eine der weitreichendsten (negativen) Beanspruchungen gilt Stress, dessen Komplexität in den verschiedensten Theorien aufgearbeitet wurde.[8] Bis zum Jahr 1936 bezeichnete der englischsprachige Begriff »Stress« ausschließlich die mechanische Spannung, welche auf einem Material lastet. Erst danach wurde ebenjenes Wort von dem Endokrinologen Hans Selye zum medizinischen und psychologischen Vokabular hinzugefügt (vgl. Gerrig und Zimbardo 2008: 471). Im gleichen Zuge stellte Selye (1974) die

---

[7] Vgl. DIN EN ISO 10075-1: »Psychische Beanspruchung ist die unmittelbare (nicht langfristige) Auswirkung der psychischen Belastung im Individuum in Abhängigkeit von seinen jeweiligen überdauernden und augenblicklichen Voraussetzungen, einschließlich der individuellen Bewältigungsstrategien« (Joiko et al. 2010: 10).

[8] Ein umfassender Überblick über verschiedenartige Stresskonzeptionen gewährt Kapitel 2.2.

These auf, dass »nur Tote« keinen Stress haben würden, womit dem Beanspruchungsphänomen ein enigmatischer Charakter zugesprochen wird, da eine vollständige Abwesenheit von Stress unweigerlich mit dem Tod des Menschen gleichzusetzen sei (vgl. Selye 1974: 61-65). Somit eröffnet sich die Frage, ob es sich bei Stress um eine krankmachende Belastung handelt oder wider Erwarten um eine Art »Lebenselixier«.

Im Allgemeinen betrachten Laien Stress immerzu als eine negative Erscheinung, die sich im Inneren einer Person vollzieht und gewisse Reaktion hervorruft (vgl. Joiko et al. 2010: 13). Selye hält dagegen eine neutrale Stressdefinition für angebrachter, weil Stress einzig eine »unspezifische Reaktion des Körpers auf jede [Art von] Anforderung [aufzeigt], die an ihn gestellt wird« (Selye 1974: 58). Solche Reaktionen geschehen unabhängig davon, ob es sich um zumutbare oder unzumutbare Situationen handelt. Da in diesem Buch der Untersuchungsschwerpunkt auf den negativen Auswirkungen von Stress liegt, erscheint die Begriffseingrenzung des Psychologen Siegfried Greif (1991) sinnvoll, der die starke Subjektivität der Stressempfindung hervorhebt. Für ihn ist Stress ...

> [...] ein subjektiv intensiv unangenehmer Spannungszustand, der aus der Befürchtung entsteht, dass eine stark aversive, subjektiv zeitlich nahe (oder bereits eingetretene) und subjektiv lang andauernde Situation sehr wahrscheinlich nicht vollständig kontrollierbar ist, deren Vermeidung aber subjektiv wichtig ist. (Greif 1991: 13)

Fälschlicherweise wird Stress in vielen Fällen synonym zu psychischer Belastung verwendet, obwohl nicht alle psychischen Belastungen mit Stress einhergehen (vgl. Joiko et al. 2010: 8). Stressauslösende Belastungen werden als sog. Stressoren betitelt, welche sich nach Roman Schmitt (2001) in physikalische (z. B. Lärm), organisatorische (z. B. Zeitdruck), psycho-soziale (z. B. Angst vor Misserfolg) oder physische (z. B. Krankheiten) Stressoren rubrizieren lassen (vgl. Schmitt 2001: 17). Folglich stellt das Beanspruchungsphänomen »Stress« eine Reaktion auf Stressoren dar, wodurch Individuen einer Unausgewogenheit zwischen perzipierten belastenden Anforderungen und abrufbaren Regulationsressourcen ausgesetzt sind. Chronischer Stress etabliert sich bei einem Individuum dann, wenn polytrope Reaktionen zur Ausmerzung von Stressoren unterbleiben.

2.2   Allgemeine Belastungs- und Stresstheorien

Anhand der für dieses Buch festgelegten Definitionen ist erkennbar, dass den drei Phänomenen unterschiedliche theoretische Vorstellungen hinsichtlich ihrer Entstehungsbedingungen, Prozesse und Wirkungen zugrunde liegen. Im weiteren Verlauf werden wichtige physiologische und psychische Stressmodelle vorgestellt, die ein besseres Verständnis für die Vielschichtigkeit dieser ubiquitären Erscheinungen ermöglichen sollen.

2.2.1   Reaktionsbezogene Ansätze

Bislang haben sich in der arbeitspsychologischen Forschung vornehmlich stresstheoretische Modelle etabliert, die namentlich personale und arbeitsbezogene Merkmale sowie deren Reziprozität in den Fokus rücken. In den frühen Jahren der Stressforschung entwickelte exemplarisch der bereits erwähnte Hans Selye das sog. »Physiologische Modell« (vgl. Selye 1974: 70 f.). In seinem reaktionsorientierten Ansatz beschreibt er die Stressreaktion als das Allgemeine Adaptionssyndrom (AAS), welches drei Verlaufsphasen umfasst:

Während der Alarmphase/-reaktion findet eine Veränderung der körperlichen Erregung statt. Diese durch einen Stressor ausgelöste Alarmbereitschaft des Körpers ist für das jeweilige Individuum lebensnotwendig, um etwa für einen drohenden Kampf oder eine schnelle Flucht vorbereitet zu sein. (vgl. ebd.). In die Widerstandsphase geht der Körper dann über, sobald er über einen längeren Zeitraum einem oder mehreren Stressoren ausgesetzt ist. Im Zustand der moderaten Erregung kann der menschliche Organismus auch fortwährenden Effekten eines Stressors standhalten (vgl. ebd.). Dennoch sollten die Lebensumstände einer solchen Person nicht unnötig lange der Penetration von Stressoren ausgesetzt sein, da diese dem Körper zunehmend seine Ressourcen rauben, woraufhin der Organismus in die sog. Erschöpfungsphase übergeht. Bei zu hoher Intensität eines Stressors kann bisweilen sogar der Exitus eintreten (vgl. ebd.).

Was in dem Modell von Selyes unberücksichtigt bleibt, sind die psychologischen Bewertungsprozesse eines Individuums, denn die eben beschriebenen Reaktionsmuster des Organismus können auch mittels positiver Ereignisse ausgelöst werden. In solchen Fällen wird vom sog. Eustress gesprochen, welcher in schwer zu bewältigenden Situationen die Herausforderung sieht und zusätzliche körperliche Kapazitäten abrufbar macht. Nimmt eine Person gewisse Situationen wiederum als belastend wahr, so wird vom sog. Distress gesprochen (vgl. Gerrig und Zimbardo 2008: 485).

2.2.2 Reizbezogene Ansätze

Ein reizorientiertes Verständnis von Stress rückt externe und interne Reize in den Mittelpunkt, welche ein mehr oder weniger hohes Potenzial besitzen, spezielle Stressreaktionen hervorzurufen. Dies wurde bereits im Jahr 1967 von den Wissenschaftlern Thomas Holmes und Richard Rahe dahingehend untersucht, dass die gleichen Stressoren unterschiedlich stark auf Individuen einwirken können (vgl. Holmes und Rahe 1967: 213-218). Besonders weit verbreitet ist diese Form der Stressuntersuchung in den Arbeitswissenschaften, die unter Belastungen objektive Anforderungen verstehen, welche von prävalierenden Arbeitseinflüssen abhängig sind (vgl. Čandová 2005: 6). Ebenso lassen sich die Theorien von kritischen Lebensereignissen (engl. live-events) sowie kleinerer täglicher Belastungen (engl. daily hassles) zu den reizorientierten Ansätzen subsumieren (vgl. Kramis-Aebischer 1995: 30 f.).

Kritische Ereignisse im Lebenslauf eines Menschen werden bei der »Live-Event-Forschung« untersucht. Diese prüft, ob und in welchem Ausmaß bestimmte Begebenheiten bei Individuen physische oder psychische Schäden hinterlassen. Wie bei dem Modell von Selye findet auch innerhalb dieser Forschungsrichtung eine Nichtberücksichtigung der individuellen Bewertungsprozesse von Personen statt, sodass eine Trennung in positive und negative Ereignisse entfällt (vgl. ebd.). Anders als beim Live-Event-Ansatz spielen bei der »Daily-Hassles-Forschung« nicht die vermeintlich großen und daraufhin extensiven Lebensereignisse eine übergeordnete Rolle, sondern stattdessen die jeden Tag aufs Neue zu bewältigenden Routineaufgaben, mit denen sich eine jede Person zu beschäftigen hat, wie bspw. die Vorbereitungen für den Arbeitstag oder die Bewahrung von beruflicher Akzeptanz (vgl. Schwarzer 1993: 14-18).

Mittlerweile werden in der Forschung auch zunehmend subjektive Bewältigungsstrategien und Beurteilungsvorgänge in neu ausgearbeitete Stressmodelle eingearbeitet, sodass das einzelne Individuum nicht mehr als Spielball äußerer Umstände angesehen wird, sondern es als aktiver Bewerter seine Umwelt analysiert und auf diese im Zweifelsfall reagiert (vgl. Kap. 2.2.3).

2.2.3 Transaktionale Ansätze

Wie bereits erwähnt, sind weder die reaktions- noch die reizbezogenen Forschungsansätze dazu in der Lage, darüber aufzuklären, warum dieselben Reize unterschiedliche Verhaltensweisen bei Menschen auslösen. Aus diesem Grund kam es in der Belastungs- und Beanspruchungsforschung vermehrt zur Ausarbeitung von transaktionalen Ansätzen, die Stress als eine Art Akt zwischen Personen und Umwelt verstehen, welcher sich als vielschichtige und wechselseitige Auseinandersetzung darstellt (vgl. Kaluza und Vögele 1999: 334). Eine individuelle Bewertung sowie die bewusste Wahrnehmung von Umwelteinflüssen stehen dabei im Zentrum dieser Konzepte. Besonders das immer wieder erweiterte »Transaktionale kognitive Stresskonzept« des Psychologen Richard Lazarus (1966) konnte sich über die Jahre als fester Bestandteil innerhalb der Forschung durchsetzen (vgl. Greif 1991: 8 f.).

Nach Lazarus' Stressmodell spielt sich der Bewertungsprozess eines Individuums auf drei Stufen ab (vgl. Lazarus 1966: 22-258): Zunächst erfolgt von einer Person eine sog. Primärbewertung (engl. primary appraisal), die eine gegenwärtige Situation entweder als »positiv«, »neutral« oder »belastend« einstufen kann. Auf diesem Level definiert Lazarus drei Arten von Stress, die er als »Bedrohung«, »Herausforderung« und »Verlust« apostrophiert, wobei er der Bedrohung die meiste Bedeutsamkeit zuschreibt, weil sich diese als die wichtigste Variable für psychologischen Stress darstelle (vgl. ebd.: 30). Diese Form der Erwartungshaltung, drohenden Aufgaben ausgesetzt zu sein, stellt Menschen vor die Frage, ob sie mithilfe ihrer zur Verfügung stehenden Ressourcen wichtige persönliche Ziele zum Positiven beeinflussen können (vgl. ebd.: 148 f.).

Unter der Voraussetzung, dass eine Situation als belastend empfunden wird, kommt es als Zweites zur sog. Sekundärbewertung (engl. secondary appraisal). Das Individuum prüft an dieser Stelle, welche Handlungsmöglichkeiten ihm zur Verfügung stehen, um eventuell eine Situationsbewältigung[9] (engl. coping) zu initiieren. Dabei müsse die Sekundärbewertung nicht zwangsläufig auf die Primärbewertung folgen, weil diese sich überschneiden oder parallel ablaufen können (vgl. ebd.: 159-162).

Auf der dritten Stufe von Lazarus' kognitivem Stressmodell findet eine sog. Neubewertung[10] (engl. reappraisal) der ursprünglichen Situation statt.

---

9   Eine umfangreiche Erläuterung der Coping-Thematik erfolgt in Kapitel 3.4.

Dadurch, dass sich die äußeren und inneren Bedingungen einer Situation nach der Reaktion einer Person grundlegend verändern können, bedarf es in einem nächsten Schritt, die neue Situation mit der alten zu kontrastieren. Hierbei hinterfragt sich das Individuum, wie erfolgreich es gegen die aufgekommenen Stressoren vorgegangen ist und welche Kapazitäten für die Bewältigung der aktuellen Lebenslage notwendig waren (vgl. Lazarus und Folkman 1984: 38). Je nach Höhe der sichtbargewordenen Anforderungen entsteht zeitgleich negativer Distress bzw. positiver Eustress (vgl. Kap. 2.2.1).

Abbildung 1:
Transaktionales Modell von Lazarus (Schwarz 1993: 16)

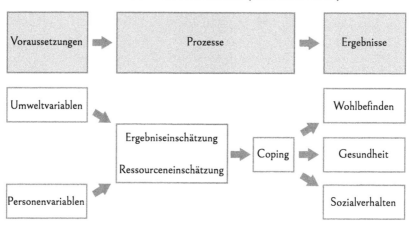

Letztlich beschränkt sich das Modell von Lazarus nicht nur auf Reaktionen und Reize, wie es exemplarisch Selye in seinem grundlegenden Stresskonzept getan hat (vgl. Selye 1974). Der transaktionale Ansatz berücksichtigt, dass identische Situationen bei unterschiedlichen Menschen verschiedene Bewältigungsstrategien auslösen können. Deswegen diente Lazarus' Herangehensweise auch in vielen Fällen als Ausgangsmodell der Untersuchung von Stress im Lehrerberuf, was in Kapitel 2.3 (ab Seite 22) ausführlich eruiert wird.[11]

---

[10]   Die dritte Phase wurde erst später hinzugefügt (vgl. Lazarus und Folkman 1984).

2.2.4 Moderne Ansätze der Stressforschung

Zunächst erfolgt noch ein kurzer Exkurs über die aktuellen Ansätze innerhalb der Stressforschung. Hierbei rücken zwei durchaus differierende Perspektiven in den Mittelpunkt. Die »Theorie der Ressourcenerhaltung« des Psychologen Stevan Hobfoll (1989) kann als Alternative zu dem Stressmodell von Lazarus gesehen werden. Hobfoll ist der Überzeugung, dass Menschen das Vermeiden von Verlusten dem Erzielen von Gewinnen priorisieren. Daher steht bei Hobfolls Modell auch die Stressbewältigung im Zentrum, da für ihn Stress meist dann auftritt, wenn Ressourcen[12] (z. B. Gegenstände oder auch persönliche Merkmale) bedroht sind, verlorengehen oder fehlerhaft investiert wurden. Menschen haben einen Einfluss darauf, über welche Ressourcen sie verfügen und wie sie diese einzusetzen gedenken, um andere Ressourcen zu bewahren (vgl. Hobfoll 1989: 513-524).

Einen neuen Weg in der Stressdiagnostik schlägt der »Neuropattern-Ansatz« des Neuropsychologen Dirk Hellhammer (2005) ein. Hellhammer weist darauf hin, dass aktuelle Laboruntersuchungen am Menschen nachweislich die Annahme falsifizieren, Stresssymptome seien stets die Folge von Erlebten und Verhalten. Zugleich zeigt die klinische Diagnostik, dass überaus spezifische Konstellationen von genetischen, organischen und psychischen Krankheitsdeterminanten bei Patienten existieren, was eine enorme Heterogenität der Stressabläufe impliziert. Neuropattern sollen ein besseres Verständnis dafür ermöglichen, wie die Kommunikation zwischen dem zentralen Nervensystem des Körpers und dessen Organen abläuft. In der Praxis hat sich schon bestätigt, dass sich der Neuropattern-Ansatz als subsidiäres Instrument innerhalb der Diagnostik etablieren kann (vgl. Hellhammer 2005: 312-316).

---

[11] Das Arbeitspsychologische Stressmodell von Bamberg, Keller, Wohlert und Zeh (2012) stellt exemplarisch eine Erweiterung des überarbeiteten transaktionalen Stressmodells von Lazarus und Folkman (1984) dar (vgl. Bamberg et al. 2012). Für den weiteren Verlauf dieses Buches wurde ebenjene Extension nicht weiter berücksichtigt, weil sie sich auf keines der thematisierten Belastungsmodelle für den Lehrerberuf auswirkte.

[12] Zapf und Semmer definieren den Begriff wie folgt: »Ressourcen sind Mittel, die eingesetzt werden können, um das Auftreten von Stressoren zu vermeiden, ihre Ausprägung zu mildern oder ihre Wirkung zu verringern« (Zapf und Semmer 2004: 1042 f.).

2.3   Gesonderte Belastungs- und Stressmodelle für den Beruf des Lehrers

2.3.1   Modell zum Lehrerstress von Kyriacou und Sutcliffe (1978)

Speziell im Bereich der Lehrerforschung haben sich zahlreiche Stressmodelle herausgebildet. Das im Jahr 1978 veröffentlichte »Modell zum Lehrerstress« der Psychologen Chris Kyriacou und John Sutcliffe baut auf den Ideen Lazarus' auf und hat sich seit nunmehr 40 Jahren innerhalb der Belastungs- und Stressforschung bewährt. Ebenso wie Lazarus sprechen die beiden Wissenschaftler von potenziellen Stressoren, die in Abhängigkeit der subjektiven Einschätzung eines Individuums zu Stress und auf längere Sicht gesehen zu chronischen Beschwerden führen können. Zudem berücksichtigt das Lehrerstressmodell weitere Stressoren, die sich außerhalb des Berufes ansiedeln, und persönliche Merkmale eines Lehrers, wie etwa seine Biographie oder seine Persönlichkeit (vgl. Kyriacou und Sutcliffe 1978: 2-5). Negativ anzumerken ist, dass Kyriacou und Sutcliffe die Interaktion von einer Person und dessen Umwelt zwar bedenken, aber die vorherrschenden Umweltmerkmale nur als potenzielle Stressoren ansehen. Die Kontextbedingungen, unter denen diese Stressoren auftreten, seien ebenfalls in Anschlag zu bringen (vgl. van Dick 1999: 33).

Zu Beginn des Modells liegt das Hauptaugenmerk auf einem bestimmten Ereignis (engl. potential stressors), welches von einer (Lehr-)Person wahrgenommen werden muss, damit sie eine primäre Bewertung (engl. appraisal) vollziehen kann. Erst dadurch besteht für den Betroffenen die Möglichkeit, entscheiden zu können, ob von einer potenziellen Gefahr (engl. actual stressor) auszugehen ist. Daraufhin werden vorhandene Bewältigungsstrategien (engl. coping mechanisms) herangezogen, die in einer Auseinandersetzung mit dem Stressor münden. Nach einem positiven Verlauf findet eine Neubewertung der Situation statt, während bei einem Scheitern negative Perzeptionen (engl. teacher stress) auftreten können. Sollten diese Affekte über einen längeren Zeitraum fortwähren, besteht die Gefahr auf dauerhafte Erkrankungen (engl. chronic symptoms), die sich hauptsächlich in Form von psychosomatischen Symptomen niederschlagen. Beeinflusst wird dieser gesamte Prozess von den Persönlichkeitsmerkmalen der Lehrkraft (engl. characteristics of the individual teacher) sowie den Einflüssen (engl. potential non occupational stressors), die abseits der Lehrtätigkeit vonstattengehen (vgl. ebd.: 31 f.).

2.3.2   Rahmenmodell der Belastung und Beanspruchung von Rudow (1994)

Das Spezielle am Beruf des Lehrers ist, dass er die Pädagogen größtenteils vor psychische Herausforderungen stellt, die kognitiv und emotional belastend sind. Dies erkennt auch Rudow (1994) und präzisiert in seinem »Rahmenmodell der Belastung und Beanspruchung im Lehrerberuf« die Ideen von Kyriacou und Sutcliff, indem er eine Verbindung zwischen Lehrer-[13] und Tätigkeitsmerkmalen schafft. Somit wird dem Prozesscharakter von Belastung und Beanspruchung Rechnung getragen, welchen Rudow mit der Lehrertätigkeit korrelieren lässt (vgl. Rudow 1994: 42-44).

In seinem Rahmenmodell unterscheidet der Psychologe zwischen objektiver und subjektiver Belastung. Unter objektiver Belastung sind alle Tätigkeitsfaktoren zu fassen, welche losgelöst von der (Lehr-)Person vorhanden sind und ein gewisses Belastungspotenzial beinhalten. Diese haben weder positiven noch negativen Charakter, womit die objektive Belastung als wertindifferentes Phänomen anzusehen ist. Für eine Lehrkraft tritt die subjektive Belastung erst nach der Reflexion und Bewertung von objektiven Belastungen in Erscheinung, welche sich abermals in emotionale und kognitive Belastung distinguieren lässt. Emotionale Belastung drückt sich anhand der positiven oder negativen Befindlichkeit des Lehrers aus, die abermals zu einer positiven oder negativen Bewertung der Beanspruchungssituation führt. Unter kognitiver Belastung versteht Rudow den Gebrauch von kognitiven Leistungs- und Handlungsvoraussetzungen, welche für die erfolgreiche Auseinandersetzung mit geistigen Aufgaben vonnöten seien. Unter Einsatz solcher Prozesse, in denen die Belastungsfaktoren einer subjektiven Bewertung unterzogen werden, entstehen subjektiv perzipierte Belastungs- bzw. Beanspruchungsmomente (vgl. ebd.).

Indem Rudow zwischen positiven und negativen Beanspruchungssituationen differenziert, gelingt es ihm in seinem Modell, die Komplexität der Belastungs- und Beanspruchungsthematik umfassend abzubilden, wenn-

---

[13]   Die für Lehrer notwendigen Kompetenzen sind im COACTIV-Modell zusammengefasst. Die Abkürzung »COACTIV« steht für das Projekt »Cognitive Activation in the Classroom: The Orchestration of Learning Opportunities for the Enhancement of Insightful Learning in Mathematics«, welches die Kompetenzen von Mathematiklehrern hinsichtlich der Unterrichtsqualität in den Fokus rückt (vgl. Max-Planck-Institut für Bildungsforschung 2009).

gleich es eine ausführliche Darstellung von Bewältigungskalkülen entbehrt, was als negativ angesehen werden muss (vgl. ebd.).

2.3.3 Allgemeines Rahmenmodell schulischer Belastung von Böhm-Kasper (2004)

Im Jahr 2004 konzipierte der Erziehungswissenschaftler Oliver Böhm-Kasper in einer seiner Forschungsarbeiten das »Allgemeine Rahmenmodell schulischer Belastung«, welches für das vorliegende Buch nicht nur als theoretische Basis für die Verortung der Phänomene »Belastung« und »Beanspruchung« dienen soll, sondern vorrangig, um den reziproken Zusammenhang zwischen Belastungen und Beanspruchungen im Umfeld des Lehrerberufs angemessen darzustellen. Vorab muss darauf hingewiesen werden, dass im Zentrum von Böhm-Kaspers Modell eine Betrachtung beider Handlungsgruppen – Lehrer sowie Schüler[14] – steht (vgl. Böhm-Kasper 2004: 71-75). Im Hinblick auf den Untersuchungsgegenstand dieser wissenschaftlichen Arbeit bezieht sich die weitere Modellverwendung allerdings vorrangig auf die Gruppe der Lehrer im Belastungs- und Beanspruchungskontext.

Als theoretische Grundlage für das Rahmenmodell schulischer Belastung fungieren die in den vorherigen Kapiteln rezipierten belastungs- und stresstheoretischen Ansätze (vgl. Kap. 2.2 und 2.3). Dies erscheint insofern logisch, da Böhm-Kaspers Modell entscheidend von dem transaktionalen Stressmodell von Lazarus beeinflusst ist (vgl. Kap. 2.2.3), was eine handlungsregulationstheoretische Perspektive auf das Belastungs- und Beanspruchungsgeschehen impliziert. Ebenso können modelltheoretische Parallelen zum Rahmenmodell der Belastung und Beanspruchung Rudows gezogen werden (vgl. Kap. 2.3.2). Darüber hinaus lassen sich auch die Explikationen aus Hobfolls Theorie der Ressourcenerhaltung mit dem Belastungsverständnis von Böhm-Kasper in Relation setzen (vgl. Kap. 2.2.4).

Zu Beginn seines Modells rekurriert Böhm-Kasper auf »die grundlegende Belastungs-Beanspruchungs-Sequenz einer allgemeinen (der Arbeitswissenschaft entlehnten) Konzeption von Belastung und Beanspruchung«

---

[14] Das Belastungserleben von Schülern wird in den Modellen von Berndt, Busch und Schönwälder (1982) sowie Landwehr, Fries und Hubler (1983) ausführlich thematisiert.

(Böhm-Kasper 2004: 74), was mit einer begrifflichen sowie zeitlichen Trennung der Phänomene »Belastung« und »Beanspruchung« einhergeht. Außerdem werden Belastung und Beanspruchung wie bei Rudows Rahmenmodell als wertneutrale Erscheinungen beschrieben, die je nach Person positive, neutrale oder negative Charakterzüge entwickeln können (vgl. ebd.; Rudow 1994: 42; Kap. 2.3.2.).

Des Weiteren greift Böhm-Kasper in seinem Modell auf zentrale Annahmen kognitiver Stresstheorien zurück, womit er die individuellen Bewältigungs- und Bewertungsverfahren eines Individuums inkludiert (vgl. Böhm-Kasper 2004: 71-75). Aus diesem Grund seien von Lehrern im Schulalltag Handlungsschritte erforderlich, um eine Bewältigung von schulischen Belastungen zu ermöglichen (vgl. Scheuch und Schröder 1990: 36-39, 74-76). Innerhalb der transaktionalen Auslegung von Stress sind Adaptionsvorgänge der Person mandatorisch, da mit jedem stressauslösenden Ereignis – unabhängig davon, wie weitreichend dieses sein mag – Ressourcenaktivierungen in Erscheinung treten (vgl. Lazarus und Launier 1981: 226). In Anbetracht dieser Prämissen definieren Böhm-Kasper und sein Kollege Horst Weishaupt Belastung und Beanspruchung folgendermaßen:

> Unter der Belastung wird die Gesamtheit der erfassbaren äußeren, auf den Menschen einwirkenden Einflüsse verstanden, von denen man annehmen kann, dass sie als Aufgabe, Bürde oder Hemmnis Anstrengungen zu ihrer Bewältigung nötig machen. Die psychische Beanspruchung bezeichnet hingegen die Auswirkung der Belastung auf den Menschen in Abhängigkeit von seinen individuellen Leistungsvoraussetzungen, Lebensumständen und seinem jeweiligen Befinden. (Böhm-Kasper und Weishaupt 2002: 475)

Zusätzlich dazu integriert Böhm-Kasper in seinem Modell die Denkweisen der kognitiven Stresstheorien, indem er Bewertungs- und Bewältigungsvorgänge in puncto Stress als subjektive Deutungsprozesse einbindet:

> Der Umstand, dass Menschen äußere Belastungen je nach individuellen Voraussetzungen unterschiedlich bewerten, wird mit dem Begriff des subjektiven Deutungsprozesses bezeichnet. Subjektive Deutungsprozesse sind demnach eine Art Filter, durch den Menschen Belastungen wahrnehmen und bewerten. (Böhm-Kasper 2004: 237.)

2.4   Erweiterung des Rahmenmodells schulischer Belastung

Bevor eine ausführliche Betrachtung der drei Bereiche des Modells von
Böhm-Kasper vorgenommen werden kann, muss auf den im LFP gelegten
Schwerpunkt – die Vereinbarkeit der beruflichen Situation von Referendaren mit ihrem Privatleben – hingewiesen werden. Mit Blick auf die Ergebnisse des LFP erscheint eine Erweiterung des Rahmenmodells
schulischer Belastung für alle weiteren Überlegungen als zwingend notwendig, denn nicht nur das Umfeld »Schule« übt Einfluss auf eine Lehrkraft aus, so wie es durch das zur Sprache gebrachte Modell vorgetragen
wird. Ebenso sehr spielt das Umfeld abseits der Schule eine tragende Rolle, wenn eine objektive Bewertung des Belastungserlebens von Lehrern
bzw. Referendaren realisiert werden soll. Böhm-Kasper verteilt die zuvor
thematisierten Einflüsse und die daraus resultierenden Überlegungen in
seinem Modell auf die miteinander in Beziehung stehenden Bereiche »Belastungsfaktoren«, »Subjektiver Deutungsprozess« und »Beanspruchung«,
beschränkt sich dabei aber bewusst auf ein schulisches Umfeld (vgl. Böhm-
Kasper 2004: 70). Daher ist sein Modell für die weiteren Vorgehensweisen durch den Autor um die Dimension »Soziale Umgebung« erweitert
worden, wodurch nicht nur das Geschehen im Klassenzimmer (wie es
Böhm-Kaspers Modell vorsieht) Einzug in die Belastungsbetrachtung erhält, sondern sämtliche (non-)verbale Kommunikation und Interaktion der
Lehrkraft mit seinem Umfeld.

2.4.1   Belastungsfaktoren

In einem ersten Bereich fasst Böhm-Kasper alle für den Kontext Schule
lokal vorzufindenden Belastungsfaktoren nebst ihren jeweiligen Voraussetzungen zusammen. Anhand der Erweiterung seines Modells finden sich
in diesem Bereich nun auch alle außerschulischen, also globalen Belastungsfaktoren einschließlich ihrer Bedingungen wieder. Die Bedingungen
spaltet Böhm-Kasper in das »Situative und Situationsübergreifende Bedingungsfeld«, wenngleich sie sich durch eine gegenseitige Abhängigkeit
auszeichnen. Das Situationsübergreifende Bedingungsfeld segmentiert er
in »Objektive Anforderungen« und »Individuelle Voraussetzungen«,
während das Situative Bedingungsfeld in »Qualitäten der Sachbeziehungen« und »Qualitäten der Sozialbeziehungen« aufgeteilt wird (vgl. ebd.:
72 f.).

Zu den Objektiven Anforderungen lassen sich neben aktuellen gesellschaftlichen Auffassungen auch kulturelle und soziale Faktoren subsumieren, wie bspw. die von der Öffentlichkeit gestellten Forderungen an das Schulsystem oder die Anzahl an Unterrichtsstunden für Lehrer (vgl. ebd.: 72). Global betrachtet können auch die alltäglichen Arbeiten im Haushalt sowie die Konzeption von Unterricht und dessen Materialerstellung zu den objektiven Anforderungen ergänzt werden. Dagegen beinhalten Individuelle Voraussetzungen u. a. die gleichbleibenden Merkmale eines Menschen (z. B. sein Alter oder sein Geschlecht), dessen herauskristallisierte Persönlichkeit (z. B. ob er gewissenhaft oder emotional gefestigt ist), seine momentane Gestimmtheit (z. B. ob er zuversichtlich oder eher pessimistisch ist) sowie etwaige durchgehende Erkrankungen der Person (vgl. ebd.: 73). Diese spezifischen Charakteristika einer Person können für diese bereits im Einzelnen als Belastung ihre Wirkung entfalten oder binnen ihrer Mutualität mit der Umwelt.

Jene Belastungsfaktoren, die sich im Arbeitsumfeld einer Lehrkraft befinden, also innerhalb der Schule oder bei ihr zu Hause, schreibt Böhm-Kasper dem Situativen Bedingungsfeld zu. Hierzu zählen die Qualitäten der Sozialbeziehungen, welche bspw. die Kooperation des Lehrerkollegiums oder die Beziehung zwischen Lehrern und Schülern einbeziehen (vgl. ebd.). Mittels der Erweiterung des Rahmenmodells schulischer Belastung können an dieser Stelle des Modells noch Faktoren wie Partner- oder Elternschaft bzw. das Verhältnis zu Familie oder Freunden ergänzt werden. Des Weiteren lassen sich dem Situativen Bedingungsfeld noch Qualitäten der Sachbeziehungen unterordnen, zu denen exemplarisch die pädagogischen Überzeugungen des Lehrers oder die Handhabe der Schulleitung zählen (vgl. ebd.). Dazu kommt die Einstellung des Pädagogen hinsichtlich der Vorbildfunktion, die dem Lehrerberuf inhärent ist, primär dann, wenn dies fernab der festgelegten Unterrichtszeiten verlangt wird. Denn »Lehrer haben neben ihrem Bildungs- und Erziehungsauftrag die Pflicht, sich innerhalb und außerhalb des Dienstes vorbildlich und glaubwürdig zu verhalten« (Thömmes 2015).

2.4.2   Subjektiver Deutungsprozess

Der zweite Bereich von Böhm-Kaspers Modell umfasst die subjektiven Deutungsprozesse einer Lehrkraft, dessen Beanspruchungskonsistenz dadurch einer prädominanten Interferenz ausgeliefert ist. Böhm-Kasper erkennt selbst, dass »[d]as Konzept der ›subjektiven Deutung‹ [...] im vorgelegten Rahmenmodell das sowohl theoretisch wie auch empirisch am schwersten zu bestimmende Element [repräsentiert]« (Böhm-Kasper 2004: 73). Der Psychologe verweist in diesem Zusammenhang auf einige Handlungsregulationstheorien sowie kognitive Stressmodelle[15], welche als Ausgangspunkte herangezogen werden können, um die Aspekte des subjektiven Deutungsfeldes zu exemplifizieren (vgl. ebd.).

Einer dieser Aspekte stellt das subjektive Belastungserleben von Lehrern dar, welches mehrheitlich mit negativen Assoziationen in Verbindung gebracht wird. Im Sinne einer stresstheoretischen Auslegung, die auf dem Verständnis von Lazarus fußt, ist unter dem subjektiv perzipierten Belastungsempfinden eine Art Beurteilungsvorgang zu verstehen. Während dieses Prozederes bewerten Lehrer ihre persönliche Stresswahrnehmung, um einen Kenntnisstand darüber zu erlangen, welche lokalen und globalen Belastungen auf ihren Beruf einwirken. Dabei trägt einzig die subjektive Perzeption der Lehrperson dazu bei, dass ein anfänglich wertindifferenter Belastungsaspekt positive bzw. negative Charaktereigenschaften annimmt (vgl. Kap. 2.2.3).

2.4.3 Beanspruchung

Böhm-Kasper orientiert sich im dritten Bereich seines Rahmenmodells, welchen er als Beanspruchung tituliert, an Rudows Anschauungen (vgl. Kap. 2.3.2). Er unterteilt dort die eng miteinander verwobenen Phänomene in die Themenkomplexe »Beanspruchungsempfinden« und »Beanspruchungsfolgen« (vgl. Böhm-Kasper 2004: 73). Dabei können die Folgen von Beanspruchungen eine beachtliche Zahl an verschiedenen Reaktionen hervorrufen, die am Körper oder an der Psyche des jeweiligen Betroffenen ihre Spuren hinterlassen. Speziell für den Beruf des Lehrers kann konstatiert werden, dass durch die primär psychosoziale Berufsbelastung hauptsächlich »psychische und psychosomatische Beschwerden« zum Vorschein kommen (vgl. Čandová 2005: 15). Letztere sollen exemplarisch für eine Beanspruchungsfolge vorgestellt werden, was nach der Beanspruchungsreaktion »Erschöpfung« geschieht.

In einem ersten Schritt gilt es die (emotionale) Erschöpfung als psychische Beanspruchungsreaktion von körperlichen Beanspruchungsreaktionen, wie bspw. erhöhtem Blutdruck oder sozialem Rückzug, abzugrenzen

---

[15] Ausführliche Erläuterungen enthält Kapitel 2.2 (vgl. S. 17-21).

(vgl. Ulich und Wülser 2009: 72). Dabei ist die emotionale Erschöpfung nicht nur als kurzfristige Beanspruchungsreaktion zu verstehen, da sie stattdessen für die Entstehung und Ausdehnung von Burnout insbesondere innerhalb des Lehrerberufs verantwortlich gemacht wird (vgl. Kramis-Aebischer 1995: 118 f.).

Unter dem Begriff »Burnout« wird neben der englischen Übersetzung ins Deutsche – dem Wort »Ausbrennen« – eine über einen längeren Zeitraum andauernde Phase der Erschöpfung verstanden. Obgleich der mannigfaltigen Definitionen, die mittlerweile für das Burnout-Syndrom existieren (vgl. Korczak et al. 2010: 1), werden für dessen Erforschung meist drei Dimensionen als Messinstrumente herangezogen. So zählen außer der emotionalen Erschöpfung auch die Depersonalisierung des Individuums sowie dessen verminderte Leistungsfähigkeit zu typischen Burnout-Symptomen (vgl. Maslach et al. 2001: 402 f.). Empirische Studien, aufgeführt in Kapitel 3.3, belegen, in welchem Umfang das Phänomen »Burnout« die psychisch-emotionale Beanspruchung des Lehrerberufs tangiert (vgl. S. 25 f.).[16]

Im Gegensatz zu den eben genannten Beanspruchungsreaktionen spiegeln sich Beanspruchungsfolgen als längst eingetretene Missstimmungen oder exhaustive Erkrankungen wider. Unterdies können neben psychischen bzw. physiologischen Beanspruchungsfolgen auch verhaltensbezogene Beschwerden, wie bspw. vermehrte Fehlzeiten, erhoben werden (vgl. Ulich und Wülser 2009: 72). Dabei rücken empirische Untersuchungen des Lehrerberufs nicht nur das angesprochene Burnout-Syndrom in den Fokus, sondern konzentrieren sich auch auf die Frequenz an psychosomatischen Beschwerden (vgl. Čandová 2005: 41). Mit diesem Verständnis für Belastung und Beanspruchung im Lehrerberuf wird im weiteren Verlauf eine Einschätzung zum Belastungsempfinden von Referendaren im Vorbereitungsdienst vollzogen, was die nachfolgende Grafik zusammenfassend illustriert:

---

[16] In seiner ganzen Breite gehen u. a. die Arbeiten von Körner (2003) sowie Montgomery und Rupp (2005) auf die Burnout-Thematik ein.

Abbildung 2:
Erweiterung des Rahmenmodells schulischer Belastung um den globalen Faktor
»Soziale Umgebung« (in Anlehnung an Böhm-Kasper 2004: 75)

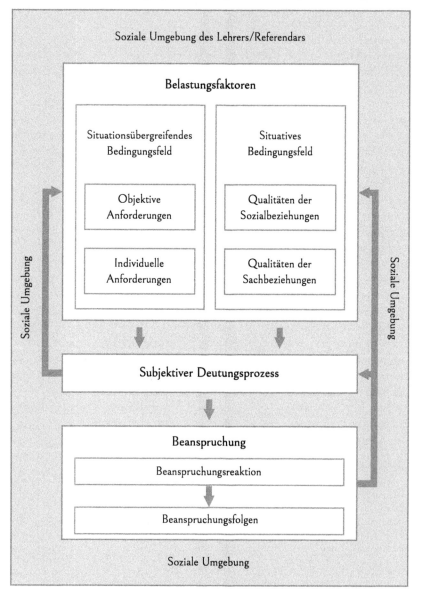

3 Empirische Befunde zu den Belastungen im Lehrerberuf

Als Nächstes stellt sich die Frage, was den Beruf des Lehrers in seinen Belastungsdimensionen tatsächlich ausmacht. Primär lässt sich der Lehrerberuf zu den sog. helfenden Berufen zählen, die auch als »Beziehungsberufe« deklariert werden, da die Beziehungsgestaltung zwischen dem Lehrer und seinen Schülern und Kollegen von elementarer Bedeutung ist (vgl. Bauer et al. 2007: 4 f.). Diese Gestaltung von Beziehung birgt ein gewisses Belastungspotenzial, das gesundheitliche Gefahren mit sich bringt. Ebenso können funktionierende Beziehungen auch als Stabilisator für den betroffenen Lehrer dienen (vgl. ebd.).

In diesem Zusammenhang ist die Studie Schaarschmidts aus dem Jahr 2005 namentlich hervorzuheben, weil sie als erste Untersuchung überhaupt systematisch verschiedene Berufsgruppen miteinander vergleicht, hinsichtlich ihres jeweiligen Belastungserlebens. Den Schwerpunkt dieser groß angelegten und über mehrere Jahre durchgeführten Fragebogenuntersuchung, an der etwa 17.000 Probanden teilnahmen, bildet die Gegenüberstellung von Lehrkräften mit anderen beruflichen Gruppierungen (vgl. Schaarschmidt 2005: 161). Diese umfangreiche Erforschung des Lehrerberufs zeigt, dass die Pädagogen in Relation zu anderen potenziell hochbelasteten Tätigkeiten, wie bspw. die der Polizei, von Krankenpflegern oder Erziehern, vermehrt mit Überlastungen zu kämpfen haben (vgl. ebd.: 42 f.).

Anhand dieses Wissens konstruiert Schaarschmidt vier Risikotypen, wovon zwei dieser Gegenstandfelder insinuieren, ob langfristige gesundheitliche Interferenzen bei einer Lehrperson vorherrschen. Demnach leiden 30 Prozent der Pädagogen unter steter Selbstüberforderung, einer reduzierten Resilienz sowie einer Schmälerung ihres Lebensgefühls (Risikomuster A) (vgl. ebd.: 26 und 42). Darüber hinaus verfügen 29 Prozent der Lehrer neben einem limitierten Engagement ihrer Arbeit gegenüber auch über eine eingeschränkte Belastungsfähigkeit, was von Forschern als Anzeichen für die Ausbildung von Burnout gedeutet wird (Risikomuster B) (vgl. ebd.: 27 f. und 42). Einzig Sozialarbeiter weisen ein ebenso hohes gesundheitliches Gefahrenpotenzial auf wie das der Lehrkräfte (vgl. ebd.: 42). Dagegen sind nur 17 Prozent der Pädagogen in der Lage, ein positives Lebensgefühl mit beruflichem Engagement zu verknüpfen (Muster G) (vgl. ebd.: 24 f. und 42). All diejenigen Lehrpersonen, welche keine gesundheitlichen Gefährdungen zu befürchten haben, weil sie ihre beruflichen Pflichten mit möglichst wenig Eifer zu erledigen wissen, zählen zu den übrigen 23 Prozent (Muster S) (vgl. ebd.: 25 f. und 42).

3.1   Potenzielle Belastungsmerkmale des Lehrerberufs

Speziell die nachfolgenden Belastungsfaktoren sind für (angehende) Lehrkräfte von besonderer Relevanz und werden in unterschiedlichen Studien ausführlich evaluiert. Im Fokus dieses Buches stehen ebenjene empirischen Befunde, welche sich in die drei Belastungsebenen untergliedern lassen, die auch bei der Durchführung der in diesem Buch analysierten Interviews Anwendung finden (vgl. Kap. 4 und 5). Diese Dreiteilung basiert auf Kramis-Aebischers »Modell zur Belastungsanalyse von Belastungskomponenten im Lehrerberuf«, welches vom Sozialpsychologen Rolf van Dick (1999) nochmals abgewandelt wurde (vgl. van Dick 1999: 36-39).

3.1.1   Belastungen auf der Systemebene

Auf der Systemebene lassen sich exemplarisch die Verwaltungsaufgaben, die eine Lehrkraft u. a. neben dem Unterrichten zu erledigen hat, als möglicher Belastungsfaktor ausmachen. Dabei stellen die administrativen Aufgaben in den Untersuchungen van Dicks lediglich eine mittlere Belastung für die Lehrer dar (M = 3,3 von 6,0) (vgl. ebd.: Anhang S. 4). Dagegen sprechen die Resultate Rudows, bei dem die Verwaltungsaufgaben das Potenzial besitzen, Lehrpersonen einerseits quantitativ zu überfordern und andererseits aufgrund ihres fehlenden Anspruchs qualitativ zu unterfordern (vgl. Rudow 1994: 60 f.). Die Ergebnisse Rudows werden von den Forschungsergebnissen der Psychologin Sylvia Körner bestätigt (vgl. Körner 2003: 109).

Als ein weiterer Belastungsfaktor kann das Öffentliche Berufsimage von Lehrern gesehen werden. Rudow, van Dick und der Erziehungswissenschaftler Axel Gehrmann (2013) belegen, dass die Lehrerprofession eine negative Stellung in der Gesellschaft einnimmt, was eine ausbleibende Anerkennung selbiger impliziert (vgl. Rudow 1994: 74; van Dick 1999: 20; Gehrmann 2013: 176). Lehrer haben sich zudem mit einem stetig steigenden gesellschaftlichen Druck auseinanderzusetzen, da von ihnen nicht mehr nur die Vermittlung von Fachwissen verlangt wird, sondern zunehmend die Übernahme der einst elterlichen Erziehungsfunktion. Diese ist durch gesellschaftlich bedingte Veränderungen immer mehr den Lehrkräf-

ten anheimgestellt, womit diese zusätzliche Belastungsfaktoren aufoktroy-
iert bekommen (vgl. Körner 2003: 63 f.).

Ferner kann auch die Schulbehörde belastende Züge für Lehrpersonen
annehmen. Dies begründet sich aus der permanenten Abhängigkeit des
Lehrers von den gravierenden Entscheidungen seitens der Schulbehörde,
wie einem Schulwechsel oder einer Beförderung, die von ihr getroffen
werden (vgl. Blossfeld et al. 2014: 86). Auch wenn van Dick die behördli-
chen Aufwendungen mit einer mittleren Belastungsintensität (M = 2,9
von 6,0) bestätigt (vgl. van Dick 1999: Anhang S. 4), weist Körner auf
die wenigen Möglichkeiten hin, die der Beruf des Lehrers im Vergleich zu
anderen (psychosozialen) Berufen bietet. Denn eine berufliche Tätigkeit
außerhalb der Schule zu bekleiden, stellt sich für Lehrer mitunter als
ebenso kompliziert dar wie den Wunsch einen Schulwechsel zu erwirken
(vgl. Körner 2003: 62 f.).

Auf der Systemebene lässt sich ebenfalls die Berufliche Autonomie der
Pädagogen zu den Belastungspotenzialen hinzuzählen. Obwohl eine freie
Gestaltung seiner beruflichen Tätigkeit auf den ersten Blick durchweg positiv erscheinen mag, kann diese bei mangelnder sozialer Unterstützung
vonseiten des Kollegiums ein negatives Belastungserleben begünstigen (vgl.
ebd.; Baeriswyl et al. 2014: 137-140), sodass Lehrer oft zum Einzelkämpfer
avancieren. Dies ist dem Unterrichten zuzuschreiben, da die Lehrkraft ihren Unterricht immer noch alleine im Klassenzimmer zu bewältigen hat,
was u. a. mit der Organisation bzw. Struktur der Schulinterna zusammen-
hängt (vgl. Schaarschmidt und Fischer 2013: 58).

3.1.2   Belastungen auf der Schulebene

Auf der Schulebene können sog. Objektive Schulbedingungen als Belas-
tungsquellen herangezogen werden. Dazu zählen u. a. die Art oder Größe
der Schule sowie deren materielle Ausstattung oder bauliche Gestaltung.
Im Hinblick auf das Unterscheidungsmerkmal »Schulart« liegen deskripti-
ve Befunde vor, die belegen, dass Gymnasial- und Gesamtschullehrer unter
höheren Belastungen stehen als Grund-, Real- und Hauptschullehrkräfte
(vgl. Hübner und Werle 1997: 220). Ein Grund dafür könnten die unterschiedlichen Anforderungen sein, die den verschiedenen Schularten inhärent sind, was van Dick durch spezifische Einzelbelastungen aufzeigt (vgl.
van Dick 2006: 147 f.). Dagegen kommen die Ergebnisse der Potsdamer
Lehrerstudie zu der Annahme, dass das Belastungserleben unabhängig vom
jeweiligen Schultyp ist (vgl. Schaarschmidt 2005: 74 f.).

Ebenso lässt sich die Belastung in der Klasse, welche sich exemplarisch anhand der Raumgröße oder des Lärmpegels manifestiert, der Schulebene zuordnen. Besonders in der Studie van Dicks spiegelt sich das enorme Belastungspotenzial einer zu großen Klasse wider (M = 5,1 von 6,0) (vgl. van Dick 1999: Anhang S. 4). Rudow weist zudem daraufhin, dass in großen Klassen nicht nur die räumliche Dichte sowie der Lärmpegel steigt, sondern primär eine Individualbetreuung der Schüler unmöglich ist (vgl. Rudow 1994: 64). Ob dies allerdings einen maßgeblichen Teil davon ausmacht, dass Lehrer an Burnout erkranken, ist bis dato noch nicht ausreichend erforscht (vgl. Käser und Wasch 2009: 25).

Die Probleme mit der Schulleitung, die durch deren Führungsstil oder durch fehlende Transparenz der für die Lehrer zu bewältigenden Anforderungen entstehen können, lassen sich fernerhin auf der Schulebene verorten. Körner konnte verifizieren, dass verschiedenen Führungsstilen ein mehr oder weniger hohes Burnout-Potenzial innewohnt (vgl. Körner 2003: 283 f.). Auch Schaarschmidt spricht den Handlungen seitens der Schulleitung eine wichtige Rolle zu. Dabei könnten Belastungsfaktoren reduziert werden, indem die Schulleitung unterstützend auf das Lehrerkollegium einwirkt (vgl. Schaarschmidt und Fischer 2013: 59 f.).

Gleiches gilt für die Belastung im Kollegium, da die Befriedigung sozialer Bedürfnisse eine essenzielle Funktion innerhalb des Lehrberufs einnimmt (vgl. Barth 1992: 114). Zusammen mit Kollegen veralteter Unterrichtskonzepte gilt es, einen Grundkonsens zu finden, der sich durch gegenseitiges Interesse, Offenheit und Unterstützung ergibt. Ein Scheitern beginnt mit einem unangenehmen Arbeitsklima und mündet in einem Konkurrenzkampf, der ein hohes Belastungserleben im Gefolge hat (vgl. Hagemann 2009: 45; Frank 2010: 64).

3.1.3   Belastungen auf der Individuellen Ebene

Auf der Individuellen Ebene definieren sich die Belastungsmerkmale durch die Eigenschaften und Persönlichkeitsmerkmale der Lehrperson selbst, die anhand ihres Arbeitsstils oder ihrer Interaktion mit Kollegen, Schülern oder deren Eltern charakterisiert wird. Die Arbeitszeit und -struktur ist bspw. für Lehrkräfte von entscheidender Relevanz, weil jeder Pädagoge unterschiedlich lange für die Erledigung von Arbeitsaufgaben benötigt. Diesbezüglich stellt Körner fest, dass »[d]ieser quantitativ nicht unerhebliche Anteil an ungeregelter [...] Arbeitszeit [...] bei engagierten Lehrern leicht dazu führen [dürfte], dass sie den subjektiven Eindruck haben, eigentlich nie richtig fertig zu sein« (Körner 2003: 63). Rudow kommt in seinen Untersuchungen zu den gleichen Ergebnissen (vgl. Rudow 1994: 61-63). Problematisch daran ist, dass eine räumliche Trennung der Aufgaben auf die Schule und das Zuhause des Lehrers stattfindet, obwohl nur die Pflichtstunden in Form des Unterrichts als Arbeitszeit dokumentiert werden (vgl. Rothland 2013: 24), was u. a. Überengagement oder Selbstüberforderung begünstigt (vgl. Schaarschmidt und Fischer 2013: 51).

Fernerhin führt das Unterrichtsfach je nach Fächerkombination zu einer höheren bzw. niedrigeren Belastung. Gleichwohl herrscht innerhalb der Forschung Heterogenität hinsichtlich des Belastungserlebens durch das Unterrichtsfach. Diese Uneinheitlichkeit rühre daher, »dass [...] die objektiven Anforderungen keinen hinreichenden Grund für die Höhe der subjektiven Belastung liefern« (Wendt 2001: 102). Dennoch lassen sich Fächern, mit überaus konkreten und transparenten Aufgabenbereichen wie Mathematik, Bildende Kunst oder Sport, ein geringeres Belastungsmaß attribuieren als ebenjenen, die mehr Zeit für die Unterrichtsvorbereitung mit sich ziehen (vgl. Rudow 1994: 63).

Anders verhält es sich mit den Objektiven Arbeitsmerkmalen des Lehrerberufs, die neben der bereits thematisierten Arbeitszeit auch die Art des Beschäftigungsverhältnisses, etwa ob eine Funktions- oder Leitungsstelle bekleidet wird, beinhaltet. Die wenigen Befunde, die zu diesem Themenfeld vorliegen, können keine signifikante Kohärenz zwischen einer angestellten/verbeamteten bzw. befristeten/unbefristeten Lehrkraft und ihrem Belastungsempfinden konkludieren (vgl. Körner 2003: 109).

Ebenfalls auf der Individuellen Ebene ist die Interaktion mit Schülern zu finden, die als eine der größten Belastungsfaktoren Unterschiede im Leistungsniveau sowie Disziplin- bzw. Motivationsprobleme vonseiten der Schüler inkludieren (vgl. Kyriacou und Sutcliffe 1978: 2; van Dick 1999: 39 f.). Studien belegen, dass Schüler zunehmend Schwierigkeiten damit haben, konstant mit den jeweiligen Anforderungen einer Unterrichtsstunde zurechtzukommen, was teilweise in Desinteresse oder gar Arbeitsverweigerung ausartet. 56 Prozent der befragten Lehrer mussten trotz entschiedenem Gegenlenken eine solche »Streiksituation« schon durchleben und empfanden dabei ein Gefühl der Machtlosigkeit (vgl. Süßlin 2012: 6 f.).

Die Belastungen innerhalb des Lehrerkollegiums wurden schon auf der Schulebene beleuchtet, sind unter der Prämisse der Sozialen Unterstützung im Kollegium aber nochmals aufzugreifen, weil parallel auf der Individuellen Ebene belastende Faktoren entstehen können, die etwa via unterschiedlicher pädagogischer Vorstellungen zutage treten (vgl. Kyriacou und Sutcliffe 1978: 2-5). Demnach sorgt eine höhere soziale Unterstützung im Kollegium für ein angenehmes zwischenmenschliches Klima, was mit einem geringeren Maß an Stress einhergeht (vgl. Rudow 1994: 71 f.; Schaarschmidt und Kieschke 2013: 93), während die Ermangelung an kollegialem Kooperieren als burnout-förderlicher Faktor gesehen wird (vgl. Körner 2003: 114).

Im Hinblick auf die Interaktion mit Schülereltern lässt sich ein in den letzten 20 Jahren steigendes Belastungserleben seitens der Lehrkräfte konstatieren. Während das Belastungslevel in der van Dick-Studie im Mittel bei M = 3,3 von 6,0 lag (vgl. van Dick 1999: Anhang S. 4), kommt eine aktuellere Untersuchung aus dem Jahr 2012 zu dem Entschluss, dass Lehrer zum einen über die Jahre an Autorität eingebüßt haben und zum anderen immer häufiger von den Eltern für die Insuffizienz ihrer Zöglinge verantwortlich gemacht werden (vgl. Süßlin 2012: 6).

Der im LFP gelegte Schwerpunkt beschäftigte sich mit der Privaten Situation des Lehrers, insbesondere mit der Umsetzung einer Trennbarkeit von Beruflichem und Privatem. Zugleich wird der Partner- und Elternschaft eine hohe Wichtigkeit beigemessen, da nachgewiesen werden konnte, dass kinderlose Lehrer mit niedrigeren Burnout-Werten aufwarten als ihre Kollegen mit Nachwuchs (vgl. Körner 2003: 107). Das liegt u. a. auch daran, dass im Lehrerberuf immer Möglichkeiten zur Förderung und Verbesserung bestehen (vgl. Rothland und Terhart 2007: 12 f.), wodurch oftmals die Probleme aus der Schule mit nach Hause getragen werden. Eine Verschmelzung der Berufs- und Privatsphäre ist die Folge (vgl. Schaarschmidt und Kieschke 2007: 65), was eine fehlende Work-Life-Balance impliziert. Diese wird anhand des Arbeitszeitmodells des Lehrerberufs sowie dessen zweigeteilten Arbeitsplatz gefördert (vgl. Dorsemagen et al. 2013: 219).

3.2   Spezielle Anforderungen für Referendare

Nachdem auf die meisten Belastungsfaktoren des Lehrerberufs eingegangen wurde, richtet sich die Aufmerksamkeit dieses Buches nun auf das vielschichtige Belastungsprofil angehender Lehrkräfte. Ungeachtet der Dekaden, die für die Erforschung des Lehrberufs aufgewandt wurden, begann in Deutschland die Untersuchung des Belastungserlebens von Referendaren erst ab dem neuen Jahrtausend (vgl. Čandová 2005: 38). Der Psychologe Oliver Christ und seine Sozien (2001) befragten 630 angehende Lehrer und klassifizierten deren Belastungsempfinden in vier Bereiche: (1) organisatorische und strukturelle Faktoren (z. B. Konflikte mit Kollegen), (2) Schülermerkmale (z. B. Disziplinprobleme), (3) Unterrichtsgestaltung (z. B. Schwierigkeiten mit Unterrichtseinstiegen) sowie (4) Belastungen durch die Ausbildung selbst (z. B. pädagogische Prüfungsarbeiten) (vgl. Christ et al. 2004: 114-118). In diesem Zusammenhang stellt sich die Frage, in welchem Ausmaß der Übergang ins Referendariat für junge Lehrkräfte Belastungen hervorruft. Dies soll im Weiteren eruiert werden.

3.2.1 Praxisschock oder angenehmer Übergang?

Die mittlerweile gängige Bezeichnung »Praxisschock«, die im Kontext von ausbildungsspezifischen Anpassungsproblemen angehender Lehrer verwendet wird, existiert schon seit den 1970er-Jahren (vgl. Müller-Fohrbrodt et al. 1978). Hinter dem plakativen Ausdruck verbergen sich die möglichen Folgen einer ersten Auseinandersetzung mit der Unterrichtspraxis, die in potenziellen Einstellungs- und Verhaltensveränderungen eines Individuums münden können.

Als mögliche Ursachen eines Praxisschocks werden eine Reihe von Faktoren in Betracht gezogen, die kurz- sowie langfristige Stressreaktionen mit sich bringen können (vgl. Klusmann et al. 2012: 276): Erstens besteht für die angehenden Lehrer eine hohe Wahrscheinlichkeit, dass sich ihre pädagogischen Vorstellungen nicht mit der unterrichtlichen Wirklichkeit decken (vgl. Veenman 1984: 146). Zweitens werden die Referendare ihre Unzulänglichkeiten hinsichtlich ihrer Kompetenzen und Performanz erst durch das Praktizieren der Lehrtätigkeit gewahr, was ein gesteigertes Stresslevel zur Folge haben kann (vgl. Woolfolk Hoy und Burke Spero 2005: 352-354). Drittens erhält ein Lehrernovize mit Beginn des Vorbereitungsdienstes eine große Last. Während die Lehramtsanwärter von Anfang an für ihre Klassen die volle Verantwortung übernehmen müssen, wird diese in anderen Ausbildungen über einen wesentlich längeren Zeitraum sukzessive gesteigert (vgl. Tynjälä und Heikkinnen 2011: 12).

3.2.2 Psychosoziale Belastungen im Referendariat

Demnach ist es wenig überraschend, dass zwischen dem ersten und dem zweiten Staatsexamen etwa 20 Prozent der angehenden Lehrer ihren Berufswunsch überdenken und das Referendariat vorzeitig abbrechen (vgl. Sieland 2004). Obwohl sich erst wenige Untersuchungen mit den

Belastungspotenzialen im Vorbereitungsdienst auseinandergesetzt haben, konnten diese dekuvrieren, dass besonders die zweite Phase der Lehrerausbildung unter psychosozialen Gesichtspunkten als überaus belastend einzustufen sei (vgl. Klusmann et al. 2012: 276 f.). Aus diesem Grund ließ die Abteilung für Beratung, Klinische Psychologie und Gesundheitspsychologie der Pädagogischen Hochschule Freiburg im Jahr 2013 einen fünfmonatigen Onlinetest[17] von 342 Referendaren durchführen, in dem die Lehramtsanwärter zu ihrer Arbeit, ihrem Arbeitsumfeld sowie ihrem derzeitigen gesundheitlichen Zustand befragt wurden (vgl. Drüge et al. 2014: 362 f.).

Anhand der Befragung konnte ermittelt werden, dass die angehenden Lehrkräfte berufstypische Facetten von Belastung verspüren. Diese manifestieren sich in den Bereichen »Anforderung[18]«, »Soziale Beziehungen und Führung[19]« sowie »Unsicherheit des Arbeitsplatzes«, die im Gegensatz zu den Vergleichsgruppen eklatant hohe Werte aufweisen, was auf erhöhte Anforderungen schließen lässt (vgl. ebd.: 364-368). Als besonders prekär stellen sich die Befunde der Skalen »Quantitative Anforderungen«, »Emotionale Anforderungen« und »Work-Privacy-Conflict« heraus, da sie immensen Einfluss auf die psychische Verfassung eines Referendars haben (vgl. ebd.: 369 f.). Die bestehenden Ergebnisse bestätigen eine apparente psychosoziale Belastung, welche dem Beruf des Lehrers innewohnt. Gleichzeitig wird dadurch die Mutmaßung falsifiziert, Lehrer könnten gegenüber anderen Berufsgruppen ihre Arbeit und Freizeit besser miteinander in Einklang bringen.

---

[17] Das zugrundeliegende Messinstrument des Onlinetests basierte auf dem Copenhagen Psychosocial Questionnaire (kurz: COPSOQ), einem Fragebogen, der branchen- und berufsübergreifend Fragen zu psychischen Belastungen am Arbeitsplatz beinhaltet. Durch die weltweite Nutzung des Fragebogens konnte über die Jahre eine umfangreiche, sich permanent erweiternde Datenbank heranwachsen (vgl. COPSOQ, https://www.copsoq.de).

[18] Der Bereich »Anforderungen« inkludiert die Skalen »Quantitative Anforderungen«, »Emotionale Anforderungen«, »Emotionen Verbergen« und »Work-Privacy-Conflict« (vgl. Drüge et al. 2014: 367).

[19] Der Bereich »Soziale Beziehungen und Führung« inkludiert die Skalen »Vorhersehbarkeit«, »Rollenklarheit«, »Rollenkonflikte«, »Führungsqualität«, »Soziale Unterstützung«, »Feedback«, »Soziale Beziehungen«, »Gemeinschaftsgefühl« und »Mobbing« (vgl. ebd.).

Gleiches wird von der im Jahr 2012 durchgeführten Basiserhebung des Arbeitswissenschaftlers Matthias Nübling und seinem Forschungsteam affirmiert, wofür etwa 54.000 Pädagogen zu psychosozialen Arbeitsbedingungen befragt wurden (vgl. Nübling et al. 2012: 11). Der Vergleich zu den anderen Berufen aus der COPSOQ-Datenbank zeigt, dass dem Lehrerberuf besorgniserregende Belastungspotenziale immanent sind. So leiden die Lehrkräfte neben einer erhöhten psychischen Beanspruchung speziell unter der Unvereinbarkeit ihres Berufs- und Privatlebens (vgl. ebd.: 38-42), was eine Vielzahl möglicher gesundheitlicher Konsequenzen nach sich ziehen kann (vgl. Kap. 3.3).

3.3   Burnout und andere gesundheitliche Folgen

Im Kontext des Lehrerberufs ist das Phänomen »Burnout« über die letzte Dekade zu einem der prädominanten Krankheitsbilder avanciert. Was irrtümlich ab dem Jahr 2007 vermehrt nur Personen in Managerposition vorbehalten war (vgl. Braun und Hillebrecht 2013), findet seinen eigentlichen Ursprung bereits Mitte der 70er-Jahre durch den Psychologen Herbert Freudenberger, der die Komplexität des alltäglichen Berufslebens und die damit verbundene Gefahr des Burnout-Syndroms in drei prägnanten Sätzen beschreibt:

> We work too much, too long and too intensively. We feel a pressure from within to work and help and we feel a pressure from the outside to give. When a staff member then feels an additional pressure from the administrator to give even more, he is under a three pronged attack. (Freudenberger 1974: 161)

Namentlich der Beruf des Lehrers ist dieser Mehrfachbelastung in besonderem Maße ausgesetzt, da »[p]sychische und psychosomatische Erkrankungen [...] häufiger [...] als in anderen Berufen [vorkommen], ebenso unspezifische Beschwerden wie Erschöpfung, Müdigkeit, Kopfschmerzen und Angespanntheit« (Scheuch et al. 2015). Dies belegen zahlreiche Studien, die sich mit dem Phänomen »Burnout« innerhalb des Lehrerberufs auseinandergesetzt haben (vgl. Barth 1992; Kramis-Aebischer 1995; Körner 2003; Drüge et al. 2014). Die Untersuchung der Psychologin Anne-Rose Barth (1992) kommt zu dem Ergebnis, dass zwischen 16 und 28 Prozent der befragten Lehrer ein starkes Burnout-Leiden beklagen (vgl.

Barth 1992: 160 f.). Die Erziehungswissenschaftlerin Kathrin Kramis-Aebischer bekräftigt mithilfe ihrer Befunde den von Barth eruierten Höchst-
wert von 28 Prozent (vgl. Kramis-Aebischer 1995: 213). Auch Körner
kann mittels ihrer Fragebogenerhebung einen Burnout-Anteil von etwa
25 Prozent bei den von ihr untersuchten Lehrpersonen konstatieren (vgl.
Körner 2003: 186 f.). Aktuelle Studien bestätigen diese besorgniserregenden Erkenntnisse auch für die angehenden Lehrer aus dem Vorbereitungsdienst (vgl. Drüge et al. 2014: 370).

In Relation zu diesen zahlreichen Befunden hinsichtlich der Belastungsfaktoren und deren Folgen für Lehrkräfte, beschäftigen sich deutlich weniger
Lehrerstudien mit der Frage über mögliche Konsequenzen für die Lehrertätigkeit, die mittels beruflicher Beanspruchungen ausgelöst werden. Als eine
der Wenigen gingen die Psychologen Christina Maslach und Michael Leiter
(1999) dieser Frage nach und konstruierten ein Wirkmodell[20], durch das
nachvollziehbar wird, inwiefern sich das Beanspruchungserleben von Lehrern
in Form von Burnout in einer Veränderung ihres Sozialverhaltens gegenüber
Schülern niederschlägt (vgl. Maslach und Leiter 1999). Zum einen geht aus
den Untersuchungsergebnissen hervor, dass die unter Burnout leidenden
Lehrkräfte weniger oft die Leistungen der Schüler anerkennen bzw. diese
gehäuft kritisieren. Zum anderen spiegelt sich diese Burnout-Beeinflussung
ebenfalls auf die Unterrichtsvorbereitung wider, die eine gewisse Gründlich-
keit seitens der Lehrer vermissen lässt (vgl. ebd.: 298).

Zu ähnlichen Befunden kommen Modelle aus der Angst- und Stim-
mungsforschung, die den Faktor »Besorgtheit« dafür verantwortlich machen, negativ auf die Leistungen der Lehrperson einzuwirken (vgl. Frenzel
et al. 2006). Ergo wird das Verhalten einer Lehrkraft insbesondere im
Kontext Schule anhand einer Vielzahl von expressiven, kognitiven sowie
motivationalen Konsequenzen fremdgesteuert, was sich auch als schädlich
für das Privatleben des Pädagogen herausstellen kann. Das nachfolgende
Kapitel zeigt, in welchem Umfang gezieltes Coping fremdgesteuertes
Handeln zu konterkarieren vermag.

---

[20] Das weltweit zur Burnout-Diagnose herangezogene Instrument Maslach Burnout Inventory (MBI), welches durch das Copenhagen Burnout Inventory
(CBI) und das Oldenburg Burnout Inventory (OLBI) für aktuelle Gegebenheiten modifiziert wurde, kategorisiert die typischen Burnout-Symptome in
drei Dimensionen: (1) Depersonalisierung, (2) Emotionale Erschöpfung und
(3) Erleben von Misserfolg (vgl. Maslach et al. 2005: 402 f.).

3.4   Mögliche Bewältigungsstrategien

Die eben angesprochenen Konsequenzen werden unter Einsatz der hohen
Interaktionsdichte und der kaum wahrnehmbaren Pausen während der or-
dinären Unterrichtszeiten zusätzlich forciert. Speziell die Verschmelzung
von Beruf und Privatleben in Form eines häuslichen Arbeitsplatzes führt
dazu, dass ein mentales Abschalten sowie eine körperliche Distanzierung
fernab der Lehrertätigkeit schwerlich realisiert werden kann (vgl. Cardenas
et al. 2004). Dabei tragen die Erholungsphasen eines Individuums maßgeblich zur Wiederherstellung von Ressourcen[21] bei (vgl. Geurts und Sonnentag 2006: 487 f.). Hierfür ist eine bestimmte Distanzierungsfähigkeit
vonnöten, welche Lehrern wie Referendaren eine mentale und physische
Loslösung ermöglicht, die ihnen hilft, ihre beruflichen Belastungen abzu-
schwächen bzw. ihnen mit adäquaten Copingstrategien zu begegnen (vgl.
Schaarschmidt 2005: 119-121).

3.4.1   Stressbewältigung nach Lazarus

»Stresssituation[en] zu mildern, abzuändern oder zu beenden, und zwar
unabhängig vom Erfolg dieser Bemühungen« (Zapf und Semmer 2004:
1061 f.), ist höchstes Ziel der Stressbewältigung[22]. Als einer der Ersten
unterscheidet Lazarus drei Arten des Copings: das problemorientierte,
das emotionsorientierte sowie das bewertungsorientierte Coping. Der
Ansatz des problemorientierten Copings fasst sämtliche Strategien zusammen, welche die Veränderung eines akuten Stressors anstreben. Indem gezielt problemlösende Aktivitäten und Handlungen vollzogen
werden und demzufolge eine Konzentration auf das vorherrschende Problem stattfindet, besteht für den Menschen die Möglichkeit, gegenüber
kontrollierbaren Stressoren die Oberhand zu gewinnen (vgl. Gerrig und
Zimbardo 2008: 480).
    Emotionsorientiertes Coping zielt im Gegensatz zum problemorien-
tierten Coping nicht auf eine Veränderung der Stresssituation ab, sondern
rückt die damit verbundenen Gedanken und Gefühle eines Individuums in
den Mittelpunkt. Typisch für ein solches Vorgehen ist die Auseinanderset-

---

[21] Vgl. hierfür die Ausführungen in Kapitel 2.2.4 (S. 21).
[22] Der Begriff »Stressbewältigung« wird in diesem Buch synonym zu den Be-
       zeichnungen »Copingstrategien« bzw. »Coping« verwendet.

zung mit unkontrollierbaren Stressoren, wie bspw. eine »Therapie zur Regulierung der bewussten und unbewussten Prozesse, die zu zusätzlicher Angst führen« (ebd.).

Bewertungsorientiertes Coping bezieht sich auf die in Kapitel 2.2.3 beschriebene Neubewertung der eigentlichen Stresssituation, da diese für Lazarus eine Kombination aus Bewertungsprozess und Copingstrategie darstellt, die er folgendermaßen beschreibt: »I also used the term cognitive coping to express this idea that coping can influence stress and emotion merely by a reappraisal of the person-environment relationship« (Lazarus 1999: 77). Diese Form der Stressbewältigung empfiehlt einer gestressten Person ihre Belastungssituation als Herausforderung zu betrachten, weil nur dadurch Ressourcen frei werden können, die für eine Verbesserung des jeweiligen Lebensumstands notwendig sind. Ab diesem Zeitpunkt müssen Verknüpfungen zu den anderen beiden Copingstrategien geschaffen werden, denn ohne konkrete Problemlösungsansätze ist die Bewältigung einer solchen Stresssituation unmöglich (vgl. ebd.).

3.4.2   Präventionsmaßnahmen auf der Systemebene

Lazarus' Vorstellungen der Stressbewältigung stellen nicht die einzigen Handlungsoptionen dar, um Belastungsfaktoren verlustarm zu begegnen. An dieser Stelle sollen hinsichtlich der in Kapitel 3.1 ausgearbeiteten Ebenen, auf denen Belastungen stattfinden können, Präventionsmaßnahmen vorgestellt werden, die sich in »Verhaltens- und Verhältnisprävention« aufschlüsseln lassen:

> Verhaltensprävention setzt beim Individuum an und verfolgt das Ziel, die Kompetenzen und Bewältigungsstrategien des Individuums zu verbessern. Verhältnisprävention fokussiert hingegen auf Arbeitsbedingungen, wobei eine Veränderung dieser Bedingungen durch Arbeits- und Organisationsgestaltung erreicht werden soll. (Krause et al. 2013: 75)

Schaarschmidt postuliert im Zuge seiner Potsdamer Lehrerstudie, dass konkrete Strategien ausgearbeitet werden müssten, die zur Entlastung der Lehrkräfte beitragen. Dafür sei es zwingend notwendig, eine Verbesserung des Bildungssystems sowie der Rahmenbedingungen, welche das Arbeitsleben der Lehrer bestimmt, durchzusetzen (vgl. Schaarschmidt 2005: 11). An unterschiedlichen Stellen könnten diese Umgestaltungen auch in puncto Lehrerentlastung ansetzen.

Auf der Systemebene besteht u. a. die Möglichkeit, die Arbeits- und Organisationsgestaltung einer Bildungseinrichtung zu reformieren. Neben der Einigung auf einen allgemeingültigen Verhaltenskodex können in gleicher Weise eingerichtete Ruhezonen die Rahmenbedingungen einer Schule zum Positiven beeinflussen (vgl. Schaarschmidt und Fischer 2013: 54). Bei finanziellen Engpässen der Lehranstalt kann Sponsoring ein probates Mittel sein, um eine solch ausgiebige Umgestaltung zu realisieren (vgl. Klippert 2006: 211).

Ebenso sollte das Schulsystem den Lehrpersonen die Teilnahme an Fort- und Weiterbildungen ermöglichen (vgl. Hillert et al. 2004: 49), da diese die Lehrkräfte zu gegenseitigen Ermutigungen motivieren und überdies befähigen, einen gesundheitsbewussteren Umgang mit Belastungen an den Tag zu legen (vgl. Blossfeld et al. 2014: 136). Hierzu zählt auch, das Phänomen »Burnout« offen zur Sprache zu bringen, weil nur dadurch frühzeitig Aufklärungsarbeit betrieben werden kann (vgl. Barth 1992: 240). Gleichwohl wäre ein eingeführtes schulinternes Gesundheitsmanagement in der Lage, frühzeitig gesundheitliche Probleme bei ihren Pädagogen zu diagnostizieren, um zeitnah intervenierende bzw. präventive Schritte einzuleiten (vgl. Blossfeld et al. 2014: 166), um physischen wie psychischen Belastungen entgegenzuwirken (vgl. ebd.: 16).

3.4.3 Präventionsmaßnahmen auf der Schulebene

Auf der Schulebene ist mittels eines unterstützenden Führungsverhaltens vonseiten der Schulleitung die Gelegenheit gegeben, die Ressourcen des Lehrerpersonals effizient zu nutzen und eventuell weiterzuentwickeln. Anhand folgender Merkmale zeichnet sich eine potenzielle Beratung aus: Zu Beginn sollte die Führungsriege der Bildungseinrichtung darauf bedacht sein, sämtliche schulische Sachverhalte offenzulegen, was mit dem Gefühl einer Gesamtverbundenheit aller Angestellten der Schule einhergeht. Zudem obliegt der Schulleitung die Aufgabe, ihren Mitarbeitern wertschätzende Worte entgegenzubringen, um nicht nur den Kontakt zu ihnen aufrechtzuerhalten, sondern vornehmlich mithilfe von ehrlichem Interesse ihre persönliche Entwicklung zu begünstigen (vgl. Schaarschmidt und Fischer 2013: 59 f.).

Ferner spielt die Kooperation unter den Lehrern eine wichtige Rolle, damit Belastungsfaktoren minimiert werden können. Unter Zuhilfenahme der Bildung von Fach-, Jahrgangs- oder Klassenteams wird sich dem Einzelkämpferdasein der Pädagogen erwehrt, was mit Arbeitserleichterungen korreliert. Hierzu zählt das Zusammensein innerhalb der Schulkonferenzen

nicht, weil es dort ausschließlich um formale Koordinierung und Termin-
absprachen geht (vgl. Klippert 2006: 132).

Speziell »im Unterricht vollzieht sich [die Arbeitstätigkeit der Lehr-
kraft] auf der Grundlage eines kooperativen Prozesses zwischen Lehrkraft
und Schülern« (Krause et al. 2013: 103). Diese Beziehung zu den Schülern kann als Dreh- und Angelpunkt für den schulischen Erfolg eines Individuums angesehen werden (vgl. Frank 2010: 110). Dafür muss den
Lehrern ein gewisses Zeitkontingent zur Verfügung gestellt sein, da einzig
über eine längere Periode hinweg die Beziehung zu den Schülern Intensi-
vierung erfahren kann (vgl. ebd.: 113).

3.4.4 Präventionsmaßnahmen auf der Individuellen Ebene

Auf der Individuellen Ebene kann eine betroffene Lehrperson zunächst eine
allgemeine Stressbewältigung betreiben. Diese vereint drei eigenständige
Bereiche, die zeitgleich miteinander koinzidieren (vgl. Buchwald 2011: 41):
Die erste Copingstrategie befasst sich mit den gedanklichen Konstrukten eines Menschen und strebt eine Dechiffrierung ebenjener Gedankengänge an.
Sofern dies erfolgreich von einem Individuum umgesetzt wurde, kann es seine fehlgeleiteten Kalküle durch konstruktive ersetzen. Eine zweite Strategie,
die sich der Belastungsbewältigung verschrieben hat, zielt darauf ab, bestimmte Stresssituationen im Vorhinein zu antizipieren, um sie eventuell in
Gänze zu vermeiden. Die dritte Bewältigungsstrategie gibt sich körperlichen
und seelischen Entspannungsübungen hin (vgl. ebd.).

Analog dazu, sorgt das erfolgreiche Zeitmanagement eines Lehrers dafür, dass dieser imstande ist, Ruhe und Besonnenheit zu erfahren. Dieses
Gefühl der Befreiung setzt zusätzlich Ressourcen frei, falls der Lehrer sie
für unvorhergesehene Situationen benötigt (vgl. Klippert 2006: 75).
Selbstdisziplin und -organisation sind vonnöten, damit Entspannungspha-
sen, wie bspw. progressive Muskelrelaxation, während der Schulpausen
oder im häuslichen Umfeld realisiert werden können (vgl. ebd.: 57). Sollte
dies für einen Pädagogen alleine nicht umsetzbar sein, kann ein sog. Supervisor[23] helfen, der neben therapeutischen Gesprächen auch für eine
mentale Stabilisierung der Lehrkraft zuständig ist (vgl. ebd.: 80).

---

[23] Ein Supervisor führt beratende Tätigkeiten aus, um die beruflichen oder eh-
renamtlichen Handlungen von Einzelpersonen, Gruppen und Organisationen
zu optimieren.

4 Methodisch-methodologisches Vorgehen

Mithilfe der in Kapitel 2 vollzogenen theoretischen Einordnung der Phänomene »Belastung«, »Beanspruchung« sowie »Stress« in gängige Belastungs- und Stressmodelle und den in Kapitel 3 aufgezeigten empirischen Befunden bezogen auf die Belastungen im Lehrerberuf, kann nun auf das methodisch-methodologische Vorgehen dieser wissenschaftlichen Ausarbeitung eingegangen werden. Dieses findet seinen Ursprung im Praxissemester des Jahres 2017/18 und dem damit verbundenen LFP. Die vom Verfasser dieses Elaborats szientifische Erhebung wurde, wie zu Beginn erwähnt, an einem OSZ des Bundeslandes Berlin durchgeführt. Dort reifte die Idee von Interviews, die das Belastungsempfinden von Referendaren im Vorbereitungsdienst dokumentieren sollten. Diese konnten nach der Genehmigung durch die Schulleitung und durch die Mentoren des Praktikanten verwirklicht werden. Welche Beweggründe dazu geführt haben, dass sich letztlich für episodische Interviews entschieden wurde, wird im kommenden Kapitel begründet.

4.1   Erhebungsdesign der Analyse

4.1.1   Entscheidung zugunsten einer qualitativen Erhebung

Mehrere Faktoren favorisierten den Beschluss, eine qualitative Befragung mit den Referendaren des Berliner OSZ zu effektuieren. Eine essenzielle Entscheidungsbegünstigung stellt zweifelsohne die Tatsache dar, dass in der Lehrerforschung bislang mehrheitlich Fragebogenerhebungen, also quantitative Forschungsmethodik, zum Einsatz kommt. Groß angelegte Untersuchungen wie die Potsdamer Lehrerstudie (vgl. Schaarschmidt 2005) oder die baden-württembergische Evaluation von Lehrkräften durch Nübling und seine Sozien belegen dies (vgl. Nübling et al. 2012). Gleiches gilt für die Erforschung der Referendare im Vorbereitungsdienst, wo bisherige weitreichende Erhebungen ebenfalls via Fragebögen ausgeführt wurden. Die Untersuchungen der Psychologinnen Antónia Čandová oder Marie Drüge, wo letztere zusammen mit ihrem Forschungsteam Lehramtsanwärter befragte, dienen als adäquate Beispiele (vgl. Čandová 2005; Drüge et al. 2014). Zum einen mag dies dem Umstand geschuldet sein, dass mit zunehmender Anzahl an Probanden eine Evaluation anhand von Interviews zeitlich kaum mehr realisierbar erscheint. Zum anderen bieten sich Fragebogenerhebung insofern an, weil durch die bereits angesprochene COPSOQ-Datenbank eine qualitativ hochwertige Vergleichsmöglichkeit gegeben ist (vgl. S. 24 f.), die in dieser Art für die Auswertung von Interviews noch nicht existiert.

Um dieser offenkundigen Forschungslücke entgegenzuwirken, entschied sich der Verfasser der vorliegenden Ausarbeitung dafür, mittels episodischer Interviews Referendare zu ihrem Belastungserleben im Vorbereitungsdienst zu befragen, um eine ausführliche Darstellung ihrer persönlichen Weltanschauung sowie ihrer gegenwärtigen Lebenssituation erhalten zu können. Diese variiert bei jeder Person, was auf kulturelle bzw. lebensweltliche Hintergründe sowie individuell einzigartige Erfahrungen zurückzuführen ist. »Der Befragte wird [deswegen] im offenen Interview dazu gebracht, selber anzuzeigen, was für ihn in welcher Weise relevant ist« (Kohli 1978: 11), während dies bei standardisierten Verfahren verhehlt wird. Gleichwohl gilt es zu bedenken, dass persönliche Einstellungen, Meinungen und Wissen komplexe Strukturen abbilden, deren Vielschichtigkeit anhand von geschlossenen Fragen einer quantitativen Erhebung nicht exploriert werden können (vgl. ebd.: 12). Letztlich erlauben offene Verfahren »eine Trennung zwischen dem, was der Befragte von sich aus äußert, und seinen Antworten auf entsprechende Vorgaben« (ebd.: 14). Nur unter diesen Umständen kann die soziale Wirklichkeit eines Individuums in Gänze verstanden und dementsprechend abgebildet werden. Diese Möglichkeit liefert die im Folgenden vorgestellte Untersuchungsmethode des episodischen Interviews.

4.1.2   Erhebungsverfahren: episodische Interviews

Qualitative Verfahren, die sich der Erhebung von persönlichen Daten verschrieben haben, zielen auf die Erfassung unterschiedlicher Dimensionen ab. Neben der subjektiven Perspektive, welche durch die Ansichten des befragten Individuums entsteht, spielt die Aufnahme von Lebensgeschichten und dem damit teilweise verbundenen Expertenwissen eine wichtige Rolle. Da es sich bei dem angewendeten Erhebungsinstrument um episodische Interviews handelt, die einer Mischform aus narrativem und leitfadengestütztem Interview gleichkommen, sollen die beiden letztgenannten Unterredungsformen zunächst gesondert vorgestellt werden, um deren jeweilige Charakteristik zu veranschaulichen.

In den 1970er-Jahren konstruierte der Soziologe Fritz Schütze die »Methode des narrativen Interviews«, woraufhin die individuellen Lebensgeschichten eines Menschen abgebildet und dessen getätigte Handlungen nachvollzogen werden können (vgl. Schröder et al. 2003: 13). Für diese Interviewform symptomatisch ist deren vollständig offener Verlauf, der einer Stegreiferzählung ähnelt, wo eine Unterbrechung des Erzählenden tunlichst vermieden werden soll. Fünf Phasen haben sich infolgedessen beim narrativen Interview etabliert[24]: In der Erklärungsphase klärt der Interviewer den Befragten über die Funktionen und Spezifika des stattfindenden Interviews auf. Die Einleitungsphase verhilft beiden Parteien abzustimmen, unter welchem Blickwinkel die selbst erlebten Geschehnisse vorgetragen werden sollen, welche der Interviewte mit eigenen Worten in der Erzählphase wiedergibt. Sofern dadurch Fragen oder Widersprüchlichkeiten entstehen, können diese in der Rückgriffphase durch den Interviewer erfragt werden. Am Schluss des Interviews dient die Bilanzierungsphase dazu, alles Erzählte nochmals zusammenzufassen und eventuell abschließend zu bewerten (vgl. Lamnek 2005: 358 f.). Anhand von narrativen Interviews kann somit eine authentische und plausible Rekonstruktion des verübten Handelns von Individuen geschaffen werden. Gleichwohl leidet die Vergleichbarkeit solcher Befragungen ungemein unter der hohen Heterogenität des Interviewniveaus (vgl. ebd.: 361).

Anders als bei der eben vorgestellten Befragungsart nutzt das »Leitfadengestützte Interview« eine schriftlich festgelegte Richtlinie, die den Gesprächsverlauf in vorgegebene Bahnen lenkt. Hierbei können die verfolgten Interviewziele entweder grob skizziert sein oder detaillierten Festlegungen entsprechen (vgl. Bortz und Döring 1995: 289). Leitfadeninterviews decken in der Regel ein exploratives Einsatzfeld ab, in dem sie zur Hypothesengewinnung oder als Pretest zur Entwicklung von Fragebögen herangezogen werden (vgl. Stier 1999: 189). Die innerhalb einer Datenerhebung gewonnenen Ergebnisse sind besonders dann mit anderen Interviews vergleichbar, wenn sog. Schlüsselfragen in jeder vorgenommenen Befragung gestellt werden, begleitet von sog. Eventualfragen, welche je nach Gesprächsverlauf von Relevanz sind (vgl. ebd.: 188). Problematisch an der Verwendung von Leitfäden im Kontext von Interviews ist, dass dies in gewisser Weise dem Offenheitsprinzip und gleichzeitig einem der Grundprinzipien der qualitativen Forschung widerspricht. Zudem korreliert die Qualität solcher Gesprächserhebungen immer mit der Güte des dafür gebrauchten Leitfadens.

---

24 Eine Übersicht über den Gesprächsablauf mit den Referendaren, der ebenfalls diesen fünf Phasen folgte, ist diesem Buch angehängt (Seite 115).

Eine Verknüpfung dieser beiden Befragungstypen ist auf den Psychologen Uwe Flick (1995) zurückzuführen, der das »Episodische Interview« modellierte. In seinem Modell geht er davon aus, dass Individuen in der Vermittlung ihrer Erfahrungen zwei verschiedene Arten von Wissen transportieren: Demnach wird narrativ-episodisches Wissen mittels des eigentlichen Gespräches erfasst, während semantisches Wissen aus ebenjenem narrativ-episodischen Wissen hergeleitet wird. Im Zuge dessen öffnet sich für die Teilnehmer einer solchen Unterredung der Raum für einen rezeptiven Dialog. Dieser zeichnet sich durch eine Substitution der künstlichen Situation des narrativen Interviews aus, die eine Reduktion auf die Erzählbasis des Erfahrungsbereichs der befragten Person abwendet, was mithilfe eines eingesetzten Leitfadens geschieht. Triangulative Erkenntnisse werden über derartige Vorgehensweisen erfahrbar (vgl. Lamnek 2005: 362 f.).

Der in diesem Buch verwendete Interviewleidfaden[25] orientiert sich an den konzeptionellen Erweiterungen von Čandová aus dem Jahr 2005, die Kramis-Aebischers Modell zur Belastungsanalyse von Belastungskomponenten im Lehrerberuf unter Berücksichtigung der Gedankengänge von Dicks abermals ausbaute (vgl. Čandová 2005: 22-32). Auf die schon mehrfach in diesem Elaborat thematisierten drei Ebenen der Belastung (Systemebene, Schulebene und Individuelle Ebene) wurde während der Gespräche mit den Referendaren dezidiert eingegangen, wenngleich beachtet werden muss, dass sich diese erste Einordnung eigentlich auf längst ausgelernte Lehrpersonen bezieht. Aufgrund dessen fand eine Erweiterung des Leitfadens statt, welcher die spezielle Belastungssituation von Lehrernovizen zur Sprache bringt, sodass unter Einsatz der zu Beginn freien Erzählung und den anschließenden leitfadengestützten Ergänzungen die Mannigfaltigkeit an Belastungsfaktoren angesprochen werden konnte.[26]

4.1.3   Befragung der ausgewählten Stichprobe

Im Zuge des erwähnten LFP wurde die durchgeführte Untersuchung am Berliner OSZ als Querschnittstudie angelegt, die in zwei Etappen stattfand. Im Dezember 2017 erfolgte eine erste Datenerhebung, in der drei

---

[25] Der Leitfaden für die realisierten Interviews befindet sich im Anhang auf Seite 116 f.

[26] Vgl. hierfür die Transkripte, die zu den Gesprächen mit den Referendaren angefertigt wurden. Diese befinden sich im Anhang auf Seite 121 bis 217.

Lehramtsanwärter mit möglichst heterogenem Lebenslauf aus unterschiedlichen Semestern in jeweils einzelnen Sitzungen darüber berichteten, wie belastend sie die Ausübung ihrer Lehrertätigkeit empfinden. Die Dokumentation der Gespräche spielte sich unter der Zuhilfenahme eines Aufnahmegeräts ab. Um eine systematische Auswertung und eine daran anknüpfende Interpretation des dokumentierten Sprachmaterials zu ermöglichen, sind schriftliche Transkripte der Interviews erstellt worden.[27] Diese akkumulieren die durchgeführten Gespräche, sodass diese auch nach Jahren noch kritisch beleuchtet werden können, um ihre Komplexität zu erfassen.

Darüber hinaus konnte im Januar 2018 eine zweite Befragungsrunde realisiert werden, in der zwei weitere Referendare ihr Belastungserleben innerhalb des Vorbereitungsdienstes schilderten. An dieser Stelle sei angemerkt, dass es sich bei den fünf befragten Lehramtsanwärtern allesamt um Personen handelte, die ein Studium mit Lehramtsoption abgeschlossen haben. Der Versuch, während des LFP auch Referendare zu befragen, die im Nachhinein als Quereinsteiger den Lehrerberuf auswählten, ließ sich in der Praxis nicht umsetzen.

4.2   Auswertungsdesign der Analyse

Unter Zuhilfenahme der erhobenen Daten aus den Interviews erfolgt in der Konsequenz eine erste Auswertung nebst anschließender Analyse der durchgeführten Gespräche. Ein solches Unterfangen ist mit hohen Anforderungen verbunden, weil die dafür verwendeten Methoden prinzipiell dafür geeignet sein müssen, Datenmaterial zu untersuchen, das sich teils aus belanglosen sowie widersinnigen und somit schwer zu deutenden Informationen konstituiert. Dies ist insofern problematisch, weil im Kontext qualitativer Auswertungsmethoden kein Konsens vorherrscht (vgl. Gläser und Laudel 2009: 43 f.). Teilweise werden Analysen sogar schlicht und ergreifend per gesundem Menschenverstand durchgeführt (vgl. Kuckartz 2010: 72 f.), wodurch die Ansprüche der Intersubjektivität sowie der Subjektivität nicht in Anschlag gebracht werden können, die zielgerichtete Herangehensweisen erheischen (vgl. Mayring 2015: 51 f.).

---

[27] Auf die für diese Arbeit zugrunde liegenden Transkriptionskonventionen wird im Anhang ausführlich eingegangen (vgl. S. 119 f.).

4.2.1   Qualitative Inhaltsanalyse nach Mayring

Aus diesem Grund stellt die Dreiteilung der Belastungsdimensionen im Vorbereitungsdienst lediglich einen Klassifizierungsvorschlag dar, um eine Einordnung der durch die Analyse gewonnenen Erkenntnisse zu gewährleisten. Gestützt wird diese vorangestellte und als »deduktiv[28]« bezeichnete Kategorisierung hauptsächlich durch die Untersuchungsmethodik von Mayring (2000). Für den Psychologen besteht der Grundgedanke einer qualitativen Inhaltsanalyse darin, das Auswertungsmaterial »nach inhaltsanalytischen Regeln aus[zu]werte[n], ohne dabei in vorschnelle Quantifizierungen zu verfallen« (Mayring 2000: Abs. 5).

Demzufolge lassen sich folgende Grundsätze für die kommende kritische Auseinandersetzung ableiten: (1) Es wird eine Einbeziehung der Kommunikationssituation vorgenommen, um zu abstrahieren, unter welchen Gegebenheiten die Materialerhebung stattgefunden hat (vgl. Kap. 4.1.3). (2) Unter dieser Prämisse soll sichergestellt werden, dass auch außenstehende Analysten anhand der Materialerhebung zu kommensurablen Schlussfolgerungen kommen. (3) Letztlich basiert das Analysevorhaben nach Mayring einer ausgearbeiteten Systematik, die sich aus verschiedenen Regularien und Theorien vereinigt (vgl. Mayring 2000: Abs. 7). Mittels dieses Kompositums muss vor dem eigentlichen Arbeitsbeginn entschieden werden, wie sich die Bearbeitung des Materials gestaltet, etwa in welcher Reihenfolge den unterschiedlichen Komponenten der Erhebung auf den Grund gegangen werden soll (vgl. Mayring 2015: 50 f.).

Nichtsdestotrotz birgt ein derartiges Vorgehen die Gefahr, dass der Blick für die jeweiligen Einzelfälle verloren geht, da sich die qualitative Inhaltsanalyse insbesondere für eine Reduktion bzw. Zusammenfassung des vorliegenden Textmaterials eignet (vgl. Lamnek 2005: 511-513). Im selben Augenblick legt Mayrings Verfahren ein spezielles Potenzial frei, welches eine induktive Kategorienbildung aus den verwendeten Transkripten heraus

---

[28]   Die deduktiven Kategorien sind größtenteils im theoretischen Teil dieser wissenschaftlichen Arbeit konzipiert worden (vgl. Kap. 3.1). Diese finden sich auch innerhalb der verwendeten Interviewleitfäden wieder (vgl. S. 116 f.). Anhand der Forschungsfrage, die dieses Buch introduziert (vgl. S. 11), wird der Untersuchungsgegenstand aus seinen Bestandteilen heraus analysiert, woraufhin Schlüsselbegriffe eine theoriebasierte Kategorienbildung ermöglichen (vgl. Mayring 2000: Abs. 13 f.).

erlaubt und die Möglichkeit schafft, die gesammelten Daten auf eine übersichtliche Größe zu reduzieren, ohne dabei dessen Inhalte zu verfälschen (vgl. ebd.). Dadurch sollen die Prinzipien der Reliabilität und Validität gesichert werden, wobei letzteres als übergeordnetes Kriterium anzusehen ist (vgl. Mayring 2015: 53).

Um eine gewisse Tauglichkeit in der Praxis zu garantieren, gibt Mayring einen genauen Ablaufplan mit elf Punkten vor, mit dessen Hilfe die Auslegung einer qualitativen Inhaltsanalyse vollzogen werden kann: (1) Festlegung des Materials, (2) Analyse der Entstehungssituation, (3) Formale Charakteristika des Materials, (4) Richtung der Analyse, (5) Theoretische Differenzierung der Fragestellung, (6) Bestimmung der Analysetechniken und des Ablaufmodells, (7) Definition der Analyseeinheiten, (8) Analyseschritte mittels des Kategoriensystems, (9) Rücküberprüfung des Kategoriensystems an Theorien und Material (inkludiert erneuten Materialdurchlauf bei Veränderungen), (10) Zusammenstellung der Ergebnisse und Interpretation in Richtung der Fragestellung sowie (11) Anwendung der inhaltsanalytischen Gütekriterien (vgl. ebd.: 62).

4.2.2 Organisation der qualitativen Inhaltsanalyse

Einige der eben genannten elf Bestandteile sind im bisherigen Verlauf dieses Buches bereits erörtert worden. So wurde die Festlegung des Materials in Kapitel 4.1.3 vorgenommen, indem der Materialkorpus beschrieben wurde, der sich aus fünf transkribierten Interviews ergibt. Gleiches gilt für die Formalen Charakteristika des Materials, auf dessen Transkriptionskonventionen dezidiert im Anhang dieser Ausarbeitung eingegangen wird (vgl. Anhang S. 119 f.).

Bezogen auf die Analyse der Entstehungssituation muss der Entstehungskontext des Materials betrachtet werden (vgl. Mayring 2015: 55), was das Vorwissen des Forschers inkludiert, weil dessen Abstraktionsfähigkeit maßgeblich für sein Interpretationsbestrebung ist (vgl. Helfferich 2005: 21). Abgesehen davon »ist [es] immer nur möglich, die Kategorien anderer Personen auf der Basis der eigenen Kategorien zu verstehen« (Meinefeld 2000: 271). Der Verfasser dieses Buches konnte zum Zeitpunkt der Befragungen ausschließlich auf das von ihm angelesene Wissen zurückgreifen, welches er sich mit der Hilfe von mannigfaltiger Fachlektüre zum Thema »Belastungen im Lehrerberuf« aneignete. Zudem stellten sich die fünf geführten Befragungen für den Interviewer als unbekanntes Terrain dar, da er zuvor noch keine Untersuchungen in dieser Form durchgeführt

hatte. Gleichzeitig stand der Leiter der Gespräche zum Zeitpunkt der Interviews in keinem Beziehungsverhältnis zu den Befragten. Die Merkmale
der interviewten Referendare sind fernerhin in Kapitel 4.1.3 zum Thema
gemacht worden.

Nachdem einer Materialfixierung entsprochen wurde, gilt es als vierten Schritt die Richtung der Analyse zu bestimmen. Dies geschieht unter
Zuhilfenahme der zum Ende von Kapitel 1 gestellten Forschungsfrage (vgl.
Mayring 2015: 58): »Welchen typischen Belastungssituationen sind Referendare während ihrer Zeit im Vorbereitungsdienst ausgesetzt? Welche
Copingstrategien werden von den Lehramtsanwärtern als Präventions-
und Gegenmaßnahmen angewendet?« Neben einer deduktiven Katego-
rienentwicklung, die sich größtenteils mithilfe der im Interviewleitfaden
verarbeiteten Überlegungen Kramis-Aebischers und van Dicks zugetragen
hat (vgl. Kap. 3.1, 3.2 und 4.1.2), sind ferner induktive Kategorien entwickelt worden, worauf noch genauer im folgenden Kapitel 4.2.3 eingegangen wird.

Der fünfte Punkt in Mayrings Ablaufplan schließt eine Theoretische
Differenzierung der Fragestellung mit ein, wodurch nicht nur wie beschrieben einer bestimmten Systematik gefolgt wird, sondern auch eine
Präzisierung der vorangestellten Forschungsfrage vorgenommen wird, die
an »die bisherige Forschung über den Gegenstand angebunden« (vgl.
Mayring 2015: 60) sein muss. Dazu kommen eine Reihe von Unterfragen,
die sich während des Differenzierungsvorgangs herauskristallisiert haben
(zur Differenzierung der Unterfragen vgl. S. 53 f.).

Als Nächstes hat die Bestimmung der Analysetechniken und des Ablaufmodells zu erfolgen. Hierbei stehen drei Verfahren im Fokus, welche
sich durch das bestehende Material sowie der angewandten Fragestellung
determinieren (vgl. Mayring 2015: 67). Da sich die »Explikation« mit einzelnen Textteilen auseinandersetzt, die ein Heranziehen von weiterem
Material erfordert, um die Möglichkeit eines umfassenden Textstellenein-
blicks zu gewähren (vgl. ebd.), und das Vorgehen der »Strukturierung«
darauf abzielt, »bestimmte Aspekte aus dem Material herauszufiltern«
(ebd.), wird für die Analyse in dieser Ausarbeitung auf das Verfahren
»Zusammenfassung« zurückgegriffen.

Dieses Verfahren reduziert die vorliegenden Transkripte auf einen über-
sichtlichen Materialkorpus, ohne deren wesentlichen Inhalten eine andere
Richtung zu geben (vgl. ebd.). Ein derartiges Prozedere, das in einem
Kode- bzw. Kategoriensystem[29] mündet, steckt ein gewisses Abstraktions-
niveau ab, was in einem mehrschrittigen Verfahren geschieht, indem der

Inhalt der Transkripte zunächst verringert, dann paraphrasiert und anschließend zusammengefasst wird (vgl. ebd.: 70). Gesetzt den Fall, dass »[e]ine induktive Kategoriendefinition [vonstattengeht,] leiten [sich] die Kategorien direkt aus dem Material in einem Verallgemeinerungsprozess ab, ohne sich auf vorab formulierte Theoriekonzepte zu beziehen« (ebd.: 85), sodass zuletzt ein induktives Kategoriensystem zu einem bestimmten Thema heranwächst, welches aus speziellen Textfragmenten besteht.

Indem gezielt Fragen an den Materialkorpus gestellt werden, können ebenjene Textabschnitte ermittelt werden, die für eine Genese von adäquaten Kategorien notwendig sind. Die folgenden fünf Fragen verhelfen dem Verfasser dieses Buches dabei, die wichtigsten Passagen der Texte ausfindig zu machen:

(1)   Mit welchen Belastungssituationen haben sich Lehrernovizen auseinanderzusetzen?
(2)   Werden von den Lehramtsanwärtern diesbezüglich Präventions- und Gegenmaßnahmen angewendet?
(3)   Welche Ansprüche stellen die Referendare an ihre Lehrerprofession?
(4)   Wie trennen die angehenden Lehrer Berufliches von Privatem?
(5)   Besteht bei den Lehrernovizen eine gewisse Besonnenheit gegenüber ihrer gesundheitlichen Verfassung?

Während des ersten Interviews hat sich neben den eben aufgeführten fünf Fragen eine weitere Fragestellung herauskristallisiert, die sich speziell mit

---

29 Für den weiteren Verlauf dieses Buches sind die Begriffe »Kode« und »Kategorie« zu definieren, da sie in manchen Betrachtungen gegenübergestellt werden: »[D]er Kode ist eine engere Kategorie, die Kategorie ein Oberbegriff, der mehrere Kodes zusammenfasst« (Berg und Milmeister 2008: Abs. 8). Zugleich können ein Kode bzw. eine Kategorie auch als sog. Bezeichner fungieren, dem Textstellen zugeordnet werden. Ein solcher Bezeichner kann sich als einzelnes Wort, Wortkonstellation oder ganzer Satz manifestieren (vgl. Kuckartz 2010: 57-59). Laut Kuckartz sei es legitim, sich für einen der beiden Begriffe zu entscheiden, um unnötigen Verwirrungen vorzubeugen (vgl. ebd.: 62). Aus diesem Grund werden in der nachfolgenden Analyse einzig Kategorien gebildet, mit deren Hilfe eine Generalisierung des Interviewmaterials umgesetzt wird.

der bis dato noch nicht explizit erwähnten dritten Umgebung[30] der Lehrerausbildung auseinandersetzt. Denn neben der Zeit in der Schule und zu
Hause haben die angehenden Lehrer ebenfalls einen nicht zu bagatellisie-
renden Teil ihres Referendariats im Allgemeinen Seminar (bzw. Hauptseminar) sowie den beiden Fachseminaren zu absolvieren. Demnach eröffnete
sich in der Konsequenz nachfolgende Frage:

(6)   Inwieweit belastet die Teilnahme am Allgemeinen Seminar und den
        Fachseminaren die Referendare während ihres Vorbereitungsdienstes?

4.2.3   Konzeption der Kategorienbildung

Damit ein detailliertes Kategoriensystem ausgebildet werden kann, wird
auf einen Kodiertypus zurückgegriffen, der in der »Grounded-Theory-Methodologie[31]« verankert ist.[32] Beim offenen Kodieren beginnt man innerhalb eines Textes damit, ebenjene Textabschnitte zu markieren, die im
Nachhinein kodiert werden sollen. Eine solche durchgeführte Selektion
trennt die entstandenen Textzitate von den übrigen peripheren Teilen der

---

[30] Das dritte Umfeld der Lehrerausbildung setzt sich aus dem sog. Allgemeinen
      Seminar und den beiden Fachseminaren zusammen. »In den Allgemeinen Se-
      minare [sic] werden zunächst alle organisatorischen Dinge des Referendariats
      geregelt (u. a. Zuweisung der Schulen und der Fachseminare, Dienstpost)«
      (GEW BERLIN 2017). »Die Aufgabe [der Fachseminare] besteht darin,
      Kenntnisse über die Unterrichts- und Erziehungsgestaltung im jeweiligen Fach
      bzw. den Fachrichtungen zu erwerben« (GEW BERLIN 2016).
[31] Vgl. dazu die im deutschsprachigen Raum synonym verwendeten Begriffe
      »empirisch begründete Theoriebildung« (Kuckkartz 2010: 73), »datenbasier-
      te Theorie« (Lamnek 2005: 100) oder »gegenstandsbegründete Theorie«
      (Flick 1995: 197).
[32] Bei der Grounded-Theory-Methodologie handelt es sich um ein induktives
      Verfahren zur Auswertung von qualitativen Daten. Konzepte und Zusam-
      menhänge sollen durch das mehrmalige Auseinandersetzen mit dem Material-
      korpus ermöglichen, neuartige Theorien anhand von Exploration hervorzuru-
      fen. Hierbei helfen die aus den Daten entwickelten Kategorien, die eine per-
      sistente Erweiterung, Modifizierung sowie Überprüfung erfahren und sich
      aufgrund dessen von keiner Theorie, sondern lediglich vom Forscher persön-
      lich ableiten lassen (vgl. Mayring 2002: 103 f.).

untersuchten Auswertungsmasse. Es gilt »die Einzelstücke in Haufen zu-
sammenzulegen, die untereinander in einem sinnvollen Zusammenhang
stehen« (Berg und Milmeister 2008: Abs. 27), um ein Kodieren in Aussicht zu stellen. Systematiken und Verknüpfungen können erst während
des eigentlichen Analysevorgangs hergestellt werden, weil die zuvor un-
spezifischen Erwägungen des Forschers ein Durchdringen des Textes unmöglich machten. Der Analyst verschlagwortet parallel zum Aufbau des
Transkripts die für ihn relevanten Textstellen auf ein bestimmtes Kriterium,
sodass vergleichbare Aussagen der Analysemasse unter diesem subsumiert
werden können, was die Möglichkeit einer weitreichenden Kategorisierung
des bestehenden Textes introduziert (vgl. ebd.: Abs. 27 f.). Unterdies ist
darauf zu achten, dass ...

> [...] wenige, einfache und konsistente Fragen, die dem ursprüngli-
> chen Forschungsdesign entsprechen, an die Daten gestellt werden.
> [Gleichzeitig sollte das Kodieren] [a]m Anfang [...] eher minutiös
> [...] [erfolgen], [da] später die Zahl der Kodes reduziert und Ko-
> des zu Super-Kodes zusammengefasst werden [können]. (ebd.:
> Abs. 30)

Mittels des eben beschriebenen Vorgehens des offenen Kodierens werden
für dieses Buch eine Vielzahl an Textfragmenten als Analyseobjekte zutage
gefördert. Diese münden in einer umfangreichen Verschlagwortung, mit
deren Hilfe – zusätzlich zu den bereits deduktiv vorgegebenen Kategori-
en – erste induktive Kategorien bestimmt werden können. Im Anschluss
an das offene Kodieren erfolgt die im Vorfeld thematisierte Zusammenfassung nach Mayring.

In einem siebten Schritt wird nach der Definition der Analyseeinheit gefragt, indem eine Festlegung der »Kodiereinheiten«, »Kontexteinheiten«
sowie »Auswertungseinheiten« erfolgt. Anfangs legt »[d]ie Kodiereinheit
[Hervorhebung im Original] [...] fest, welches der kleinste Materialbe-
standteil ist, der ausgewertet werden darf, was der minimale Textteil ist, der
unter eine Kategorie fallen kann« (Mayring 2015: 61). Daraufhin grenzt die
Kontexteinheit den größten Textbestandteil ab, zu der sich eine Kategorie
verdichten kann. Abschließend bestimmt die Auswertungseinheit, welche
Textteile jeweils der Reihe nach untersucht werden (vgl. ebd.).
        Dementsprechend ist in der Analyse dieses Elaborats die Kodiereinheit
(KE), welche sich zeitgleich als die kleinste Auswertungseinheit manifes-

tiert, mindestens ein ganzer Satz. Die größte Einheit dagegen dehnt sich
teilweise über eine komplette Transkriptseite aus (vgl. Anhang S. 198 f.).
Für den Analysevorgang soll sorgfältig darauf geachtet werden, dass jede
Zeile der fünf verwendeten Transkripte während des Vorgangs des offenen
Kodierens die notwendige Aufmerksamkeit erfährt. Aus diesem Grund
wird die Kategorienbildung zu Beginn und zum Ende der wissenschaftli-
chen Auseinandersetzung zweimal durchgeführt, um ein gewisses Maß an
Reliabilität zu gewährleisten (vgl. Kap. 6.3.2).

Im Weiteren sollen die Analyseschritte mittels des Kategoriensystems
vorgestellt werden, um den Analysevorgang, der innerhalb dieses Buches
durchgeführt wurde, transparent zu machen. Als Erstes wird das von Berg
und Milmeister (2008) dargestellte offene Kodieren, wie es die Grounded-Theory-Methodologie vorsieht, durchgeführt. In einem zweiten
Schritt wird eine Zusammenfassung entsprechend der Vorgaben Mayrings
umgesetzt. Bevor eine Paraphrasierung und Generalisierung der ausge-
wählten Textabschnitte vollzogen werden kann, werden alle gekennzeich-
neten Passagen innerhalb der Transkripte anhand der Interviewten
arrangiert. Daraufhin erfolgt drittens die Kategorienbildung. Diese stellt
sich überwiegend als Zusammenlegung inhaltsähnlicher Generalisierungen
dar, die sich zu jeweils einer Kategorie vereinen. In einem vierten und
letzten Schritt werden die induktiv entstandenen Kategorien[33] zu Oberkategorien zusammengefasst. So sind insgesamt 22 Kategorien und vier
Oberkategorien aus dem untersuchten Materialkorpus erwachsen (vgl.
Kap. 4.2.4).

Die Rücküberprüfung des Kategoriensystems an Theorien und Material findet sich im sechsten Kapitel dieses Buches wieder, wo im Einzelnen
auf die erarbeiteten Kategorien eingegangen wird (vgl. Kap. 6.1). Gleiches gilt für die Auswertungsschritte 10 und 11 von Mayrings qualitativer
Inhaltsanalyse (vgl. Mayring 2015: 62), nämlich die Zusammenstellung
der Ergebnisse und Interpretation in Richtung der Fragestellung (vgl.
Kap. 6.2) sowie die Anwendung der inhaltsanalytischen Gütekriterien
(vgl. Kap. 6.3.2).

---

[33] Die sieben induktiv entstandenen Kategorien apostrophiert der Autor als
»Anforderungen des Referendariats als solches«, »Beginn des Referendariats«,
»Belastung durch die Seminare oder deren Leiter«, »Eigenverantwortliche
Lehrertätigkeit«, »Prüfungsarbeit und deren Bewertung«, »Vergütung des Re-
ferendariats« und »Zusammenarbeit mit Mentoren« (vgl. Kap. 4.2.4).

4.2.4   Kategorisierung der Interviews mittels MAXQDA 2018

»Die Inhaltsanalyse mit ihrem sehr systematischen Vorgehen eignet sich besonders für eine Umsetzung am Computer« (Mayring 2015: 115). Mayring macht hiermit auf die Verwendung von Computerprogrammen (ATLAS.ti, MAXQDA und NVivo) aufmerksam, die speziell bei der Durchführung einer qualitativen Inhaltsanalyse angewendet werden können. Auch für die analytische Auseinandersetzung, die sich in diesem Buch vollzieht, ist auf eine Auswertungssoftware zurückgegriffen worden. Zu diesem Zweck kamen die Software MAXQDA 2018 zum Tragen, welche mehrheitlich für die qualitative Datenanalyse von wissenschaftlichen Schriften programmiert wurde.

Trotz vorhandener Softwarelizenz seitens des Autors musste dieser sich vor der eigentlichen Nutzung mit MAXQDA 2018 nochmals den siebten Analyseschritt Mayrings vergegenwärtigen. Die Definition der Analyseeinheit legt die Kodiereinheit fest, welche im vorliegenden Buch entweder aus einem Satz oder einem ganzen Gesprächsabschnitt besteht (vgl. ebd.: 59). In beiden Fällen ergibt sich daraus eine jeweils kohärente Sinneinheit. Unter dieser Prämisse lässt sich vermeiden, dass gleiche Sachverhalte, die mit einem oder eben mehreren Sätzen umschrieben werden, zu einer quantitativen Verzerrung der Resultate führen (vgl. Kap. 5).

Die Kategorisierung der für den Analysten adäquaten Textstellen stellt somit den Mittelpunkt all seiner Auswertungsarbeiten dar. Diese fand in Zeiten, wo elektronische Hilfsmittel noch nicht existent waren (wie für den Computer konzipierte Analysesoftwares), in Form von farbigen Markierungen auf konventionellem Papier und dem anschließenden Ausschneiden der vorgenommenen Kategorisierungsabschnitte statt. Gleiches erledigen heutzutage Programme wie MAXQDA 2018, wohingegen Textsegmente lediglich durch farbige Hervorhebungen von den nicht kategorisierten abgetrennt werden (vgl. Kuckartz 2010: 126).

Zu Beginn der computergestützten Auswertung innerhalb dieses Elaborats werden einzelne Passagen des jeweiligen Transkriptionstextes einer Kategorie zugeordnet, die einer der vier Oberkategorien entsprungen ist (vgl. Kap. 4.2.3). Im Vordergrund dieses ersten Analyseabschnitts steht insbesondere die systematische Suche nach sich thematisch ähnelnden Textmustern. Diese Ausarbeitung von Kategorien und deren Textpassagen wird bei allen fünf bestehenden Transkripten solange vollführt, bis aus forschungspragmatischen und ressourcenorientierten Gründen die Revision des Kategoriensystems abgebrochen werden muss, um mit dem immer wieder kritisch betrachteten Kategoriensystem weiterarbeiten zu können. Letztlich mündet die vorgenommene Datenanalyse in 22 unterschiedlichen Kategorien, welche sich in vier Oberkategorien aufteilen, was folgende Grafik illustriert:

Abbildung 3:
Belastungsebenen für Referendare (eigene Darstellung)

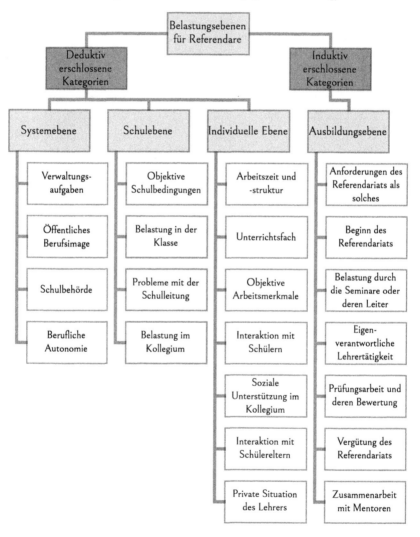

5 Resultate der Interviewauswertung

Die kritische Auseinandersetzung mit den fünf untersuchten Interviews zeigt, dass alle vom Verfasser dieser Arbeit befragten Referendare mit mehr oder weniger stark ausgeprägten Belastungserscheinungen zu kämpfen haben. Aufschlüsse über die lehrer- bzw. referendariatsspezifischen Gründe liefern die aus der qualitativen Inhaltsanalyse hervorgegangenen Kategorien, welche im weiteren Verlauf detailliert vorgestellt werden. Hierbei ist zu erwähnen, dass dieses fünfte Kapitel vorrangig eine Illustration der Resultate behandelt. Diese werden u. a. durch einige der von der Software MAXQDA 2018 zur Verfügung stehenden grafischen Darstellungsmöglichkeiten umgesetzt und unter Einsatz einer quantitativen Ergebnisanalyse kritisch beleuchtet. Aus diesem Grund wird sich im Folgenden zunächst der vermeintlich einfachsten Art des inhaltsanalytischen Arbeitens gewidmet (vgl. Mayring 2015: 13). In diesem Fall werden anhand einer sog. »Häufigkeits- bzw. Frequenzanalyse« die einzelnen KE ausgezählt und zueinander in Relation gesetzt. Eine vollständige Interpretation der Resultate bezogen auf die zu Anfang gestellte Fragestellung findet anschließend in Kapitel 6 dieses Elaborats statt.

5.1 Quantitative Auswertung der deduktiv erschlossenen Kategorien

In einem ersten Schritt erfolgt die Betrachtung aller deduktiv erschlossenen Kategorien, die sich auf der Systemebene, Schulebene und Individuellen Ebene wiederfinden. Insgesamt sind 15 Kategorien auszuwerten, wobei allein durch die visuelle Darstellung[34] der drei Belastungsebenen (vgl. Abb. 4) deutlich wird, dass diesen unterschiedlich viel Bedeutung zukommt. Erkennbar ist dies durch die verschiedenen Abstufungen[35] der

---

[34] Zur Veranschaulichung der Ergebnisse sind die Abbildungen 4 bis 8 in Anlehnung an die Darstellungsweisen von MAXQDA 2018 gestaltet.

[35] Die verschiedenen Abstufungen der Quadrate kommen durch die unterschiedliche Anzahl an Kodiereinheiten zustande. Dies zeigt die Grafik auf der folgenden Seite. Zudem bezieht sich die Berechnung der Symbolgröße (wegen der ersichtlichen Volatilität bezogen auf die Kodiereinheitenanzahl) auf die jeweilige Spalte.

Quadrate hinsichtlich ihrer Farbe und Größe. Demzufolge zeichnet sich ein eindeutiges Bild bei allen fünf Referendaren ab: Die größten Belastungspotenziale entstehen auf der Individuellen Ebene, dann folgen die Schulebene und anschließend die Systemebene.[36]

Abbildung 4:
Die drei deduktiven Belastungsebenen im Vergleich
(eigene Darstellung)

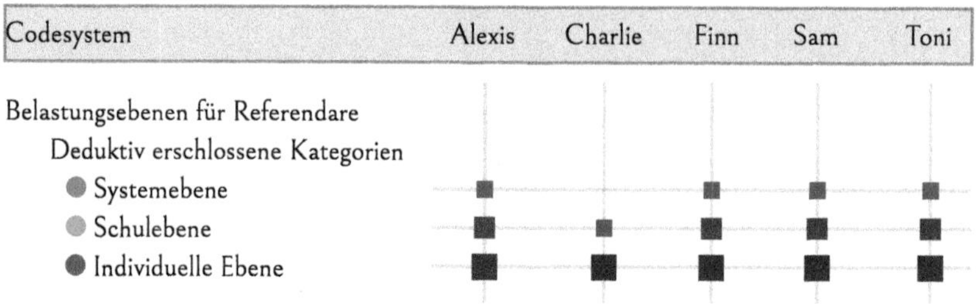

Codesystem	Alexis	Charlie	Finn	Sam	Toni

Belastungsebenen für Referendare
  Deduktiv erschlossene Kategorien

Sobald die tatsächliche Anzahl von KE Einzug in die Betrachtung erhält, wird der Unterschied zwischen den drei Belastungsebenen besonders deutlich. Von insgesamt 86 KE sind 54 der Individuellen Ebene zuzuordnen (ca. 63 Prozent), 27 der Schulebene (ca. 31 Prozent) und lediglich fünf der Systemebene (ca. sechs Prozent).[37] Für Referendar Charlie besteht nicht einmal die Notwendigkeit, eine der vier Kategorien auf der Systemebene während seiner zwei zeitlich überschaubaren Befragungsrunden[38] thematisch anzureißen (vgl. Abb. 4 und 5).

Abbildung 5 auf Seite 61 zeigt im Detail, welche einzelnen Kategorien von den fünf angehenden Lehrkräften zum Thema gemacht werden. Als Erstes fallen die zwei größten und rotmarkierten Quadrate auf, die dem Betrachter

---

36 Hierbei muss beachtet werden, dass diese ersten Erkenntnisse ohne die Hinzuziehung der induktiv erschlossenen Ausbildungsebene erfolgen. Eine Verknüpfung der deduktiven und induktiven Kategorien findet in Kapitel 5.3 dieses Buches statt.

37 Zur Berechnung der Prozentangaben wird die quantitative Übersicht aller Kategorien (vgl. Anhang S. 118) herangezogen.

38 Charlie wurde insgesamt nur für 19 Minuten und 26 Sekunden befragt. Die zweitkürzeste Befragung hat über 37 Minuten in Anspruch genommen, während das längste Interview mit Sam mehr als doppelt so lange ging.

suggerieren, dass das »Unterrichtsfach« für Referendar Alexis ein ähnlich hohes Belastungsmaß darstellt, wie die »Arbeitszeit und -struktur« für Sam. Tatsächlich ist diese Form der Ergebnisdarstellung mit Vorsicht zu genießen, weil sie auf den ersten Blick optisch ansprechend erscheint, aber bei genauerer Betrachtung nicht trennscharf genug agiert (vgl. Tab. 1 auf S. 62).

Abbildung 5:
Grafische Darstellung der deduktiv erschlossenen Kategorien
(eigene Darstellung)

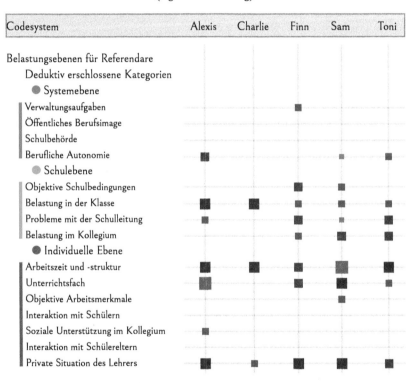

Deswegen muss zwangsläufig eine Richtigstellung in Form einer exakten Verhältnisberechnung vollzogen werden, um das subjektiv perzipierte Belastungsbild der Lehramtsanwärter besser kontrastieren zu können. Für eine Berechnung werden nun alle KE, die auf der Individuellen Ebene sowie auf der Schul- und Systemebene festgemacht worden sind, hinzugezogen. Indem die Gesamtanzahl der KE der drei Ebenen in Relation zu den KE

Resultate der Interviewauswertung

der jeweiligen Kategorien gesetzt wird, kann der präzise Prozentwert errechnet werden, mit dessen Hilfe erkennbar ist, welchem tatsächlichen Belastungsgrad die Lehrernovizen ausgesetzt sind, sodass sich daraus die in Tabelle 1 aufgeführten Werte ergeben:

Tabelle 1:
Prozentuale Darstellung der deduktiv erschlossenen Kategorien
(eigene Darstellung)

Deduktiv erschlossene Kategorien	Alexis	Charlie	Finn	Sam	Toni	SUMME KE
Systemebene	11,76%	0,00%	6,67%	3,23%	5,56%	5
Verwaltungsaufgaben	0,00%	0,00%	6,67%	0,00%	0,00%	1
Öffentliches Berufsimage	0,00%	0,00%	0,00%	0,00%	0,00%	0
Schulbehörde	0,00%	0,00%	0,00%	0,00%	0,00%	0
Berufliche Autonomie	11,76%	0,00%	0,00%	3,23%	5,56%	4
Schulebene	23,53%	40,00%	40,00%	29,03%	38,89%	27
Objektive Schulbedingungen	0,00%	0,00%	13,33%	6,45%	0,00%	4
Belastung in der Klasse	17,65%	40,00%	6,67%	9,68%	5,56%	9
Probleme mit der Schulleitung	5,88%	0,00%	13,33%	3,23%	16,67%	7
Belastung im Kollegium	0,00%	0,00%	6,67%	9,68%	16,67%	7
Individuelle Ebene	64,71%	60,00%	53,33%	70,97%	55,56%	54
Arbeitszeit und -struktur	17,65%	40,00%	13,33%	32,26%	33,33%	23
Unterrichtsfach	23,53%	0,00%	13,33%	16,13%	5,56%	12
Objektive Arbeitsmerkmale	0,00%	0,00%	0,00%	6,45%	0,00%	2
Interaktion mit Schülern	0,00%	0,00%	0,00%	0,00%	0,00%	0
Soziale Unterstützung im Kollegium	5,88%	0,00%	0,00%	0,00%	0,00%	1
Interaktion mit Schülereltern	0,00%	0,00%	0,00%	0,00%	0,00%	0
Private Situation des Lehrers	17,65%	20,00%	26,67%	16,13%	16,67%	16
SUMME KE	17	5	15	31	18	86

Aus Tabelle 1 ist ersichtlich, dass sich aus den anfänglich zwei großen, rot-markierten Quadraten, die via MAXQDA 2018 repräsentiert werden, fünf markante Belastungsbereiche herauskristallisieren, die ebenfalls in roter Farbe hervorgehoben sind (vgl. Tab. 1). Unter Zuhilfenahme dieser prozentualen Darstellung kann den Referendaren – mit Ausnahme von Alexis – mindestens eine spezielle Kategorie zugeordnet werden, die in Abhängigkeit vom jeweils Befragten ein ungefähr doppelt so hohes Belastungsmaß aufweist.

Bei den Lehramtsanwärtern Finn und Toni wird dieser Unterschied besonders deutlich, weil dieser in Abbildung 5 noch nicht erkennbar gewesen ist und das, obwohl im Falle Tonis ein Drittel seiner KE der Kategorie »Arbeitszeit und -struktur« zugeordnet werden können (vgl. Tab. 1). Dieser Kategorie kann angesichts von 23 von 86 KE (ca. 27 Prozent) ein maßgeblicher Anteil am Belastungserleben der Lehrernovizen zugeschrieben werden. Im Übrigen sind die prozentualen Ergebnisse des Referendars Charlie an dieser Stelle bewusst zurückgehalten worden, da die Aussagekraft von lediglich fünf KE angezweifelt werden muss.

Des Weiteren ist namentlich der angehende Lehrer Alexis zu nennen, bei dem als einziger von den fünf Interviewten eine gleichmäßig zu erkennende Abstufung seiner Belastungswahrnehmung stattgefunden hat. Demnach teilt sich die von ihm negativ empfundene Beanspruchung in vier Schweregrade[39] ein, die allesamt durch etwa sechs Prozent voneinander separiert werden: (5) und schwerster Grad »Unterrichtsfach« (dunkelrot), (4) Grad »Belastung in der Klasse«, »Arbeitszeit und -struktur« und »Private Situation des Lehrers« (lila), (3) Grad »Berufliche Autonomie« (blau) sowie der (2) Grad »Probleme mit der Schulleitung« und »Soziale Unterstützung im Kollegium« (türkis) (vgl. Tab. 1).[40]

---

[39] Die definierten Schweregrade richten sich nach den Prozentzahlen und sind in sechs Stufen untergliedert: (1) 5% > x ≥ 0% (hellblau), (2) 10% > x ≥ 5% (türkis), (3) 15% > x ≥ 10% (blau), (4) 20% > x ≥ 15% (lila), (5) 25% > x ≥ 20% (dunkelrot) und (6) x ≥ 25% (rot).

[40] Bei den übrigen vier Referendaren manifestiert sich eine übergeordnete Kategorie mit sehr hohem Belastungspotenzial (z. B. für Sam durch »Arbeitszeit und -struktur« (ca. 32 Prozent)), gefolgt von weniger belastenden Kategorien (z. B. für Sam durch »Unterrichtsfach« und »Private Situation des Lehrers« (ca. 16 Prozent)). Dadurch entstehen teilweise prozentuale Differenzen von 13 bis 20 Prozent (vgl. Tab. 1).

Eine abschließende Betrachtung von Tabelle 1 misst allen deduktiv vorgegebenen Kategorien Wichtigkeit bei, durch die die angehenden Lehrer innerhalb ihres Vorbereitungsdienstes nicht negativ in puncto ihres Beanspruchungsempfindens tangiert werden. Dies trifft für die Kategorien »Öffentliches Berufsimage«, »Schulbehörde«, »Interaktion mit Schülern« und »Interaktion mit Schülereltern« zu (vgl. Tab. 1). Der letztgenannten Kategorie fällt wohl deswegen keine Belastungsschwere vonseiten der Befragten zu, weil die Referendare eines OSZ wenig bis keinen Kontakt zu den Eltern von Schülern haben, da ebenjene in den meisten Fällen bereits volljährig sind und keines Erziehungsberechtigten mehr bedürfen.

5.2   Quantitative Auswertung der Ausbildungsebene

Im Vergleich zu den deduktiv erschlossenen Kategorien zeichnet sich bei den Kategorien auf der Ausbildungsebene ein durchaus anderes Belastungsverhältnis ab. Dies mag vornehmlich daran liegen, dass anstatt von 15 bzw. elf Kategorien[41], die sich auf drei Ebenen verteilen, nur sieben Kategorien auf einer Ebene dokumentieren, welche speziellen Belastungsmuster der Vorbereitungsdienst mit sich bringt. In welchem Umfang sich das Belastungsempfinden der fünf Referendare auf diese sieben Kategorien verteilt, soll durch einen ersten visuellen Überblick geschehen. Hierfür wird trotz der dekuvrierten Ungenauigkeiten von MAXQDA 2018 erneut auf dessen Darstellungsweise zurückgegriffen, da zunächst eine rein optische Ergebniseinordnung erfolgen soll (vgl. Abb. 6 auf S. 65).

Anhand von Abbildung 6 ist auf den ersten Blick eindeutig zu erkennen, welchen Kategorien, die mittels der Befragungen induktiv zustande gekommen sind, das meiste Belastungspotenzial inhärent ist. Somit spielt für alle der fünf angehenden Lehrer die »Eigenverantwortliche Lehrertätigkeit« eine große Rolle bezogen auf ihr Belastungserleben. Unter diese Kategorie sind all die Tätigkeiten der Lehramtsanwärter zu rubrizieren, die in unmittelbarem Zusammenhang mit deren jeweiligem Anspruch gegenüber ihrer Lehrerprofession stehen. Im Einzelnen zählen hierzu die mehr oder

---

41   Genau genommen sind nur auf elf der 15 möglichen und deduktiv erschlossenen Kategorien negative Beanspruchungen vonseiten der angehenden Lehrkräfte wahrgenommen worden (vgl. Tab. 1).

weniger gewissenhafte Vorbereitung des Unterrichts, die Übernahme von zusätzlichen lehrerspezifischen Aufgaben, wie bspw. die Betreuung von Lesewettbewerben, oder die Tatsache, dass der Unterricht zu ganz bestimmten Zeiten beginnt und die sog. »Gleitzeit« für den Beruf des Lehrers nicht existent ist.

Abbildung 6:
Grafische Darstellung der Kategorien auf Ausbildungsebene
(eigene Darstellung)

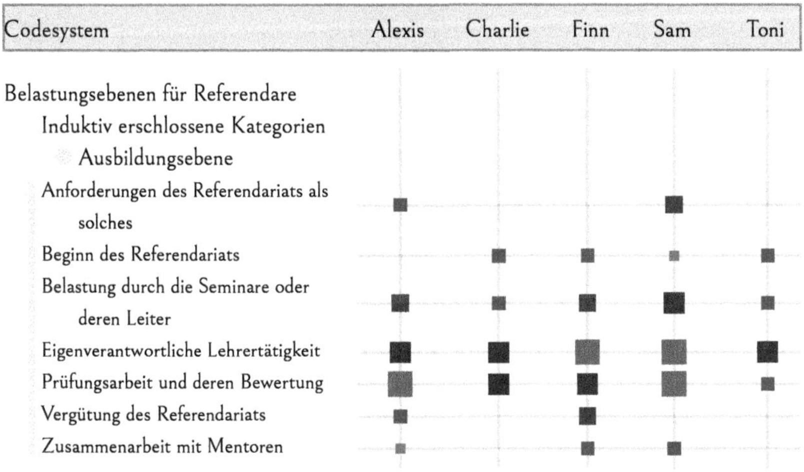

Codesystem	Alexis	Charlie	Finn	Sam	Toni
Belastungsebenen für Referendare					
Induktiv erschlossene Kategorien					
Ausbildungsebene					
Anforderungen des Referendariats als solches	■			■	
Beginn des Referendariats		■	■	■	■
Belastung durch die Seminare oder deren Leiter	■	■	■	■	■
Eigenverantwortliche Lehrertätigkeit	■	■	■	■	
Prüfungsarbeit und deren Bewertung	■	■	■	■	■
Vergütung des Referendariats	■		■		
Zusammenarbeit mit Mentoren	■		■	■	

Eine weitere große Belastungsquelle entsteht augenscheinlich für vier der fünf Referendare durch die »Prüfungsarbeit und deren Bewertung« (vgl. Abb. 6). Im Zuge der Auswertung der getätigten Interviews fallen dieser Kategorie alle Aufgaben zu, die für sämtliche Unterrichtsbesuche, Modulprüfungen bzw. das abschließende Staatsexamen verübt werden müssen. Gleichwohl enthält die Kategorie auch die an die Vorführstunden angrenzenden Feedbackgespräche, in der die Lehrernovizen abschließend ihren Unterricht zu reflektieren haben, um schlussendlich von den Seminarleitern bewertet zu werden.

Nach dieser grafischen Ergebniseinordnung folgen nun die prozentuale Berechnung des Belastungsumfangs auf der Ausbildungsebene. Dafür sind erneut die gesamten KE jedes einzelnen Referendars ins Verhältnis zu der jeweiligen Anzahl der KE einer Kategorie gesetzt worden. Hierdurch bestätigen sich die bereits durch MAXQDA 2018 offengelegten Problemkategorien zum wiederholten Male deutlich. Die »Eigenverantwortliche Lehrertätigkeit« sowie die »Prüfungsarbeit und deren Bewertung« machen zusammen nicht nur 51 der 87 KE aus (ca. 59 Prozent), sondern heben sich (auch in Prozent ausgedrückt), teilweise um das Doppelte von der zweitbelastendsten Kategorie eines jeweiligen Lehramtsanwärters ab (vgl. Tab. 2). Dieses Phänomen ist bei vier der befragten Referendare feststellbar, einzig der Interviewte Finn entzieht sich dieser Regelmäßigkeit, bei dem eine ähnlich gleichmäßige Abstufung des Belastungsempfindens zum Vorschein kommt, wie es bei Alexis in Kapitel 5.1 beobachtet werden kann (vgl. Tab. 2). Eine Aussagekraft bei insgesamt lediglich sechs KE zu ermöglichen (siehe Charlie), muss weiterhin in Frage gestellt werden.

Tabelle 2:
Prozentuale Darstellung der induktiv erschlossenen Kategorien
(eigene Darstellung)

Induktiv erschlossene Kategorien	Alexis	Charlie	Finn	Sam	Toni	SUMME KE
Ausbildungsebene	100%	100%	100%	100%	100%	87
Anforderungen des Referendariats						
als solches	10,00%	0,00%	0,00%	13,16%	0,00%	7
Beginn des Referendariats	0,00%	16,67%	7,69%	5,26%	20,00%	6
Belastung durch die Seminare oder						
deren Leiter	15,00%	16,67%	15,38%	15,79%	20,00%	14
Eigenverantwortliche Lehrertätigkeit	20,00%	33,33%	30,77%	28,95%	40,00%	25
Prüfungsarbeit und deren Bewertung	40,00%	33,33%	23,08%	28,95%	20,00%	26
Vergütung des Referendariats	10,00%	0,00%	15,38%	0,00%	0,00%	4
Zusammenarbeit mit Mentoren	5,00%	0,00%	7,69%	7,89%	0,00%	5
SUMME KE	20	6	13	38	10	87

Auch die »Belastung durch die Seminare oder deren Leiter« darf in dieser Betrachtung nicht außer Acht gelassen werden, schließlich ist annäherungsweise jede sechste KE (ca. 17 Prozent) ebenjener Kategorie zuzuweisen (vgl. Tab. 2). Die abwechslungsreichen Aufgaben und die zeitliche Beanspruchung des Allgemeinen Seminars sowie der beiden Fachseminare sind teilweise in Kapitel 4.2.3 thematisiert worden und beanspruchen alle angehenden Lehrer so negativ, dass die Kategorie »Belastung durch die Seminare oder deren Leiter« hinter der „Eigenverantwortlichen Lehrertätigkeit" sowie der »Prüfungsarbeit und deren Bewertung« den dritten Platz im Hinblick auf das Belastungserleben der Referendare einnimmt (vgl. Tab. 2).

5.3   Überblick und Auswertung aller Belastungsebenen

Nachdem die ersten Erkenntnisse der deduktiv und induktiv erschlossenen Kategorien grafisch und rechnerisch eruiert werden konnten, folgt als logische Konsequenz die Zusammenführung aller vier Belastungsebenen, um einen holistischen Eindruck über das Belastungsausmaß der fünf angehenden Lehrer gewinnen zu können. Mit Blick auf die mittels MAXQDA 2018 generierte Übersicht der vier verschiedenen Belastungsebenen wird eine eindeutig zu erkennende Sequenz hinsichtlich der von den Referendaren negativ wahrgenommenen Beanspruchungsniveaus sichtbar (vgl. Abb. 7):

Abbildung 7:
Die vier Belastungsebenen im Vergleich (eigene Darstellung)

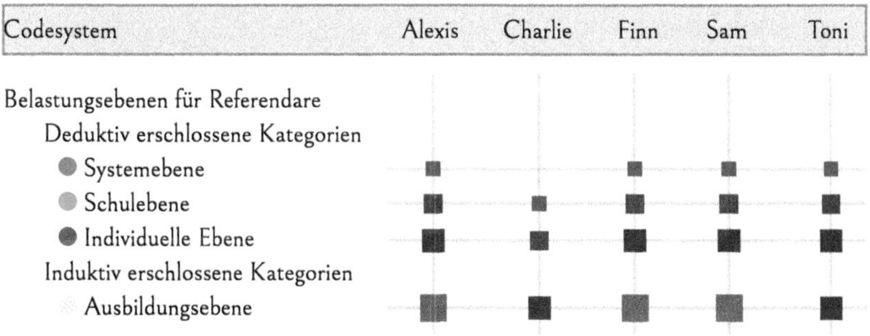

Codesystem	Alexis	Charlie	Finn	Sam	Toni
Belastungsebenen für Referendare					
Deduktiv erschlossene Kategorien					
● Systemebene	▪		▪	▪	▪
● Schulebene	■	▪		■	■
● Individuelle Ebene	■	■	■	■	■
Induktiv erschlossene Kategorien					
Ausbildungsebene	■	■	■	■	■

Demzufolge entstehen auf der Ausbildungsebene die meisten belastenden Momente für die Lehramtsanwärter, gefolgt von der Individuellen Ebene. Verhältnismäßig weniger Belastungserfahrungen machen die Referendare auf der Schulebene und im Speziellen auf der Systemebene, sofern Abbildung 7 als Referenz herangezogen wird. Die Grafik via MAXQDA 2018 soll einen genaueren Einblick auf die unterschiedlichen Kategorien der vier Belastungsebenen ermöglichen (vgl. Abb. 8 auf S. 68):

Abbildung 8:
Grafische Darstellung aller 22 Kategorien (eigene Darstellung)

Codesystem	Alexis	Charlie	Finn	Sam	Toni
Belastungsebenen für Referendare					
Deduktiv erschlossene Kategorien					
● Systemebene					
Verwaltungsaufgaben				■	
Öffentliches Berufsimage					
Schulbehörde					
Berufliche Autonomie	■			▫	■
● Schulebene					
Objektive Schulbedingungen			■		
Belastung in der Klasse	■	■		▫	▫
Probleme mit der Schulleitung	▫		■	▫	■
Belastung im Kollegium			■	▫	■
● Individuelle Ebene					
Arbeitszeit und -struktur	■	■		■	■
Unterrichtsfach	■		■	■	▫
Objektive Arbeitsmerkmale					
Interaktion mit Schülern					
Soziale Unterstützung im Kollegium	▫				
Interaktion mit Schülereltern					
Private Situation des Lehrers	■	■	■		■
Induktiv erschlossene Kategorien					
● Ausbildungsebene					
Anforderungen des Referendariats als solches	■		■		
Beginn des Referendariats		■	■	▫	■
Belastung durch die Seminare oder deren Leiter	■		▫	■	■
Eigenverantwortliche Lehrertätigkeit	■	■	■	■	■
Prüfungsarbeit und deren Bewertung	■	■	■	■	
Vergütung des Referendariats	■		■		
Zusammenarbeit mit Mentoren	▫		■	▫	

Abbildung 8 gewährt eine visuelle Einschätzung über das Belastungspotenzial aller 22 Kategorien[42]. Ein weiteres Mal wird deutlich, dass sich auch durch eine ganzheitliche Betrachtung die auf der Ausbildungsebene verorteten Kategorien »Eigenverantwortliche Lehrertätigkeit« und »Prüfungsarbeit und deren Bewertung« bei den Lehramtsanwärtern als besonders belastend hervortun, was namentlich für Finn und Sam zutrifft (vgl. Abb. 8). Auch innerhalb der Kategorie »Arbeitszeit und -struktur« fallen für alle Befragten einige negative Beanspruchungsaspekte an, sodass sich diese Kategorie hinter die beiden eben genannten Kategorien einordnen lässt. Sam und Toni heben sich hier in besonderem Maße von den anderen drei Referendaren ab (vgl. Abb. 8).

Bereits Kapitel 5.1 zeigt die deduktiven Kategorien, die von den Lehrernovizen während ihrer Interviews im Hinblick auf ihr Belastungsempfinden nicht tangiert werden. Weiterhin lassen sich nun insgesamt sechs Kategorien finden, in denen ebenfalls keine oder nur marginale Belastungsmomente auf die Referendare einwirken (vgl. Abb. 8). Davon werden die folgenden drei Kategorien de facto nur von jeweils einem der Interviewten angesprochen, sodass von keinem bzw. geringem Belastungspotenzial ausgegangen werden kann: »Verwaltungsaufgaben« (Finn), »Objektive Arbeitsbedingungen« (Sam) und »Soziale Unterstützung im Kollegium« (Alexis) (vgl. Abb. 8). Den anderen drei Kategorien – also den Kategorien »Berufliche Autonomie«, »Anforderungen des Referendariats als solches« sowie »Zusammenarbeit mit Mentoren« – muss dagegen eine höhere Belastungsintensität zugeschrieben werden, da nicht mehr nur einer der Referendare, sondern innerhalb der jeweiligen Kategorie mehrere Befragte von Belastungen sprechen (vgl. Abb. 8).

Nach dieser Begutachtung des Belastungserlebens der angehenden Lehrkräfte verhilft abermals eine detaillierte Berechnung dazu – welche dem Vorgehen aus den Kapiteln 5.1 und 5.2 folgt –, ein präzises Bild sämtlicher Belastungsnuancen zu modellieren, die sich aus den geführten Interviews mit den Referendaren ergeben haben (vgl. Tab. 3):

---

[42] Erneut sei an dieser Stelle darauf hingewiesen, dass nur innerhalb von 18 der 22 Kategorien Belastungen bei den angehenden Lehrkräften geäußert werden (vgl. Abb. 8).

Tabelle 3:
Prozentuale Darstellung der Belastungsebenen der Referendare
(eigene Darstellung)

Belastungsebenen für Referendare	Alexis	Charlie	Finn	Sam	Toni	SUMME KE
Systemebene	5,41%	0,00%	3,57%	1,45%	3,57%	5
Verwaltungsaufgaben	0,00%	0,00%	3,57%	0,00%	0,00%	1
Öffentliches Berufsimage	0,00%	0,00%	0,00%	0,00%	0,00%	0
Schulbehörde	0,00%	0,00%	0,00%	0,00%	0,00%	0
Berufliche Autonomie	5,41%	0,00%	0,00%	1,45%	3,57%	4
Schulebene	10,81%	18,18%	21,43%	13,04%	25,00%	27
Objektive Schulbedingungen	0,00%	0,00%	7,14%	2,90%	0,00%	4
Belastung in der Klasse	8,11%	18,18%	3,57%	4,35%	3,57%	9
Probleme mit der Schulleitung	2,70%	0,00%	7,14%	1,45%	10,71%	7
Belastung im Kollegium	0,00%	0,00%	3,57%	4,35%	10,71%	7
Individuelle Ebene	29,73%	27,27%	28,57%	31,88%	35,71%	54
Arbeitszeit und -struktur	8,11%	18,18%	7,14%	14,49%	21,43%	23
Unterrichtsfach	10,81%	0,00%	7,14%	7,25%	3,57%	12
Objektive Arbeitsmerkmale	0,00%	0,00%	0,00%	2,90%	0,00%	2
Interaktion mit Schülern	0,00%	0,00%	0,00%	0,00%	0,00%	0
Soziale Unterstützung im Kollegium	2,70%	0,00%	0,00%	0,00%	0,00%	1
Interaktion mit Schülereltern	0,00%	0,00%	0,00%	0,00%	0,00%	0
Private Situation des Lehrers	8,11%	9,09%	14,29%	7,25%	10,71%	16
Ausbildungebene	54,05%	54,55%	46,43%	55,07%	35,71%	87
Anforderungen des Referendariats als solches	5,41%	0,00%	0,00%	7,25%	0,00%	7
Beginn des Referendariats	0,00%	9,09%	3,57%	2,90%	7,14%	6
Belastung durch die Seminare oder deren Leiter	8,11%	9,09%	7,14%	8,70%	7,14%	14
Eigenverantwortliche Lehrertätigkeit	10,81%	18,18%	14,29%	15,94%	14,29%	25
Prüfungsarbeit und deren Bewertung	21,62%	18,18%	10,71%	15,94%	7,14%	26
Vergütung des Referendariats	5,41%	0,00%	7,14%	0,00%	0,00%	4
Zusammenarbeit mit Mentoren	2,70%	0,00%	3,57%	4,35%	0,00%	5
SUMME KE	37	11	28	69	28	173

Erst mithilfe dieser umfangreichen Tabelle offenbaren sich die tatsächlichen Belastungsschwerpunkte der Referendare. Dem äußeren Anschein nach zu urteilen, ist ein großer Unterschied zu den beiden vorherigen Tabellen erkennbar, weil sich in den extremen[43] Belastungsausprägungen nicht mehr alle fünf, sondern einzig zwei der befragten Lehramtsanwärter (Alexis und Toni) befinden. Dieses Faktum erscheint insofern nachvollziehbar, da sich die ermittelten 173 KE nun auf sämtlichen Belastungsebenen verteilen können, was den zuvor vorgekommenen höchsten Schweregrad von 25 Prozent oder mehr (mit rotem Hintergrund) supprimiert (vgl. Tab. 3). Obwohl offenkundig eine Abschwächung des wahrgenommenen Belastungserlebens der Lehrernovizen durch die Zusammenfügung aller Belastungsebenen stattgefunden hat, entsteht dadurch vielmehr die Möglichkeit, alle Kategorien gleichermaßen miteinander in Relation zu setzen, um deren eigentliches Belastungspotenzial zu ergründen.

Demgemäß erscheinen zwei Werte besonders plakativ, welche in Tabelle 3 weiterhin in roter Farbe angezeigt werden. Hierbei handelt es sich um die Kategorien »Prüfungsarbeit und deren Bewertung« und »Arbeitszeit und -struktur«, die für die Lehramtsanwärter Alexis und Toni hinsichtlich ihrer Belastungsperzeption so gravierend sind, dass den eben genannten Kategorien jede fünfte KE der Referendare zugeschrieben wurde (vgl. Tab. 3). Eine derartige Fokussierung auf eine einzelne Kategorie findet bei den anderen angehenden Lehrern nicht statt. Deren Belastungsempfinden verteilt sich auf mehrere Kategorien und erreicht jeweils einen maximalen Belastungswert von etwa 18 Prozent (Charlie), 16 Prozent (Sam) bzw. 14 Prozent (Finn) (vgl. Tab. 3).

Speziell bei Finn fällt auf, dass dessen Belastungsempfinden innerhalb keiner Kategorie einen der drei höchsten Schweregrade erreicht. Dies wiederum lässt bei genauerer Betrachtung darauf schließen, dass viele kleine Belastungspunkte bei Referendar Finn vorhanden sind, welche in den meisten Fällen pro Kategorie zwischen 3,57 und 7,14 Prozent ausmacht (vgl. Tab. 3).

Auch eine Zusammenschließung aller Kategorien lässt die Ergebnisse von Referendar Charlie wenig aufschlussreich erscheinen. Seine insgesamt elf KE

---

43 Unter »extremer« Belastungsausprägung werden der sechste und fünfte Schweregrad (rot und dunkelrot) der in der Fußnote 39 definierten Belastung verstanden. Eine »mittelschwere« Belastung drücken die Schweregrade 4 und 3 (lila und blau) aus, während die letzten beiden Schweregrade (türkis und hellblau) eine »geringe« Belastung anzeigen.

reichen folglich nicht aus, um ein annähernd vergleichbares Bild bezogen auf sein Belastungsempfinden im Vorbereitungsdienst konstruieren zu können. Einzig eine Mehrbelastung innerhalb der Kategorien »Belastung in der Klasse«, »Arbeitszeit und -struktur«, »Eigenverantwortliche Lehrertätigkeit« und »Prüfungsarbeit und deren Bewertung« ist zu konstatieren (vgl. Tab. 3). Vielmehr kann bei Charlie davon ausgegangen werden, dass er kaum eine Kategorie überhaupt als Belastung empfindet.

5.4   Ergebnisdarstellung via Box-Whisker-Plot

Mittels einer Kastengrafik (engl. Box-Whisker-Plot) werden die untersuchten Ergebnisse abschließend kurz dargestellt, bevor eine Interpretation der wichtigsten Beiträge der Referendare in Kapitel 6 realisiert wird, die den Vorstellungen Mayrings im Hinblick auf eine qualitative Inhaltsanalyse entspricht. Dafür sind die vorliegenden Datensätze in jeweils fünf Punkten zusammengefasst worden, wofür die Ermittlung der Minima, der unteren Quartile, der Mediane, der oberen Quartile sowie der Maxima notwendig war. Anhand der Boxen in Abbildung 9 ist ersichtlich, wo die mittleren 50 Prozent der ausgewerteten Daten liegen, die somit das mittlere Belastungsempfinden der Referendare darstellt (also von extrem starken und extrem geringen Belastungen bereinigt). Darüber hinaus teilt der Median den jeweiligen Kasten in zwei Bereiche mit je 50 Prozent der Daten der KE ein, wodurch gleichzeitig die Schiefe ablesbar wird.

Mit Bezug auf die Schiefe ist deutlich zu erkennen, dass alle Verteilungen – außer die des Spezialfalls Charlie – rechtsschief sind, was mit den in Kapitel 5.3 festgemachten Befunden koinzidiert. Resultierend daraus konsolidieren 50 Prozent der vier aussagekräftigen Datensätze zwischen 2,16 (1. Quartil Sam) und 16,07 Prozent (3. Quartil Toni) oder anders ausgedrückt, sie befinden sich im vierten bis ersten Schweregrad der Belastung (vgl. Abb. 9). Dies zeigt, dass die Referendare zwar einer Vielzahl an unterschiedlichen Belastungssituationen ausgesetzt sind, den meisten davon aber ein geringer Belastungsgrad zugeschrieben werden kann.

Dies belegen die erhobenen Mediane der angehenden Lehrkräfte, die maximal bei 8,11 Prozent (Alexis), also im zweiten Schweregrad liegen. In diesem Zusammenhang namentlich auffällig ist der Median Sams, der sich bei 4,35 Prozent bestimmen lässt und damit nur zum ersten Schweregrad gehört, was gleichzeitig bedeutet, dass über 50 Prozent von Sams Daten dem geringsten Belastungsmaß zufallen (vgl. Abb. 9).

Abbildung 9:
Vergleich der Belastungscharakteristik aller Referendare
(eigene Darstellung)

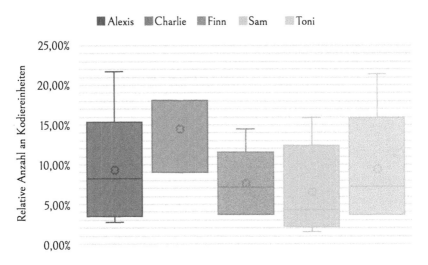

Zudem kann zwischen zwei Boxen eine besonders gute Gegenüberstellung erfolgen, da das Minimum sowie das 1. Quartil bei den Lehrernovizen Finn und Toni identisch ist und bei 3,57 Prozent liegt. Selbst der Median ist bei beiden kongruent (7,14 Prozent), sodass sich die 50 Prozent der Daten, denen eine geringere Belastung zugesprochen wird, überschneiden (vgl. Abb. 9).

Deshalb erscheinen die anderen 50 Prozent der beiden Datensätze dahingehend interessant, weil diese sich vollkommen konträr zueinander verhalten. Wo bei Finn ein gemäßigtes Belastungsmaß auszumachen ist – da das 3. Quartil bei 11,61 Prozent und das Maximum bei 14,29 Prozent endet –, schließt das 3. Quartil von Toni erst bei 16,07 Prozent ab, während sein Maximum sogar im fünften Schweregrad bei 21,43 Prozent vorzufinden ist (vgl. Abb. 9). Demzufolge bewegen sich die zweiten 50 Prozent der Daten von Finn und Toni so unterschiedlich, dass bei Finn eine Bewegungsspanne von lediglich 7,15 Prozent nachzuweisen ist, während das Belastungsempfinden Tonis in den höheren Belastungsgraden überhandnimmt. Denn im Vergleich zu Finn bewegen sich die Daten von Toni zwischen dem Median und dem Maximum annähernd doppelt so stark (14,29 Prozent) (vgl. Abb. 9).

5.5   Zusammenfassung der quantitativen Befunde

Zum Ende des fünften Kapitels ist festzuhalten, dass große Unterschiede auf den einzelnen Ebenen zu konstatieren sind hinsichtlich der Intensität des Belastungserlebens der Referendare. In der Konsequenz kann eine eindeutige Beanspruchungsreihenfolge ausgemacht werden, die von den angehenden Lehrern unabhängig voneinander angegeben wurde. Demnach lassen sich die meisten Belastungsmomente auf der induktiv erschlossenen Ausbildungsebene verorten. Dann erst schließen sich die deduktiv erschlossenen Ebenen in folgender Sequenz an: Individuelle Ebene, Schulebene und Systemebene (vgl. Kap. 5.3).

Für diese erste überwiegend quantitative Interviewauswertung fanden zwei Untersuchungsmethoden ihren Weg in die Analyse. Hierbei handelt es sich zum einen um die bildliche Ergebnisdarstellung via MAXQDA 2018, welche anhand einer exakten Berechnung der Belastungspotenziale explizit gemacht wurde (vgl. Kap. 5.3). Eine abschließende Darstellung und Auseinandersetzung mit den Resultaten vollzog sich anhand eines Box-Whisker-Plots, mit dessen Hilfe festgestellt werden kann, dass sich der Großteil der belastenden Situationen für die Referendare auf vielen unterschiedlichen Kategorien aufteilt (vgl. Kap. 5.4). Ein vermehrtes Belastungsaufkommen wird von den Lehrnovizen nur innerhalb von bestimmten Kategorien verspürt, wie namentlich für Alexis (»Prüfungsarbeit und deren Bewertung«) sowie Toni (»Arbeitszeit und -struktur«) (vgl. Kap. 5.3).

Inwieweit sich diese ersten Ergebnisse mit der qualitativen Inhaltsanalyse nach Mayring bestätigen lassen bzw. sich von dieser unterscheiden, wird das sechste Kapitel dieses Elaborats aufklären.

6 Diskussion und Interpretation der Ergebnisse

Nachdem mittels einer quantitativen Herangehensweise auf die einzelnen Belastungsebenen und deren vielfältige Kategorien eingegangen werden konnte, konzentriert sich das sechste Kapitel auf einzelne Redebeiträge der Referendare. Indem gezielt Aussagen der angehenden Lehrkräfte herangezogen werden, soll eine weitreichende Interpretation der verschiedenen Kategorien unter Einbeziehung der in Kapitel 2 und 3 ausgearbeiteten Theorie erfolgen. Dieses Vorgehen koinzidiert mit der von Mayring geforderten Rücküberprüfung des Kategoriensystems an Theorien und Material (vgl. Mayring 2015: 62) und wird im anschließenden Kapitel 6.1 umgesetzt. Kapitel 6.2 widmet sich einem Deutungsversuch anhand der realisierten Rücküberprüfung validierten Resultate in Richtung der Hauptfragestellung, was dem zehnten Schritt von Mayrings qualitativer Inhaltsanalyse entspricht (vgl. ebd.) Abschließend werden die Ergebnisse des sechsten Kapitels denen des vorherigen kritisch gegenübergestellt, um zu eruieren, wie ähnlich bzw. divergent die beiden unterschiedlichen Auswertungsmethoden hinsichtlich ihrer Quintessenzen sind.

6.1   Rücküberprüfung des Kategoriensystems

6.1.1   Analyse der Systemebene

Auf der Systemebene hat sich eine Kategorie herauskristallisiert, der im Vergleich zu den anderen mindestens von drei Referendaren ein geringes Belastungspotenzial zugeschrieben wird. Die »Berufliche Autonomie« macht sich bei den Referendaren Alexis, Sam und Toni u. a. dann bemerkbar, wenn die Konzeption bzw. Erstellung von Unterrichtsmaterialien getätigt werden muss:

> Am Ende muss man ja doch wieder selbst seinen Unterricht für seine individuelle Klasse machen und ich find's sehr schwer, ein fremdes Arbeitsblatt zu übernehmen, weil's mir nie so gefällt […], wie ich es selbst machen würde. Also, man kann's als Grundlage nutzen, aber am Ende musst du's dann trotzdem anpassen. [14] (Alexis: 126)

Während Alexis seine Zeit mit der Überarbeitung der ihm zur Verfügung gestellten Arbeitsblätter verbringt, nutzt Sam seine Pausen und Freistunden dazu, um sich mit dem Kollegium noch besser bekannt zu machen:

Das ist tatsächlich so. Ich hab' oft auch ganze Blöcke, wo ich nur gequatscht hab' und denke: »Ach, Gott! Zeit vorbei!« Aber es muss auch sein, weil (.) ich merke, dass ich mit manchen eben noch gar nicht so wirklich gesprochen hab' und denk': »Boah, krass!« Jetzt bin ich fast ein halbes Jahr hier, kenn' vielleicht nicht mal richtig den Namen, [...] aber es ist schon wichtig, so=en paar Kontakte zu knüpfen, weil sonst, ja steht man auch irgendwie (-) al// also, Lehrer ist schon irgendwie doch schon mehr Einzelkämpfer als man [...] denkt. [28] (Sam: 179)

Ebenfalls als Einzelkämpfer sieht sich Referendar Toni, der davon überzeugt ist, dass seine Ausbildung nur ihn allein interessiere. Dies begründet er damit, dass ihm – aufgrund fehlender Lehrkräfte in seinem Fach »Spanisch« – von der Schulleitung die Übernahme einer weiteren, parallelen Klasse nahegelegt wurde (vgl. Toni: 213 [25]).

Diese von den Lehrernovizen wahrgenommenen Phänomene überschneiden sich mit den theoretischen Erkenntnissen aus Kapitel 3.1.1. Dort wird darauf aufmerksam gemacht, dass die Lehrkraft ihren Unterricht nicht nur alleine vorzubereiten habe, sondern auch im Klassenzimmer ohne die Hilfe anderer agieren müsse (vgl. Schaarschmidt und Fischer 2013: 58). Sam befürchtet eine fehlende Unterstützung vonseiten des Kollegiums, sodass er seine knapp bemessene Zeit in das Pflegen von beruflichen Kontakten investiert, in der Hoffnung, dass ihn seine Kollegen bei berufsbedingten Schwierigkeiten helfen. Mangelnde Unterstützung geht mit einer negativen Beanspruchung einher, wie Körner (2003) sowie Baeriswyl und ihr Forscherteam (2014) belegen (vgl. Kap. 3.1.1).

Anhand der drei anderen Kategorien auf der Systemebene kann konkludiert werden, dass die »Verwaltungsaufgaben«, das »Öffentliche Berufsimage« oder der Kontakt mit der »Schulbehörde« in der Lehrerausbildung wenig bis keinen Einfluss auf das Belastungsempfinden der Referendare ausübt. Im Speziellen gilt dies für die letzten beiden Kategorien, die von den Lehramtsanwärtern innerhalb der Interviews nicht ein einziges Mal tangiert werden. Bezogen auf die »Verwaltungsaufgaben« kommt Lehrernovize Alexis zu dem Schluss, dass diese erst mit Vollendung des Examens zum Thema werden könnten:

Und wir [Referendare] sind ja jetzt auch keine Klassenlehrer [...]. Ich muss mich nicht mit irgendwelchen Krankmeldungen rumschlagen [...]. Ich trag' ein, der Schüler ist nicht da und das war's für mich. Und der Rest ist nicht mein Problem. [12] (Alexis: 125)

6.1.2   Analyse der Schulebene

Auf der Schulebene verteilt sich die perzipierte Belastung seitens der Referendare gleichmäßiger als auf der Systemebene, denn es haben sich mindestens zwei der Befragten zu je einer Kategorie geäußert (vgl. Kap. 5.3). Die wenigsten Schwierigkeiten kommen demgemäß durch »Objektive Schulbedingungen« auf, wenngleich Lehrernovize Finn mit seinen Äußerungen deutlich macht, wie sehr ihn die technische Ausstattung des OSZ in seinem Lehrerhandeln einschränkt:

> Also, die materielle Ausstattung hier ist der Super-GAU. [...] Wir haben manchmal Internetausfälle, wir haben [...] keine [...] guten Rechner. Sowohl für die Schülerinnen und Schüler, als auch für uns als Kollegium nicht. Also ich mein', das kann ja nicht sein, dass wir WORD 2003 haben [...], auf dem man mittlerweile nichts mehr machen kann und auch keine DOCX-Dateien öffnen kann. [...] Ja, die Technik hier (.) also, wirklich [...] und die Toiletten! [...] Die Toiletten [...], das ist wirklich die Hölle, ja! [20] (Finn: 161)

Negative Beanspruchung erfährt der angehende Lehrer Toni unter der »Belastung im Kollegium«. Schon in Kapitel 3.1.2 wird durch die vorgestellten Befunde von Barth (1992), Hagemann (2009) und Frank (2010) ersichtlich, welche Konsequenzen ein unkooperatives und im schlimmsten Fall zwieträchtiges Miteinander im Lehrerzimmer nach sich zieht (vgl. Kap. 3.1.2). Hierzu schildert Toni folgendes Erlebnis aus seinem Vorbereitungsdienst:

> Na gut, [...] da hab' ich mich ausgenutzt gefühlt oder (.) manchmal ist auch so, [...] wenn du tolle Material hast, dann kommen sie: »Ah, hast du das? Könnte ich das auch haben?« Gerne, mega gerne, also [...] wirklich. Aber ich finde[,] [...] irgendwann sollte es anfangen [...] [Sollte es auf Gegenseitigkeit beruhen, dass man dann auch mal was von der anderen Person bekommt.] Richtig, so in beide Richtungen. [22] (Toni: 212)

Ebenso große Widrigkeiten entstehen Toni durch die »Probleme mit der Schulleitung«. Obwohl der Schulleitung laut Schaarschmidt und Fischer (2013) eine wichtige Rolle zukommt, indem sie Belastungsfaktoren mit der Hilfe von unterstützenden Maßnahmen im Vorfeld unterbinden kann (vgl. Kap. 3.1.2), erkennt Toni, warum es in diesem Zusammenhang diffizil wird:

> Sie haben hier an der Schule Probleme mit einer Lehrerin oder
> einen Lehrer in Spanisch zu finden für samstags und jetzt wurde
> [ich] inoffiziell gefragt, ob ich mir das vorstellen könnte [...] zwei
> Gruppen parallel zu unterrichten. [...] Ehrlich gesagt, [...] ich
> würde am liebsten das nicht machen müssen, weil ich schon meine
> Gruppe habe und ja, mit denen kann ich [...] entspannter arbeiten.
> Ja, aber zur Not, vielleicht?! [24] (Toni: 213)

Auch die anderen Referendare affirmieren ein fragwürdiges Verhalten vonseiten der Schulleitung, da diese im Regelfall den Kontakt zu den Lehramtsanwärtern bis zu deren Examensprüfungen vermeide. Ein solches Desinteresse habe für die Referendare nichts mit der möglichen Unterstützung gemein, welche von der Schulleitung ausgehen könnte (vgl. Sam: 191 [53]):

> Nein, also, da die Schulleitung sich [...] in der [...] größten Hälfte
> des Referendariats sich komplett zurückzieht und erst zum Ende
> des Referendariats überhaupt an der Schule mit einem in Kontakt
> tritt [...], kann ich das eher// muss ich das eher als negativ be
> schreiben [...] als positiv, weil sich gar nicht für den Referendar zu
> interessieren, da kann ich nichts Positives dran abgewinnen. Tut
> mir leid. [21] (Alexis: 128 f.)

Eine Kategorie verkörpert auf der Schulebene für alle fünf Interviewten Belastungspotenzial. Die »Belastung in der Klasse« spiegelt sich bei den Referendaren aber weniger durch eine zu große Klasse wider, was die Studie van Dicks (1999) als einen der Hauptbelastungspunkte substantiiert (vgl. van Dick 1999: Anhang S. 4), sondern vielmehr wie im Falle Charlies durch die erzieherischen Maßnahmen, die er während seines eigentlichen Unterrichtens zu leisten hat:

> Ich hatte (.) auch Probleme// also schwierige Klassen im Sinne, ich
> hatte auch immer IBA-Klassen[44] und kaufmännische Klassen und die
> IBA sind natürlich insofern anstrengend, weil du sehr (.) intensiv da
> mit beschäftigt bist, die Schüler dahin zu bestärken, dass sie das ma
> chen, was sie machen sollen [...] und nicht das machen, was sie nicht
> machen sollen. Um es vorsichtig zu formulieren. [9] (Charlie: 148 f.)

Auch Finn beklagt sich über die Belastungen innerhalb des Klassenzimmers, deren Ursprung – anders als bei Charlie – in der Heterogenität der Leistungsniveaus der Schüler zu finden sei, speziell dann, wenn er BQL-Klassen[45] zu unterrichten habe, die aus ehemaligen Willkommensschülern hervorgingen:

> Also, die Heterogenität is manchmal schon so=en bisschen schwierig, gerade in [...] dieser [...] quasi 9. Klasse, in der BQL. (--) Weil, das ja eigentlich alles ehemalige Willkommensschüler sind, außer einer. Und der sitzt da natürlich dann total deprimiert, dann bereit' ich den auf den MSA[46] vor und dann kommt von ihm: »Ja, den MSA hab' ich ja aber bestanden. So, ich ja, aber trotzdem am Ende keinen Schulabschluss geschafft.« [...] Also, irgendwas läuft da ja trotzdem falsch. [22] (Finn: 162 f.)

6.1.3 Analyse der Individuellen Ebene

Wie in Kapitel 6.1.2 festgestellt, haben sich die Belastungen auf der Schulebene für die Lehrernovizen – abgesehen von den »Objektiven Schulbedingungen« – nahezu gleichmäßig verteilt. Dieses Phänomen wiederholt sich auf der Individuellen Ebene nicht, da im Wesentlichen einzig drei der sieben Kategorien während der Interviews mit den fünf angehenden Lehr-

---

44 Die Integrierte Berufsausbildungsvorbereitung (IBA) stellt ein Pilotprojekt dar, das sich aus der Zusammenführung der Bildungsgänge »Berufsqualifizierender Lehrgang« sowie »Einjährige Berufsfachschule« bildete. Je nach Schüler sind der Abschluss einer (erweiterten) Berufsbildungsreife oder des MSA möglich bzw. der Zugang zu einer dualen Berufsausbildung (vgl. OSZ.Berlin 2015).

45 Ein Berufsqualifizierender Lehrgang (BQL) ist für Schüler, die keinen Ausbildungsplatz bei einem Ausbildungsbetrieb finden konnten. Mittels einer Erweiterung der Allgemeinbildung und der Vermittlung erster beruflicher Grundkenntnisse soll den Schülern die Aufnahme ins Berufsleben ermöglicht werden (vgl. Berliner Senatsverwaltung für Bildung, Jugend und Familie 2019a).

46 Der Mittlere Schulabschluss (MSA) ist ein allgemeiner Schulabschluss, der Schüler dazu befähigt, nach der 10. Klasse in der gymnasialen Oberstufe ihre schulische Ausbildung weiterzuführen (vgl. Berliner Senatsverwaltung für Bildung, Jugend und Familie 2019b).

kräften angesprochen werden. Die »Interaktion mit Schülern« sowie die
»Interaktion mit Schülereltern« kann im weiteren Verlauf dieser Untersuchung vernachlässigt werden, weil von diesen Kategorien kein Belastungspotenzial seitens der befragten Lehramtsanwärter wahrgenommen wird.[47]
Auch auf die »Objektiven Arbeitsmerkmale« sowie die »Soziale Un-
terstützung im Kollegium« wird im weiteren Verlauf der Belastungsbe-
gutachtung nicht näher eingegangen, weil pro Kategorie nur einer der
Referendare ein negatives Beanspruchungsempfinden ausmachen kann.
Hinsichtlich der objektiven Merkmale des Lehrerberufs ist lediglich zu
erwähnen, dass Sam die Tatsache, sich nach seinem Examen auf eine
Lehrerstelle bewerben zu müssen, als sehr beunruhigend perzipiert (vgl.
Sam: 194 f. [60 f.]).
Indessen rücken die übrigen drei Kategorien der Individuellen Ebene in
den Vordergrund der Analyse, da innerhalb ebenjener Kategorien das Belastungserleben vermehrt deutlich wird. Noch die wenigste negative Beanspruchung entsteht laut der Interviewten durch das »Unterrichtsfach«,
obgleich einige Beiträge der Referendare ein deutliches Belastungspotenzial
anzudeuten vermögen. Alexis und Finn nehmen diesbezüglich eine Son-
derstellung ein, da ihre zu unterrichtenden Fächer eine zusätzliche Belas-
tungskomponente mit sich bringen. Alexis betont innerhalb seiner
Befragung die Schwierigkeiten der Bewältigung seines Unterrichts in
Bankbetriebslehre, da dieses Fach nicht Bestandteil seines Studienganges
»Wirtschaftspädagogik und Rechnungswesen« war:

> Auch wenn ich Bänker bin, [...] ist [meine Ausbildung] auch
> schon länger her und es ändert sich auch ständig was. [...] Pro-
> dukte kommen, Produkte gehen. Und (.) man muss [die Unter-
> richtsinhalte] dann einfach intensiver durchdringen, als man es
> selbst in der Ausbildung als Bankkaufmann gelernt hat, weil, es
> kommen halt tiefergehende Fragen, die ich auf meinem Niveau
> [...] als Bankkaufmann selbst nicht beantworten kann. [26] (Ale-
> xis: 130)

Für Finn besteht das zusätzlich belastende Moment darin, dass er während
seines Vorbereitungsdienstes nicht nur in dem von ihm studierten Fach

---

[47] Der Grund, warum dies für die letztgenannte Kategorie nachvollziehbar erscheint, wurde schon zum Ende des Kapitels 5.1 thematisiert (vgl. S. 64).

»Politikwissenschaften« eingesetzt werden könnte, sondern auch in Geschichte oder Sozialkunde Schüler unterrichten müsse. Hierbei sieht er u. a. die Problematik, dass er sich neben dem Fachlichen auch in gänzlich unterschiedliche Fachdidaktiken hineinzuarbeiten habe. Zudem möchte er ungern in einem Fach für seinen Unterricht bewertet werden, welches er sich von Grund auf eigenständig aneignen muss (vgl. Finn: 154 f. und 164 f. [3 und 26]).

Ebenfalls durch sein Fach unter Druck gesetzt fühlt sich Lehramtsanwärter Sam, der mit seinem Fach »Rechnungswesen« nur in wenigen Bundesländern Deutschlands unterrichten darf, was ihm eine Rückkehr in seine Heimat Brandenburg sichtlich erschwert:

> Also, [...] ich würde schon gerne nach Brandenburg, perspektivisch. Aber mein Fach wird da nicht anerkannt[48] [...]. Ja, mal gucken. Auch wenn [...] mein Rechnungswesen trotzdem weiter unterrichtet wird. Die nehmen mich vielleicht nur nicht so gerne, weil sie eben wissen// weil es ja jetzt nur noch als ein Fach eingestuft wird. Wirtschaft und Rechnungswesen ist ja nur eins. [49] (Sam: 188)

Mit Blick auf die anhand von Rudow (1994) verbuchten Belastungen (vgl. Rudow 1994: 63) erschweren solche unplanmäßigen Besonderheiten der verschiedenen Unterrichtsfächer merklich ihre Handhabe. Darüber hinaus wirken sich ebenjene scheinbar unterrichtsfachspezifischen Belastungen auch direkt auf eine andere Kategorie aus, welche die Referendare auf der Individuellen Ebene insgesamt am meisten zu belasten scheint. Die Rede ist von der »Arbeitszeit und -struktur« der angehenden Lehrer, welche bei allen Befragten eine unterschiedliche Belastungsperzeption hervorgerufen hat. Charlie bspw. schreibt der Fertigung eigener Unterrichtsmaterialien die größte zeitliche Belastung zu:

---

48 Für bestimmte Fächerkombinationen mit Lehramtsoption besteht derzeit keine Möglichkeit innerhalb einiger Bundesländer Deutschlands ein Referendariat bzw. eine Tätigkeit als Lehrer aufnehmen zu können. Im Falle von Sam trifft dies auf sein Zweitfach »Rechnungswesen« zu, welches im Land Brandenburg nicht als vollwertiges Unterrichtsfach anerkannt wird (vgl. Deutscher Bildungsserver 2017).

Weil, [...] ich hatte ne Zeit lang auch Fächer, die ich wirklich von Null, komplett das Arbeitsmaterial [selbst] machen musste und auch kein fertiges Lehrbuch oder so hatte und [...] das war sehr zeitaufwendig. Und es ist nach wie vor eine der größten Zeitfaktoren, wenn ich Arbeitsmaterial wirklich selbstständig erstellen muss. [7] (Charlie: 148)

Im schlimmsten Fall artet diese zeitliche Einengung, die durch die Aufgaben des Vorbereitungsdienstes entstehen können, soweit aus, dass die Lehramtsanwärter sogar ihre körperlichen Bedürfnisse zurückstellen: »Aber ich sage es dir wirklich hier, also, [...] die letzten zwei, drei Male habe ich fast ohne Pause [gearbeitet], ich hab' sogar vergessen zu essen! (--) Tatsächlich, ja, wirklich!« (Toni: 209 [14]). So ist es Referendar Toni an einigen seiner langen Vorbereitungstage ergangen, die er montags von 9 bis 18 Uhr zur Vorbereitung seines Unterrichts für die kommende Woche nutzt. Gleichzeitig versucht er auch seine Verlaufspläne für die Unterrichtsbesuche zu schreiben, sodass das Vergessen von Pausenzeiten mit einem unterbewussten Gefühl des Nicht-fertig-werdens einhergeht (vgl. Toni: 209 [13]). Von einem ähnlichen Empfinden spricht Lehrernovize Sam, der sich diesem Phänomen nicht zu erwehren weiß:

Ja, es ist so schwierig irgendwie so wirklich in Worte zu fassen. Also, man könnte durchweg arbeiten ohne Pause, man hätte genug zu tun [...], man würde immer [...] was finden. Und das ist immer wieder das, man wird nicht fertig und das ist tatsächlich nicht so toll. Weil man selber sich auch Stress aufbürdet, der vielleicht nicht sein muss. [68] (Sam: 198)

Gleiches wird von den Studien Rudows (1994) und Körners (2003) verifiziert, die den subjektiven Eindruck des Nicht-fertig-werdens bei ambitionierten Lehrkräften anhand des quantitativ nicht zu unterschätzenden Anteils an ungeregelter Arbeitszeit begründen (vgl. Kap. 3.1.3). Eine zusätzliche Verstärkung dieses Gefühls, das in Überengagement und Selbstüberforderung ausarten kann (vgl. Schaarschmidt und Fischer 2013: 51), ist dann wahrscheinlich, wenn der betroffene Pädagoge eine räumliche Trennung von Beruflichem und Privatem nicht vornimmt (vgl. Rothland 2013: 24). Die Folgen eines solchen Verhaltens sind in den Interviews teilweise innerhalb der Kategorie »Private Situation des Lehrers« von den Lehrernovizen angesprochen worden. So spricht Finn von ersten gesundheitlichen Problemen:

Ich schlaf' auf jeden Fall schlecht (.) oder wenig. Genau. Also, so [...] zwischendurch waren's immer nur so zwischen vier bis fünf Stunden maximal, weil [...] danach dann das Hirn sich meldete und sagte: »So, du musst noch das und das und das machen.« [34] (Finn: 169)

Aber nicht nur Finn beschwert sich über wenig bzw. schlechten Schlaf. Referendar Toni klagt über dieselben Symptome:

Ich habe, seitdem ich mit dem Referendariat angefangen habe, wirklich sehr starke Schlafstörungen. Ich hatte Nächte gehabt, wo ich zwei Stunden (.) geschlafen habe und [...] am nächsten Tag von (.) 8 bis 19 Uhr [auf den Beinen war] irgendwie [...]. Und das kannst du dir schon vorstellen, wie ich mich fühlte. [34] (Toni: 217)

Neben diesen Gesundheitsbeschwerden sprechen die angehenden Lehrkräfte auch offen über ihre zurückgestellten Kinderwünsche, sofern sie diese nicht bereits verwirklichen konnten, wie letzteres bei Referendar Charlie der Fall ist. Dieser nimmt sich bewusst die Zeit für seine Familie und stellt die Aufgaben des Vorbereitungsdienstes dementsprechend zurück (vgl. Charlie: 146 f. [5]). Andere Lehrernovizen wollen dagegen mit eigenen Kindern warten, bis die Belastungen des Referendariats nach erfolgreichem Examen abebben: »Ich hab' mich bewusst dafür entschieden, keine Kinder zu kriegen, vor [...] oder während des Referendariats, weil ich glaube, (-) also, es wäre machbar, aber (.) mit großen Abstrichen« (Sam: 196 [64]).

Diese Angst einer Doppelbelastung wird von den Untersuchungen Körners (2003) unterstrichen, die nachweisen konnte, dass Lehrer ohne Nachwuchs weniger hohe Burnout-Werte erreichen als ihre Kollegen mit Kindern (vgl. Körner 2003: 107), wenngleich der einzige Befragte mit Familie – Referendar Charlie – beim Verfasser dieses Buches den ausgeglichensten Eindruck hinterließ.

6.1.4 Analyse der Ausbildungsebene

Analog zu den Belastungsverhältnissen auf der Individuellen Ebene teilt sich die Ausbildungsebene ebenfalls in zwei Belastungsfelder auf: Der erste Bereich umfasst vier Kategorien, welche die Lehrernovizen nur marginal belastet, während der zweite Bereich drei Kategorien in sich aufnimmt, denen ein höheres Belastungspotenzial inhärent ist. Demnach belastet die »Vergütung« des Vorbereitungsdienstes die Referendare am wenigsten, auch wenn Finn darauf aufmerksam macht, dass unter gewissen Voraussetzungen eine deutliche Beeinträchtigung durch die geringe Ausbildungsvergütung entstehen kann:

> Na ja, die private Situation speist sich auch so=en bisschen aus der Problematik des Finanziellen, also, mit irgendwie 1.100 [...] oder 1.200 [Euro], was es ja mittlerweile sind, is es ja auch wahnsinnig schwierig. Man kann eigentlich nicht in Urlaub fliegen [...] oder fahren, [...] was eigentlich ganz schön wäre, weil man ja einfach auch viel Stress hat. [...] [D]a gibt es sozusagen keine Belohnungssituation. Und Mieten in Berlin sind ja mittlerweile auch [...] ein riesiges Thema. [30] (Finn: 166 f.)

Mit Blick auf die allgemeinen »Anforderungen des Referendariats« sieht sich Sam vor eine große zeitliche Herausforderung gestellt. Denn aktuell weiß der Lehramtsanwärter nicht genau, wie er zusätzlich zum regulären Unterricht die für ihn noch ausstehenden sechs Unterrichtsbesuche, die zwei Modulprüfungen sowie die beiden Examensstunden innerhalb der verbleibenden zwölf Monaten seines Vorbereitungsdienstes bewältigen soll (vgl. Sam: 195 [62]). Weniger belastend beschreiben die Befragten die »Zusammenarbeit mit ihren Mentoren«, auch wenn diese Verbindung zwischen erfahrenem Lehrer und dessen Novizen wohl des Öfteren ad hoc geschlossen wird, womit sich Sam zwangsläufig arrangiert:

> Ja, dann hat man eben seine Lehrer so zugeteilt bekommen. Das war tatsächlich so=en bisschen zwischen Tür und Angel: »Sag' mal, hast du nicht Bock, dieses Jahr nen Referendar zu übernehmen? Äh, na ja.« War so schwierig, wenn man danebensteht. [A]ber letztendlich haben sich dann zwei dazu bereiterklärt, die's wahrscheinlich öfters mal machen und [...] die haben dann das auch übernommen. [2] (Sam: 172)

Dagegen können vier der fünf angehenden Lehrer bestätigen, dass sie den Beginn des Vorbereitungsdienstes als durchaus belastend wahrgenommen haben, wobei sich dies auf verschiedene Art und Weise manifestiert. Für Sam begann der Stress seiner zukünftigen Ausbildung noch vor deren ei-

gentlichem Start, da er große Angst davor hatte, sich an einer Schule über
1 $^1/_2$ Jahre behaupten zu müssen, wo er sich möglicherweise nicht wohlfühle (vgl. Sam: 182 [37]). Finn empfindet die in den Ferien stattfindende
Einführungsphase am Anfang seines Referendariats durch die Fülle an Informationen als belastend (vgl. Finn: 154 [2]), während Toni und Charlie
die anfängliche Orientierungszeit im Hinblick auf ihr neues Arbeitsumfeld
negativ beanspruchte (vgl. Toni: 205 [2]):

> Ähm, was für mich persönlich belastend war [...], war [...] die
> Zeit vor und (--) erste Woche Beginn hier in der Schule. Gar
> nicht mal unbedingt [...] aufgrund des Referendariats als solchem,
> sondern einfach, weil ich die Schule vorher nicht kannte. Das
> heißt, das war für mich: Komplett neue Leute kommen [...]; neue
> Strukturen; ich wusste nicht, wie ich da reinpasse; wo ich mich
> wie wo zurechtfinde. [...] Du lernst deine Seminarleiter kennen,
> du lernst deine anleitenden Lehrer kennen, wo du schon im Vor-
> feld weißt, dass du eine hohe Abhängigkeit hast und du erstmal
> so=en bisschen (.) gespannt bist natürlich, wie kommst du mit
> denen zurecht. Das heißt, diese Unsicherheit am Anfang war für
> mich belastend, für mich persönlich. [1] (Charlie: 145)

Um ein Vielfaches belastender perzipieren die angehenden Lehrkräfte die
folgenden drei Belastungskategorien. Demnach entsteht für die Interviewten auf der Ausbildungsebene die drittmeiste »Belastung durch die Seminare oder deren Leiter« (vgl. Kap. 5.3). Dies liegt im Vergleich zu den
anderen Kategorien möglicherweise daran, weil die angehenden Lehrkräfte
von mehreren parallel wahrgenommenen Belastungspunkten sprechen, die
augenscheinlich durch die Seminare und deren Leiter ausgelöst werden.
Zunächst wird die zeitliche Belastung deutlich, welche das Allgemeine Seminar und die beiden Fachseminare mit sich bringen:

> Und parallel hast [du als Referendar] mindestens dreimal in=ner
> Woche Seminare. Das Hauptseminar und zweimal die Fachsemi-
> nare, die ja auch nochmal drei Stunden circa mit Pause pro Semi-
> nar in Anspruch nehmen. Und [...] das zusammen kann schon
> sehr anstrengend sein. [2] (Alexis: 122)

Nichts anderes berichten die übrigen vier Referendare über die zeitliche
Beanspruchung der Seminare, welche durch eine zweite Art von Belastung

weitreichendere Beunruhigung in den Lehrernovizen hervorruft. Denn neben dem großen Leistungsdruck, dem sich die Lehrer in Ausbildung ausgesetzt fühlen, müssen sie zusätzlich gegen die Intransparenz hinsichtlich der Anforderungen der Seminarleiter ankämpfen, die letztlich für die Abschlussnote der Lehramtsanwärter verantwortlich sind:

> Also [...] das Problem an diesem Referendariat ist es, dass man (-) die Fachseminare hat und die Hauptseminare, die a) nicht ineinandergreifen und teils widersprüchlich sind und diese Fachseminare einem vorleben, wie man unterrichten soll und einem den Grundstein dafür geben, wie entsprechend die Unterrichtsbesuche und das zweite Staatsexamen aussehen sollte. Und dann sind das drei Seminare und drei verschiedene Meinungen, die dann aufeinanderprallen. [32] (Alexis: 132 f.)

Diese Unsicherheit der Referendare wirkt sich auch unmittelbar auf die vermeintlich belastendste Kategorie – die »Prüfungsarbeit und deren Bewertung« – aus. Denn um diese Widersprüchlichkeit seitens der Seminarleiter früh genug konterkarieren zu können, investieren die angehenden Lehrkräfte viel Zeit in die Vorbereitung ihrer Unterrichtsbesuche:

> Das kostet wirklich Nerven, Kraft und ich bin bei meinem jetzigen Unterrichtsbesuch schon bei meinem nächsten: »Oh Gott! Jetzt kommt ja noch einer und noch einer!« Es ist jetzt belastend, das denkt man gar nicht so. Weil [...] einfach so viel Zeit flöten geht für eine Stunde, für 45 Minuten. Und du wirst ja auch daran bewertet, das ist ja das Schlimme. Die [...] sehen dich ja nur fünf Mal. So und dann musst du dich so präsentieren, dass die denken: »Woah, cool! Die hat aber ne Eins verdient!« Oder so. [58] (Sam: 193)

Bestätigung dieser zweigleisigen Belastung, die zum einen durch die zeitliche Beanspruchung entsteht und zum anderen durch die Prüfungssituation als solches, erhält Sam durch die Aussagen der anderen angehenden Lehrkräfte. Für Alexis bspw. stellt der größte Aufwand unweigerlich die Unterrichtsbesuche dar, was folgendes Zitat exemplifiziert:

> Weil (-) das dann punktuell [...] hinzubekommen und zu planen mit den [...] gesagten Punkten: »Wie ist meine Klasse? Eignet sich

die Methode überhaupt für das Thema? Wie schaff ich das in der
Zeit?« [...] Und [...] die Vielfältigkeit dann halt auch zu zeigen.
Denn es reicht ja nicht einfach nur die kooperativen Lernformen.
Dann muss man auch mal ne Sprachförderung, ne Binnendifferenzierung, [...] Praxisbezug mit Belegen, problemorientiert. Also wie
bewert' ich das, dass man mir irgendwie ne weitergehende Beurteilung am Ende auch hat? [5] (Alexis: 123)

Und zwischen diesen überaus belastenden Unterrichtsbesuchen werden
die Referendare durch ihre »Eigenverantwortliche Lehrertätigkeit« täglich
aufs Neue beansprucht. Denn obwohl einige Lehramtsanwärter – wie
Finn und Sam – den »normalen« Unterricht durchaus positiv erleben und
gerne in ihre Klassen kommen, so birgt auch dieser ausreichend Belastungspotenzial:

Und [...] in der Schule ist es dann auch [...] mit dem normalen
Alltagsstress, dann musst du kopieren, dann musst du die Kamera
holen. Dann »Ist der Raum entsprechend ausgerüstet?« [...] Pausen sind immer zu kurz [...]. Dann hast du auch mal ne Aufsicht
[...] und [...] bis du dann deinen ganzen Kram wieder eingepackt
hast, mit deinem (-) Beamer, Kamera. Dann musst du die Kamera
wieder wegbringen. Dann [...] sortierst [du] die Unterlagen für die
nächste Stunde. Dann musst du die irgendwann auch wieder drucken. [7] (Alexis: 123 f.)

Gestützt werden diese Belastungserfahrungen der Referendare sowie die
induktiv erschlossenen Kategorien durch die in Kapitel 3.2.2 vorgestellten
empirischen Befunde zu Belastungen im Vorbereitungsdienst. Dort können
die Erhebungen von Drüge und ihren Sozien (2014) durch drei besonders
auffällige Skalen anzeigen, welche beruflichen Anforderungen für angehende
Lehrer im Verhältnis zu vermehrten Belastungen führen. Folglich spielen die
Bereiche »Quantitative Anforderungen«, »Emotionale Anforderungen« und
»Work-Privacy-Conflict« eine übergeordnete Rolle, wenn vom Belastungserleben der Lehramtsanwärter gesprochen wird (vgl. Drüge et al. 2014:
369 f.). Diese Bereiche überschneiden sich mit den in diesem Elaborat zutage geförderten Kategorien, denen überwiegend quantitative sowie emotionale Anforderungen immanent sind.
  Die stark emotionale Belastung wird von den Untersuchungen Nüb-
lings und seinem Forscherteam nochmals unterstrichen (vgl. Nübling et al.

2012: 64). Ebenso die zeitlichen Anforderungen, die der Lehrerberuf bzw. das Referendariat mit sich bringt, wirken sich belastend auf die angehenden Lehrkräfte aus, wie 71 Prozent der Befragten in der Studie von Schubarth, Speck und Seidel (2007) angeben (vgl. Schubarth et al. 2007). Diese Anforderungen spiegeln sich auch in den Interviewergebnissen in den Kategorien »Belastung durch die Seminare oder deren Leiter« und »Prüfungsarbeit und deren Bewertung« wider.

Außerdem machen Drüge und ihre Sozien im Bereich »Soziale Beziehungen und Führung« fünf weitere Skalen aus, die gleichermaßen auf ein ungünstiges Beanspruchungsniveau vonseiten der Referendare schließen lassen (vgl. Drüge et al. 2014: 366 f.). Die innerhalb der Skalen »Rollenkonflikte«, »Rollenklarheit«, »Soziale Unterstützung«, »Soziale Beziehungen« und »Gemeinschaftsgefühl« diagnostizierte Belastung von Lehramtsanwärtern, bekräftigen folgende induktiv erschlossene Kategorien, welche mithilfe der geführten Interviews zustande gekommen sind: »Beginn des Referendariats«, »Belastung durch die Seminare oder deren Leiter«, »Prüfungsarbeit und deren Bewertung« sowie »Zusammenarbeit mit Mentoren«. Zu ähnlichen Ergebnissen kommen die Untersuchungen von Schubarth und seinen Kollegen, bei denen bspw. 18 Prozent der angehenden Lehrkräfte angeben, sich durch den Anpassungsdruck innerhalb der Seminare belastet zu fühlen (vgl. Schubarth et al. 2007).

Unter Berücksichtigung der von Mayring postulierten Rücküberprüfung des Kategoriensystems an Theorien und Material (vgl. Mayring 2015: 62) sind alle deduktiv und induktiv erschlossenen Kategorien dieser wissenschaftlichen Arbeit verifiziert worden, sodass im kommenden Kapitel eine umfangreiche Interpretation der Ergebnisse in Richtung Hauptfragestellung erfolgen kann.

6.2   Interpretation der Ergebnisse in Richtung Hauptfragestellung

6.2.1   Belastungserleben im Vorbereitungsdienst

Der erste Teil der Hauptfragestellung – Welchen typischen Belastungssituationen sind Referendare während ihrer Zeit im Vorbereitungsdienst ausgesetzt? – konnte zum Großteil anhand der in den Kapiteln 5 und 6.1 vorgenommenen Analysen beantwortet werden. Demzufolge besteht eine

Vielzahl an verschiedenen Belastungskontexten, mit denen sich die angehenden Lehrer auseinanderzusetzen haben. Gleichwohl unterscheiden sich diese durch diverse Schweregrade, je nachdem, welcher der befragten Referendare für eine Betrachtung herangezogen wird.

Zu Beginn muss erneut der Lehramtsanwärter Charlie erwähnt werden, der trotz erhöhter Belastungswerte innerhalb von vier Kategorien (vgl. Kap. 5.3), während der eigentlichen Interviews den besonnensten Eindruck unter den Lehrernovizen beim Verfasser dieses Buches hinterließ. Zwar hatte Charlie einige Situationen, die ihn negative Beanspruchung verspüren ließen (vgl. Charlie: 145 f. [1-3]), nichtsdestotrotz resümiert er über den Vorbereitungsdienst äußerst positiv und spricht von einem »vernünftigen Belastungsmaß« (vgl. Charlie: 146 [4]).

Die anderen Referendare teilen diesen Eindruck nicht und werden auf bestimmten Ebenen außerordentlich beansprucht. Alexis bspw. behauptet von sich, dass er nur »von Unterrichtsbesuch zu Unterrichtsbesuch« lebe (vgl. Alexis: 123 [5]). Da eine detaillierte Vorbereitung des alltäglichen Unterrichts nicht in die Bewertung seines Lehrhandelns miteinfließen würde, verliere der »normale« Unterricht seinen Wert (vgl. Alexis: 135 [36]). Dementsprechend früh und intensiv versucht Alexis sich auf die entscheidenden Besuche der Seminarleiter vorzubereiten, obwohl er schon im Vorhinein weiß, dass er deren Anforderungen – aufgrund der großen Intransparenz und Inkonsistenz bezogen auf die Seminare – nicht gerecht werden kann (vgl. Alexis: 132 f. [32]). Diese Tatsache belastet und frustriert ihn gleichermaßen.

Von ähnlichen Wahrnehmungen spricht Lehrernovize Sam, dessen größte Belastungen ebenfalls durch die »Prüfungsarbeit und deren Bewertung« entstehen. Vornehmlich diese doppelte Beanspruchung, die sich einerseits durch die lange Planungs- und Überarbeitungsphase der Unterrichtskonzeption sowie andererseits durch die daran anknüpfende Prüfungssituation mit anschließendem Feedbackgespräch manifestiert, kosten Sam viel »Kraft« und »Nerven« (vgl. Sam: 193 [58]). Darüber hinaus gibt Sam während der Befragung immer wieder zu verstehen, wie sehr er sich eine Plattform wünschen würde, auf der bereits hochgeladene Unterrichtsmaterialien verfügbar sind. Dadurch könnte ihm, neben den vielen Stunden, die er für die Erstellung von Unterricht benötigt, auch die Angst genommen werden, Vertretungsunterricht für erkrankte Kollegen zu übernehmen (vgl. Sam: 191 [55]).

Die übrigen beiden Referendare Finn und Toni beschreiben sogar erste gesundheitliche Folgen, mit denen sie seit Beginn des Vorbereitungsdienstes zu kämpfen haben. Wegen subjektiver Belastungsschwierigkeiten oder mangelndem Coping leidet Finn seit einem halben Jahr kontinuierlich unter Schlafstörungen, da er sich täglich mit den zu erledigenden Dingen in seinem Vorbereitungsdienst auseinandersetzt. Selbst am Wochenende oder in den Ferien findet er immer wieder zu seinen Lehrertätigkeiten zurück und versucht daraufhin weiter Unterrichtsmaterialien zu erstellen bzw. den nächsten Unterrichtsbesuch vorzubereiten (vgl. Finn: 169 [34]).

Wie bereits angesprochen, kann auch die angehende Lehrkraft Toni des Nachts kaum ruhig schlafen. Diese Belastungskonsequenz kann u. a. auch auf dessen Überengagement im Hinblick auf die »Eigenverantwortliche Lehrertätigkeit« zurückzuführen sein, denn Toni beschreibt im Interview selbst, wie er am liebsten jedes seiner erstellten Arbeitsblätter aus der Sicht der Schüler evaluieren will (vgl. Toni: 210 [18]), womit er sich zusätzliche Nachbereitungszeit aufbürdet. Dies beeinträchtigt zudem das Eheleben Tonis, weil kaum mehr Zeit für Gemeinsames zur Verfügung steht und wenn, dann die Gespräche der beiden Lehrtätigen von der Schule handeln: »Also, ich merke ja schon einen Unterschied. Und unsere Gespräche beim Tisch, wenn wir Glück haben und zusammen frühstücken zu können, [...] dann ist das [...] wirklich [...] 80 Prozent der Zeit [...] die Schule« (Toni: 215 [30]).

Schlussendlich haben sich drei Belastungskategorien herauskristallisiert, die ein überaus verdichtetes Belastungsempfinden bei allen Befragten auslösen: Das ist die »Arbeitszeit und -struktur« von Lehramtsanwärtern, deren »Eigenverantwortliche Lehrertätigkeit" sowie die »Prüfungsarbeit und deren Bewertung«. Folglich ist in einem nächsten Schritt zu ergründen, inwiefern sich die angehenden Lehrkräfte gegen ein solch immenses Aufgebot an wahrgenommener Belastung zur Wehr setzen bzw. ob sie über konkrete Bewältigungsstrategien verfügen.

6.2.2   Copingstrategien vonseiten der Referendare

Der zweite Teil der Hauptfragestellung – Welche Copingstrategien werden von den Lehramtsanwärtern als Präventions- und Gegenmaßnahmen angewendet? – widmet sich den möglichen Bewältigungsstrategien der Referendare. Diese wären insbesondere für die Lehrernovizen Finn und Toni notwendig, weil diese bereits die Folgen ihrer Belastungssituation in Form von Schlafstörungen zu spüren bekommen. Auf die Frage des Interviewers antwortete der Befragte Finn resigniert:

Also, ich hab' mir vorher vorgenommen: Das werden jetzt anstrengende 1 $\frac{1}{2}$ Jahre und danach (-) [...] fahr' ich erstmal in Urlaub [...] und geh' einkaufen. [Mit dem ersten Monatsgehalt.] Mit dem ersten Monatsgehalt wird erstmal geshoppt, ja. Genau. Ja. [...] Anders geht's nicht. Also, ich wüsste auch nicht, was man jetzt machen kann, [...] ich meine, auch wenn du irgendwie, weiß ich nicht, schwimmen gehst oder irgendwie in die Sauna gehst, oder so. Du kannst ja trotzdem mit dem Kopf da sein, ob dich das jetzt wirklich so beruhigt, dann denk' ich mir lieber: Ich setz' mich jetzt hin und mach' das weg. [36] (Finn: 170)

Im Gegensatz zu Finn versucht Referendar Toni einen Weg zu finden, um sich nicht bedingungslos seinem vermeintlichen Schicksal zu fügen. Tonis Strategie sieht vor, dass er seine Arbeitstage exakt plant, um den Überblick über die vielen Aufgaben, die er während seines Vorbereitungsdienstes zu bewältigen hat, nicht zu verlieren. Allein diese bewusste Strukturierung seines Alltags hat zur Folge, dass Toni in der Regel wieder besser schlafen kann (vgl. Toni: 216 f. [33]). Diese Form der Belastungsbewältigung, die auf ein erfolgreiches Zeitmanagement abzielt, verhilft nicht nur zu einem Gefühl der Befreiung, sondern setzt wider Erwarten Ressourcen für unvorhersehbare Lebensumstände frei (vgl. Klippert 2006: 75).

Dem angehenden Lehrer Sam ergeht es ähnlich wie Finn, dass ihm keine adäquate Bewältigungsstrategie vorliegt, die ihn in die Lage versetzt, seine aktuelle Belastungssituation zum Positiven hin zu verändern. Selbst wenn Sam sich bewusst für den Gang ins Fitnessstudio oder ein Treffen mit Freunden entscheidet, lassen sich die Hintergedanken, hinsichtlich der noch zu erledigenden Aufgaben des Vorbereitungsdienstes, nicht vollständig verdrängen (vgl. Sam: 201 [73]). Die einzige Möglichkeit, die sich Lehrernovize Sam denken kann, damit er nicht permanent die Schule vor Augen hat, könnten für ihn die Sommerferien sein bzw. ein Ortwechsel mittels eines Urlaubs (vgl. Sam: 184 und 201 f. [40 und 74]).

Die Copingstrategie von Referendar Alexis besteht darin, sich geistige Pausen zu schaffen, um zwischenzeitlich entspannen zu können, wenngleich er betont, dass er, wie die anderen drei angehenden Lehrkräfte auch, die Schule nicht gänzlich zurückdrängen kann (vgl. Alexis: 132 [31]). Zudem verhindern ihm seine Zielstrebigkeit und sein Perfektionismus, sich betreffend seiner Arbeitszeiten zeitliche Grenzen zu setzen, obwohl er sich seinem Problem durchaus bewusst ist:

Und von daher [...] muss man sich schon selbst disziplinieren und vielleicht seine Anforderungen runterschrauben und dann kann man das auch [...] zeitlich managen, wenn man das so will. Und wenn [...] man sich halt selbst die Grenze dazu setzt und sagt: »Von mir aus, so ab 18 Uhr war's das.« Mach' ich nur halt nicht. [9] (Alexis: 124 f.)

Einzig der Lehramtsanwärter Charlie vermag nach seinem eigenen Empfinden her, den Anforderungen im Hinblick auf die Belastungen des Referendariats vorbereitet zu sein. Dies lässt sich eventuell anhand von zwei besonderen Merkmalen der Lehrperson Charlie festmachen: Zum einen hat Charlie sein Referendariat von Beginn an als Ausbildung angesehen, die er nutzen will, um seine Lehrerhandlung stetig zu verbessern. Leistungsdruck hat er dabei nicht verspürt, weil er wusste, dass die Arbeitsmarktsituation es aktuell zulässt, dass Lehrer auch mit weniger guten Abschlussnoten eingestellt werden (vgl. Charlie: 150-153 [1 und 6]). Zum anderen spielt im Vergleich zu den anderen Befragten die Familiensituation für Charlie eine vorrangige Rolle. Er nimmt sich bewusst Zeit für seine Kinder am Nachmittag und frühen Abend und subordiniert dadurch seine Lehrertätigkeit als einziger der fünf Interviewten (vgl. Charlie: 146 f. [5]). Diese bewusste Trennung von Beruflichem und Privaten verhilft Charlie dazu, als einziger der Referendare mit den Belastungen des Vorbereitungsdienstes umzugehen.

6.3   Erprobung der konstatierten Resultate

6.3.1   Vergleich mit den quantitativ erhobenen Befunden

Dadurch, dass zwei unterschiedliche Auswertungsansätze in diesem Buch vorgenommen wurden, gilt es in einem letzten Analyseschritt die quantitativ (vgl. Kap. 5) und qualitativ (vgl. Kap. 6.1) ermittelten Ergebnisse der Inhaltsanalyse gegenüberzustellen, damit die Gemeinsamkeiten bzw. Abweichungen hinsichtlich der perzipierten Belastung der befragten Referendare abschließend festgehalten werden können. Dafür rückt jeder der Interviewten nochmals in den Fokus der Betrachtung.

Auch wenn die quantitative Darstellung des Belastungsempfindens der angehenden Lehrer bei Charlie innerhalb von vier Kategorien eine negative Beanspruchung von über 18 Prozent zum Vorschein bringt (vgl. Kap. 5.3), so wurden diese vermeintlich als stark empfundenen Belastungen während seines Referendariats anhand der qualitativen Auswertung rektifiziert. Demnach kommen innerhalb der beiden mit Charlie geführten Interviews nur elf Zitate zustande, die beim Befragten überhaupt wahrgenommene Belastungspunkte offenbaren. Neben dieser geringen Anzahl an KE, gelingt es hauptsächlich infolge der qualitativen Inhaltsanalyse Mayrings das tatsächliche Belastungsbild Charlies abbilden zu können (vgl. Kap. 6.1). Eine quantitative Auswertung ist unter diesen Gesichtspunkten dagegen nicht hinreichend genug.

Als weniger schwierig zu deuten stellen sich die Befunde zum angehenden Lehrer Alexis heraus. Diese spiegeln anhand der quantitativen sowie qualitativen Resultate ein kongruentes Bild wider, welches Alexis eine eindeutige Kategorie im Hinblick seiner Belastungsperzeption zuschreibt. Demzufolge manifestieren sich nicht nur knapp 22 Prozent seiner KE innerhalb der Kategorie »Prüfungsarbeit und deren Bewertung« (vgl. Kap. 5.3), sondern auch eine Auseinandersetzung mit den einzelnen Redebeiträgen des Referendars offenbart die Belastungsintensität ebenjener Kategorie:

> Das Problem ist wirklich, den Anforderungen [der Seminarleiter] gerecht zu werden, weil man weiß, man wird am Ende benotet. Und wenn einem die Noten nicht egal sind, dann versucht man halt// und dann [...] kommt man zum Verzweifeln, weil man es [...] diesen Spagat (-) nicht schafft und es so intransparent ist, dass man auch nie das Gefühl hat, dass man es je schaffen wird. [34] (Alexis: 133)

Für Lehramtsanwärter Sam lässt sich unter Hinzuziehung aller Ergebnisse ein ambivalentes Belastungserleben attribuieren. Während die rein quantitative Erhebung zwei Kategorien bezogen auf die wahrgenommene Belastung leicht in den Vordergrund rückt, nämlich die »Eigenverantwortliche Lehrertätigkeit« sowie die »Prüfungsarbeit und deren Bewertung« (vgl. Kap. 5.3), vermag die Analyse der einzelnen Gesprächsbeiträge des Referendars keine konkrete Kategorie in den Mittelpunkt der Unterredung zu stellen. Vielmehr deutet die im Vergleich zu den anderen Interviews immens lange Gesprächsdauer von fast 1 $^1/_2$ Stunden daraufhin, dass insgesamt viele Belastungspunkte bei Sam ein Unwohlsein während seines Vorbereitungsdienstes auslösen. Bestätigung erhält diese Theorie u. a. durch den Fakt, dass Sam mit Abstand die meisten KE zugeordnet werden

können – von allen 173 KE sind 69 KE (ca. 40 Prozent) auf ihn zurückzuführen (vgl. Kap. 5.3).

Infolge der Ergebnisdarstellung via Box-Whisker-Plot in Kapitel 5.4 kann
bei Referendar Finn ein besonders niedriges Belastungserleben konstatiert
werden. Mit einer durchschnittlichen Belastung von lediglich 7,14 Prozent
sowie einer Maximalbelastung innerhalb der zwei Kategorien »Private Situation des Lehrers« sowie »Eigenverantwortliche Lehrertätigkeit« von
14,29 Prozent (vgl. Kap. 5.3), zeugt diese quantitative Begutachtung von
einem vermeintlich überschaubaren Belastungsmaß. Unter Hinzuziehung
der qualitativen Inhaltsanalyse ändert sich dieser Eindruck, weil anhand
weniger Redebeiträge seitens Finn deutlich wird, dass er wie Alexis und
Finn unter den hohen Anforderungen, die von den Unterrichtsbesuchen
ausgehen, leidet (vgl. Finn: 155 [4]). Zudem belastet ihn sein Seminarleiter so sehr, dass er einen Seminarwechsel erwirkt hat, der erst zum nächsten Halbjahr realisiert werden konnte (vgl. Finn: 155 f. [7]). Finns
Schlafstörungen sind derweil angesprochen worden, die gleichsam wie die
Belastungen durch einen Wechsel des Seminars einzig anhand einer qualitativen Beitragsanalyse dekuvriert werden konnten.

Gleichwohl kann eine qualitative Analyse beim Befragten Toni die be-
lastendsten Momente seines Vorbereitungsdienstes zutage fördern. Speziell
die »Arbeitszeit und -struktur« ruft bei ihm ein immer wiederkehrendes
negatives Beanspruchungserleben hervor, welches er mittels einer konse-
quenten Alltagsstrukturierung versucht so gering wie möglich zu halten
(vgl. Toni: 216 f. [33 und 35]). Diese namentlich perzipierte Belastung ist
größtenteils mit den quantitativen Ergebnissen aus Kapitel 5.3 überein-
stimmend.

Die Gegenüberstellung der zwei verschiedenartigen Auswertungsverfah-
ren zeigt, dass eine rein quantitative Betrachtungsweise nicht ausreicht,
um die exakten Belastungspunkte der befragten Lehramtsanwärter aufzudecken. Trotz der genaueren qualitativen Analyse muss an dieser Stelle
angemerkt werden, dass auch diese zu unspezifisch ist, um ein Gutachten
hinsichtlich der tatsächlich empfundenen Belastungsschwere vonseiten der
Referendare erstellen zu können. Denn die Einordnung der Belastungs-
grade der angehenden Lehrer geht einzig auf die subjektiven Einschätzun-
gen des Verfassers dieses Buches zurück, welcher während der
Untersuchungsdurchführung auf keinen psychologischen Hintergrund zurückgreifen kann. Für eine exakte Klassifikation der perzipierten Belas-

tungsausmaße würden jedoch fundierte Kenntnisse im psychologischen Bereich benötigt.

Dennoch verifizieren die Resultate aus Kapitel 5 und 6.1 zweifelsfrei die in Kapitel 2.4 vorgenommene Erweiterung des Rahmenmodells schulischer Belastung von Böhm-Kasper. Denn während sich die Überlegungen des Erziehungswissenschaftlers dem Kontext »Schule« zuwenden, haben die eruierten Ergebnisse dieses Elaborats bewiesen, wie weitreichend sich die Belastungen des Vorbereitungsdienstes auf weitere Lebensbereiche der Referendare ausdehnen. In der Konsequenz erscheint eine Erweiterung des Modells um den Einflussbereich »Soziale Umgebung« als folgerichtig, da mit der Hilfe ebenjenes umfangreichen Umfeldes nicht nur die Kontexte »Schule« und »Zuhause«, sondern auch zusätzliche Belastungszonen wie die als ebenfalls belastend wahrgenommenen »Seminare« inkludiert werden können. Letztendlich ist die soziale Umgebung der Referendare ein gravierender Faktor, der oftmals darüber entscheidet, wie die angehenden Lehrkräfte den vielfältigen Aufgaben des Vorbereitungsdienstes begegnen. In welcher Form dies geschehen kann, belegen die Gespräche mit den Lehramtsanwärtern (vgl. Anhang S. 121-217).

6.3.2 Anwendung der inhaltsanalytischen Gütekriterien

»Wenn die Inhaltsanalyse den Status einer sozialwissenschaftlichen Forschungsmethode für sich beanspruchen will, so muss sie sich Gütekriterien stellen [und] auf ihre Tauglichkeit hin eingeschätzt werden« (vgl. Mayring 2015: 123). Hierfür werden in der sozialwissenschaftlichen Methodenlehre zwei Maße unterschieden: Das sog. Maß der Reliabilität soll die »Stabilität und Genauigkeit der Messung sowie der Konstanz der Messbedingungen [sicherstellen]« (Friedrichs 1973: 102), während das sog. Maß der Validität prüfen soll, »ob das gemessen wird, was gemessen werden sollte« (vgl. ebd.: 100). Aktuell empfiehlt Mayring die von Klaus Krippendorff (1980) zusammengestellten acht Konzepte, welche eine Auswahl an inhaltsanalytischen Gütekriterien vorschlagen. Soll die in diesem Buch durchgeführte Inhaltsanalyse dem Status einer sozialwissenschaftlichen Forschungsmethode nahekommen, muss deren Reliabilität sowie Validität überprüft werden.

Das Maß der Reliabilität kann u. a. mittels des sog. »Konzepts der Stabilität« nachgewiesen werden. Eine wiederholte Verwendung des angewandten Analyseinstruments auf den vorliegenden Materialkorpus kann – ähnlich wie das »Konzept der Intracoderreliabilität[49]« – die Reliabilität ei-

ner Inhaltsanalyse validieren (vgl. Mayring 2015: 127). Dies trifft für diese
Inhaltsanalyse insofern zu, weil zur Sicherstellung einer adäquaten Kategorienbildung der in Kapitel 4.2.3 beschriebene Vorgang des offenen Kodierens zu Beginn und zum Ende der Analyse ein weiteres Mal
durchgeführt wurde.

Das Maß der Validität wird anhand der sog. »Korrelativen Gültigkeit«
überprüft. Laut Mayring impliziert dies einen Vergleich mit den Befunden
anderer Untersuchungen, die zu »ähnlichen Fragestellungen und ähnlichem
Gegenstand vorliegen« (ebd.: 126). Diese Heranziehung anderer Untersuchungen geschah bereits in Kapitel 6.1, indem eine Rücküberprüfung des
Kategoriensystems an Theorien und Material getätigt wurde, womit die
Validität der Analyse nachgewiesen wird. Somit können dem analytischen
Vorgehen innerhalb dieses Buches Gütekriterien der Reliabilität sowie Validität aufgezeigt werden, was dem letzten Punkt von Mayrings Vorstellungen einer verhältnismäßigen Inhaltsanalyse entspricht (vgl. ebd.: 62).

---

[49] Bei der Intracoderreliabilität wird ein bereits kategorisierter Text vom gleichen
Analysten nach einem gewissen zeitlichen Abstand nochmals kategorisiert, um
überprüfen zu können, ob er die gleichen Kategorien ein zweites Mal vergibt.
Falls dem so ist, herrscht Reliabilität vor (vgl. Mayring 2015: 124).

7 Abschließende Bemerkungen

Zum Abschluss dieser wissenschaftlichen Auseinandersetzung zum Thema »Belastungen im Vorbereitungsdienst« lassen sich folgende Erkenntnisse resümieren: Vier der fünf Befragten – also 80 Prozent der Referendare – haben während ihrer Ausbildung zur Lehrkraft mit mehr oder weniger starken Belastungserscheinungen zu kämpfen. Dieses negative Beanspruchungsniveau beschränkt sich nach Aussagen der Interviewten aber nicht nur auf die Zeit in der Schule, sondern begleitet die Lehramtsanwärter auch bis in ihr privates Umfeld. Zudem besteht für ebenfalls 80 Prozent der Befragten keine Möglichkeit, von den Aufgaben des Referendariats Abstand zu nehmen. Dies hat für 40 Prozent der angehenden Lehrer zur Folge, dass sie dauerhaft schlecht schlafen und ihnen dementsprechend eine der wichtigsten Regenerationsmöglichkeiten nicht zur Verfügung steht. Besonders deutlich wird dies bei der komplexen Verarbeitung und Speicherung von Informationen während der Schlafphasen, die gegenüber Störungen resistent gemacht werden müssen, wofür es einer sog. Konsolidierung bedarf (vgl. McGaugh 2000). Diese führt zur »Stabilisierung eines Gedächtnispfades [...] [sowie] zur qualitativen sowie quantitativen Umstrukturierung von bereits vorhandenen Informationen[, was den] [...] Problemlösung[sfähigkeiten eines Individuums zugutekommt]« (Strobel 2016: 4).

Gleichwohl muss weiterhin bedacht werden, dass die vorliegende Untersuchung hinsichtlich ihrer Repräsentativität insofern eingeschränkt ist, dass sie durch ihre relativ kleine Stichprobe (N = 5) sowie durch den Kontext, in dem sie angesiedelt ist (eine Berufsschule im Berliner Schulsystem), im Vergleich zu groß angelegten Studien nicht mithalten kann.

Dennoch können sich anhand der Befragungen zwei Faktoren herauskristallisieren, die besorgniserregenden Charakter bezogen auf das Wohlergehen der Referendare während des Vorbereitungsdienstes annehmen: Zum einen, das ausführlich thematisierte Belastungserleben der angehenden Lehrkräfte als solches, welches die Interviewten vor große psychosoziale Anforderungen stellt. Und zum anderen, die Ahnungslosigkeit hinsichtlich möglicher Bewältigungsstrategien zur Abschwächung der negativen Beanspruchungen des Referendariats. Denn wenn von vier Befragten, die den Vorbereitungsdienst als belastend wahrnehmen, nur einer von ihnen Coping bewusst anwendet, erscheint es logisch, dass Referendar Finn folgendem Szenario keine Seltenheit zuschreibt:

[A]ber ich hab' auch viele [...], mit denen ich mich gut versteh',
die halt sagen, dass sie entweder schlecht schlafen oder aber total
überfordert sind. [...] [D]ie eine geht jetzt auch zum Psychologen,
solche Sachen, [...] ich glaube schon, dass das ein weitverbreitetes
Problem ist, dieser ganze Druck und diese Intransparenz. [35]
(Finn: 170)

Die Frage ist, wie diesen offensichtlichen Problemen innerhalb des Referendariats begegnet werden kann. Schaarschmidt (2005) hat die Ergebnisse seiner Potsdamer Lehrerstudie zum Anlass genommen zu
postulieren, welchen Veränderungen des Lehrerberufes es bedarf, um
dessen aktuellen Schwierigkeiten angemessen zu begegnen. Hierbei be-
nennt der Psychologe vier große Aufgabenfelder, die im Einzelnen vorgestellt werden.

Zunächst widmet sich Schaarschmidt den Rahmenbedingungen des
Lehrerberufs, welche zwei Zielrichtungen anzustreben hätten: Auf der
einen Seite müsse der Fülle an erzieherischen Aufgaben, die dem Beruf des
Lehrers inhärent sind, reduziert werden, da diese tendenziell komplexer
und schwieriger würden. Dies könne u. a. mithilfe einer Systematisierung
der Beratungs-, Betreuungs- und Erziehungsarbeit an den Schulen durch
die Übernahme einzelner Aufgaben von Psychologen, Sozialarbeitern und
Sozialpädagogen erfolgen (vgl. Schaarschmidt 2005: 146-148). Auf der
anderen Seite konstatiert Schaarschmidt, dass den Lehrern die Freude am
Beruf durch zu viele Reglementierungen abhandenkomme. Hierfür sei ein
Abbau von Verwaltungsaufgaben notwendig, was die Entfaltung von pädagogischer Professionalität forcieren könne (vgl. ebd.: 148 f.).

Als Zweites rückt Schaarschmidt die Arbeitsbedingungen der Lehrkräfte in den Mittelpunkt, welche durch das soziale Klima an der jeweiligen Schule entscheidend beeinflusst würden. Folglich spielen Beziehungen
im Kollegium eine übergeordnete Rolle, wenn günstige Beanspruchungsverhältnisse geschaffen werden sollen. »Offenheit«, »Ehrliches Interesse«
und »Soziale Unterstützung« den Kollegen gegenüber sind Indikatoren für
ein gutes soziales Klima, welches auch die Schulleitung entscheidend beeinflusst (vgl. ebd.: 150). »Es ist demzufolge zu erwarten, dass über die
Qualifizierung der Schulleitungen in ihrer Personalarbeit eine wesentliche
Ressource der Beanspruchungsoptimierung und Gesundheitsförderung er-
schlossen werden kann« (ebd.).

Das dritte Aufgabenfeld betrifft den Lehrernachwuchs direkt. Einem
Viertel der neu eingestellten Lehrkräfte wurde mittels der Potsdamer Lehrer-

studie Insuffizienz hinsichtlich ihrer sozial-kommunikativen Kompetenz, ihres Selbstvertrauens sowie ihrer Widerstandskraft nachgewiesen. Anhand von Eignungstest könne es gelingen, diese Defizite aufzudecken, noch vor der Entscheidung ein Studium mit Lehramtsoption anzutreten. Dies könne zusätzlich dem Motivationsproblem von Referendaren entgegenwirken, sofern der Beruf des Lehrers für ebenjene attraktiver gestaltet werde (vgl. ebd.: 152 f.). Letztlich sei der Erwerb beruflicher Handlungskompetenzen bereits im Studium vonnöten, um mit Beginn des Vorbereitungsdienstes auf genügend lehrerspezifische Fähigkeiten, wie bspw. Selbstmanagement, zurückgreifen zu können (vgl. ebd.: 153 f.). Das ins Lehramtstudium implementierte Praxissemester entspricht dieser Forderung mittlerweile, kann nach der Meinung des Verfassers aber höchstens als erste Verknüpfung beider Ausbildungsorte der angehenden Lehrkräfte gesehen werden. Demzufolge sollte bereits mit Beginn des Studiums eine permanente Zusammenarbeit zwischen Schulen und Universitäten erfolgen, damit die Lehrernovizen sukzessive in den Schulbetrieb integriert werden können.

Zum Schluss verweist Schaarschmidt auf die Lehrer selbst. Diese seien dazu aufgefordert, ihre Beanspruchungssituation eigenständig zu verbessern, was in drei Schritten erfolgen könne: Erstens sei die wichtigste präventive Maßnahme, die eine Lehrperson von sich aus in Angriff nehmen könne, die Weiterentwicklung seiner eigenen Kompetenzen. »Es gilt demzufolge, [neben fachlicher und erzieherischer Kompetenz,] [...] auch günstigere persönliche Beanspruchungsverhältnisse zu erreichen« (ebd.: 154). Zweitens solle sich aus diesem Kompetenzerwerb eine »Rückmeldungskultur[50]« herausbilden, welche die Voraussetzungen für Evaluation und Leistungsbeurteilung schaffe, um mögliche Verbesserungspotenziale einer Lehrertätigkeit transparent zu machen (vgl. ebd.: 155). Drittens müsse jeder einzelne Lehrer dafür Sorge tragen, aktiv zur Erhaltung und Förderung seiner Gesundheit beizusteuern. Dies impliziere neben körperlicher Ertüchtigung und Erholungsphasen auch »die rechtzeitige Inanspruchnahme professioneller beraterischer, betreuerischer und therapeutischer Hilfe, wenn dies angezeigt ist« (ebd.).

---

[50] Unter Rückmeldungskultur ist das regelmäßige Führen von Feedback-Gesprächen zu verstehen, die bspw. durch Verabredungen zwischen Lehrern und Schülern genutzt werden können, um Fördermaßnahmen zu besprechen. Dies kann das Lernverhalten und die damit verbundenen Lernergebnisse der Lernenden stabilisieren (vgl. Ubben 2004: 3).

Mit Blick auf die Ergebnisse dieses Buches könnte den befragten Referendaren nur mittels der von Schaarschmidt postulierten Besonnenheit gegenüber der gesundheitlichen Verfassung eine Verbesserung ihrer gegenwärtigen Zustände in Aussicht gestellt werden. Selbst wenn die Rahmen- und Arbeitsbedingungen der angehenden Lehrer einen nicht zu unterschätzenden Teil des Belastungserlebens der Interviewten ausmachen, müssen sie realistisch genug bleiben und erkennen, dass sie kurzfristige Unterstützung nur durch sich selbst erfahren, nicht zuletzt wegen der Kürze des Vorbereitungsdienstes. Wie dieses Elaborat gezeigt hat, wäre eine Vielzahl an Bewältigungsmaßnahmen (z. B. progressive Muskelrelaxation oder die Inanspruchnahme von Supervision) für die Lehramtsanwärter realisierbar (vgl. Kap. 3.4).

Dennoch fehlen »[b]is 2025 [...] bundesweit [faktisch] gut 200.000 Lehrer« (Sadigh 2018), was auch zu einer Mehrbelastung für die (kommenden) Referendare führt. Um dem akuten Lehrermangel in Deutschland angemessen zu begegnen, fordert der Erziehungswissenschaftler Peter Struck die Verantwortlichen der Bundesländer – die KMK – zur umfangreichen Reformierung des Lehrerberufs auf:

> Alle Lehrer [...] müssen bundesweit gleich und besser bezahlt werden. Sie verdienen im Vergleich zu anderen akademischen Berufen wenig. Außerdem ist die Wochenarbeitszeit viel zu hoch. Ausgerechnet die engagiertesten Lehrer sind oft mit 50 ausgebrannt. Es ist auch unsinnig, dass ein Hauptschullehrer 29 Stunden unterrichten muss, ein Gymnasiallehrer aber nur 24 – die Belastungen sind andere, aber gleich hoch. Eine Schulklasse sollte nicht mehr als 18 Kinder haben und möglichst nur ein Drittel davon mit Migrationshintergrund. Im Idealfall geben immer zwei [...] Lehrer gleichzeitig Unterricht: Eine[r] gestaltet die Unterrichtsstunde, [der andere] kann auf die mitgebrachten Probleme einzelner Schüler eingehen. Davon profitieren die Schüler – aber auch die Lehrer können [ihren Beruf] länger durchhalten. (Sadigh 2018)

In welchem Umfang der Appell des Erziehungswissenschaftlers zum Wohle aller zukünftigen Lehrkräfte umgesetzt werden kann, bleibt abzuwarten. Langfristig muss die KMK dafür sorgen, den Lehrberuf für genügend Pädagogen ansprechend zu gestalten, damit die freiwerdenden Lehrerposten durch qualifizierte Lehrkräfte nachbesetzt werden können. Damit dies gelingen kann, müssen auch finanzielle und gesundheitliche Anreize geschaffen werden. Nur unter diesen Voraussetzungen wird es den kommenden Lehrergenerationen möglich sein, den umfangreichen Aufgaben ihres anspruchsvollen Berufs angemessen nachzukommen, um die »Schüler von morgen« bestmöglich auf ihr (Berufs-)Leben vorzubereiten.

ANHANG

Literaturverzeichnis

Baeriswyl, Sophie / Krause, Andreas / Kunz-Heim, Doris (2014): Arbeitsbelastungen, Selbstgefährdung und Gesundheit bei Lehrpersonen – eine Erweiterung des Job Demands-Resources Modells, in: Empirische Pädagogik, Jg. 28, Nr. 2, S. 128-146.

Bamberg, Eva / Keller, Monika / Wohlert, Claudia / Zeh, Annett (2012): BGW-Stresskonzept. Das arbeitspsychologische Stressmodell, Hamburg: Berufsgenossenschaft für Gesundheitsdienst und Wohlfahrtspflege (BGW).

Barth, Anne-Rose (1992): Burnout bei Lehrern. Theoretische Aspekte und Ergebnisse einer Untersuchung, Göttingen: Hogrefe Verlag.

Bauer, Joachim / Unterbrink, Thomas / Zimmermann, Linda (2007): Gesundheitsprophylaxe für Lehrkräfte. Manual für Lehrer-Coachinggruppen nach dem Freiburger Modell, Freiburg: Selbstverlag der Technischen Universität.

Berg, Charles / Milmeister, Marianne (2008): Im Dialog mit den Daten das eigene Erzählen der Geschichte finden. Über die Kodierverfahren der Grounded-Theory-Methodologie [47 Absätze], in: Forum Qualitative Sozialforschung, Jg. 9, Nr. 2, Art. 13.

Berliner Senatsverwaltung für Bildung, Jugend und Familie (2019a): Berufsvorbereitung, [online] https://www.berlin.de/sen/bildung/schule-und-beruf/berufliche-bildung/berufliche-schulen/berufsvorbereitung/ [30.01.2019].

Berliner Senatsverwaltung für Bildung, Jugend und Familie (2019b): Abschlüsse an den Integrierten Sekundarschulen nach der 9. und 10. Klasse, [online] https://www.berlin.de/sen/bildung/schule/pruefungen-und-abschluesse/abschluesse-an-der-iss-nach-klasse-9-und-10/ [22.02.2019].

Berliner Senatsverwaltung für Bildung, Jugend und Familie (2019c): Anerkennung von Lehrerabschlüssen, [online] https://www.berlin.de/sen/bjf/anerkennung/lehramtsabschluesse/ [14.01.2019].

Berndt, Jörg / Busch, Dirk / Schönwälder, Hans-Georg (1982): Schul-Arbeit. Belastung und Beanspruchung von Schülern, Braunschweig: Westermann Verlag.

Bertelsmann Stiftung (2008): Die gute gesunde Schule. Mit Gesundheit gute Schule machen, [online] http://www.ggs-bayern.de/files/gute-ges-schule-web.pdf [05.12.2018].

Berufliche Bildung in Berlin, Vereinigung der Leitungen berufsbildender

Schulen in Berlin e.V. (OSZ.Berlin) (2015): Integrierte Berufsausbildungsvorbereitung (IBA), [online] http://www.oberstufenzentrum.de/
bildungsgaenge/integrierte-berufsausbildungsvorbereitung-iba
[22.02.2019].

Blossfeld, Hans-Peter / Bos, Wilfried / Daniel, Hans-Dieter / Hannover,
Bettina / Lenzen, Dieter / Prenzel, Manfred / Roßbach, Hans-Gün-
ther / Tippelt, Rudolf / Wößmann, Ludger / Kleiber, Dieter (2014):
Psychische Belastungen und Burnout beim Bildungspersonal. Empfeh-
lungen zur Kompetenz- und Organisationsentwicklung, Münster:
Waxmann Verlag.

Böhm-Kasper, Oliver (2004): Schulische Belastung und Beanspruchung.
Eine Untersuchung von Schülern und Lehrern am Gymnasium, Münster: Waxmann Verlag.

Böhm-Kasper, Oliver / Weishaupt, Horst (2002): Belastung und Beanspruchung von Lehrern und Schülern am Gymnasium, in: Zeitschrift
für Erziehungswissenschaft, Jg. 16, S. 472-499.

Bortz, Jürgen / Döring, Nicola (1995): Forschungsmethoden und Evaluation für Sozialwissenschaftler, 2. Aufl., Berlin: Springer Verlag.

Braun, Ellen / Hillebrecht, Steffen (2013): Betriebliche Wahrnehmung des
Burnouts, in: Der Betriebswirt, Jg. 54, Nr. 3, S. 16-22.

Buchholtz, Christiane / John, Magnus / Mikolajski, Thomas / Milster,
Julia-J. / Ophardt, Diemut / Richter-Haschka, Annette / Sternitzke,
André / Zagajewski, Aleksandra (2018): Leitfaden Praxissemester im
Berliner Lehramtsstudium, [online] https://www.google.de/url?sa=
t&rct=j&q=&esrc=s&source=web&cd=1&cad=rja&uact=8&ved=2ah
UKEwj9wpbPqJDfAhUMp4sKHWIHBDUQFjAAegQIChAC&url
=https%3A%2F%2Fwww.berlin.de%2Fsen%2Fbildung%2Ffachkraefte%2F
lehrerausbildung%2Fstudium%2Fleitfaden_praxissemester_05_2018_
auflage3.pdf&usg=AOvVaw3UpUo6m5OOr6SS5ht2WAMw
[08.12.2018].

Buchwald, Petra (2011): Stress in der Schule und wie wir ihn bewältigen,
Paderborn: Schöningh Verlag.

Čandová, Antónia (2005): Determinanten der beruflichen Belastung bei
jungen Lehrerinnen und Lehrern. Eine Längsschnittstudie, Inaugural-
dissertation im Fach Sozialwissenschaften an der Friedrich-Alexander-
Universität Erlangen-Nürnberg.

Cardenas, Rebekah / Major, Debra / Bernas, Karyn (2004): Exploring
work and family distractions. Antecedents and outcomes, in: Interna-

tional Journal of Stress Management, Jg. 11, Nr. 4, S. 346-365.

Christ, Oliver / Wagner, Ulrich / Dick, Rolf van (2004): Belastung und Beanspruchung bei Lehrerinnen und Lehrern in der Ausbildung, in: Andreas Hillert und Edgar Schmitz (Hrsg.), Psychosomatische Erkrankungen bei Lehrerinnen und Lehrern, Stuttgart: Schattauer Verlag, S. 113-119.

Deutscher Bildungsserver (2017): Regelungen des Lehramts an beruflichen Schulen (Sekundarstufe II) in den Bundesländern, [online] https://www.bildungsserver.de/Regelungen-des-Lehramts-an-beruflichen-Schulen-Sekundarstufe-II-in-den-Bundeslaendern-6221-de.html [23.02.2019].

Dick, Rolf van (1999): Streß und Arbeitszufriedenheit im Lehrerberuf. Eine Analyse von Belastung und Beanspruchung im Kontext sozialpsychologischer, klinischpsychologischer und organisationspsychologischer Konzepte, Marburg: Tectum Verlag.

Dick, Rolf van (2006): Stress und Arbeitszufriedenheit bei Lehrerinnen und Lehrer. Zwischen »Horrorjob« und Erfüllung, 2. Aufl., Marburg: Tectum Verlag.

Dicke, Theresa / Parker, Philip / Holzberger, Doris / Kunina-Habenicht, Olga / Kunter, Mareike / Leutner, Detlev (2015): Beginning teachers' efficacy and emotional exhaustion. Latent changes, reciprocity, and the influence of professional knowledge, in: Contemporary Educational Psychology, Jg. 41, S. 62-72.

Dorsemagen, Cosima / Lacroix, Patrick / Krause, Andreas (2013): Arbeitszeit an Schulen. Welches Modell passt in unsere Zeit?, in: Martin Rothland (Hrsg.), Belastung und Beanspruchung im Lehrerberuf, 2. Aufl., Wiesbaden: Springer Verlag, S. 213-230.

Drüge, Marie / Schleider, Karin / Rosati, Anne-Sophie (2014): Psychosoziale Belastungen im Referendariat. Merkmale, Ausprägungen, Folgen, in: DDS – Die Deutsche Schule, Jg. 106, Nr. 4, S. 358-372.

Flick, Uwe (1995): Qualitative Forschung. Theorien, Methoden, Anwendung in Psychologie und Sozialwissenschaften. Reinbek: Rowohlt Verlag.

Frank, Heike (2010): Lehrer am Limit. Gegensteuern und Durchstarten, Weinheim: Beltz Verlag.

Frenzel, Anne / Pekrun, Reinhard / Goetz, Thomas (2006): Emotionale Voraussetzungen des Lernens, in: Karl-Heinz Arnold, Uwe Sandfuchs und Jürgen Wiechmann (Hrsg.), Handbuch Unterricht, Bad Heilbrunn: Klinkhardt Verlag, S. 579-583.

Freudenberger, Herbert (1974): Staff Burn-Out, in: Journal of Social Issues, Jg. 30, Nr. 1, S. 159-165.

Friedrichs, Jürgen (1973): Methoden empirischer Sozialforschung, Reinbek: Rowohlt Verlag.

Gehrmann, Axel (2013): Zufriedenheit trotz beruflicher Beanspruchungen? Anmerkungen zu den Befunden der Lehrerbelastungsforschung, in: Martin Rothland (Hrsg.), Belastung und Beanspruchung im Lehrerberuf. Modelle, Befunde, Interventionen, 2. Aufl., Wiesbaden: Springer Verlag, S. 175-190.

Gerrig, Richard / Zimbardo, Philip (2008): Psychologie, 18. Aufl., München: Pearson Studium Verlag.

Geurts, Sabine / Sonnentag, Sabine (2006): Recovery as an explanatory mechanism in the relation between acute stress reactions and chronic health impairment, in: Scandinavian Journal of Work, Environment and Health, Jg. 32, Nr. 6, S. 482-492.

Gewerkschaft Erziehung und Wissenschaft Landesverband Berlin (GEW BERLIN) (2017): Das Allgemeine Seminar und die Module, [online] https://www.gew-berlin.de/9117.php [06.01.2019].

Gewerkschaft Erziehung und Wissenschaft Landesverband Berlin (GEW BERLIN) (2016): Die Fachseminare, [online] https://www.gew-berlin.de/9124.php [06.01.2019].

Gläser, Jochen / Laudel, Grit (2009): Experteninterviews und qualitative Inhaltsanalyse als Instrumente rekonstruierender Untersuchungen, 3. Aufl., Berlin: Springer Verlag.

Greif, Siegfried (1991): Stress in der Arbeit. Einführung und Grundbegriffe, in: Siegfied Greif, Eva Bamberg und Norbert Semmer (Hrsg.), Psychischer Stress am Arbeitsplatz, Göttingen: Hogrefe Verlag, S. 1-27.

Hagemann, Wolfgang (2009): Burnout bei Lehrern. Ursachen, Hilfen, Therapien, München: Beck Verlag.

Helfferich, Cornelia (2005): Die Qualität qualitativer Daten. Manual für die Durchführung qualitativer Interviews, 2. Aufl., Wiesbaden: VS Verlag für Sozialwissenschaften.

Hellhammer, Dirk (2005): Neuropattern. Ein innovatives psychobiologisches Verfahren zur Prävention, Diagnostik und Behandlung von stressbezogenen Gesundheitsstörungen, in: Report Psychologie, Jg. 30, Nr. 7/8, S. 312-316.

Hobfoll, Stevan (1989): Conservation of resources. A new attempt at conceptualizing stress, in: American Psychologist, Jg. 44, Nr. 3, S. 513-524.

Hobfoll, Stevan / Buchwald, Petra (2004): Die Theorie der Ressourcenerhaltung und das multiaxiale Copingmodell, in: Petra Buchwald, Christiane Schwarzer und Stevan Hobfoll (Hrsg.), Stress gemeinsam bewältigen. Ressourcenmanagement und multiaxiales Coping, Göttingen: Hogrefe Verlag, S. 11-26.

Holmes, Thomas / Rahe, Richard (1967): The Social Readjustment Rating Scale, in: Journal of Psychosomatic Research, Jg. 11, Nr. 2, S. 213-218.

Hübner, Peter / Werle, Markus (1997): Arbeitszeit und Arbeitsbelastung Berliner Lehrerinnen und Lehrer, in: Sylvia Buchen, Ursula Carle, Peter Döbrich, Hans-Dieter Hoyer und Hans-Georg Schönwälder (Hrsg.), Jahrbuch für Lehrerforschung, Bd. 1, Weinheim: Juventa Verlag, S. 203-226.

Joiko, Karin / Schmauder, Martin / Wolff, Gertrud (2010): Psychische Belastung und Beanspruchung im Berufsleben. Erkennen – Gestalten, [online] https://www.baua.de/DE/Angebote/Publikationen/Praxis/A45.pdf?__blob =publicationFile [10.02.2019].

Kaluza, Gert / Vögele, Claus (1999): Stress und Stressbewältigung, in: Herta Flor, Niels Birbaumer und Kurt Hahlweg (Hrsg.), Grundlagen der Verhaltensmedizin, Göttingen: Hogrefe Verlag, S. 331-388.

Käser, Udo / Wasch, Jennifer (2009): Burnout bei Lehrerinnen und Lehrern. Eine Bedingungsanalyse im Schulformvergleich, Berlin: Logos Verlag.

Klaus, Georg (1967): Wörterbuch der Kybernetik, Berlin: Dietz Verlag.

Klippert, Heinz (2006): Lehrerentlastung. Strategien zur wirksamen Arbeitserleichterung in Schule und Unterricht, 2. Aufl., Weinheim: Beltz Verlag.

Klusmann, Uta / Kunter, Mareike / Voss, Thamar / Baumert, Jürgen (2012): Berufliche Beanspruchung angehender Lehrkräfte. Die Effekte von Persönlichkeit, pädagogischer Vorerfahrung und professioneller Kompetenz, in: Zeitschrift für Pädagogische Psychologie, Jg. 26, Nr. 4, S. 275-290.

Kohli, Martin (1978): »Offenes« und »geschlossenes« Interview. Neue Argumente zu einer alten Kontroverse, in: Soziale Welt, Jg. 29, S. 1-25.

Korczak, Dieter / Kister, Christine / Huber, Beate (2010): Differential-diagnostik des Burnout-Syndroms, [online] https://portal.dim-di.de/de/hta/hta_berichte/hta278_bericht_de.pdf [06.02.2019].

Körner, Sylvia (2003): Das Phänomen Burnout am Arbeitsplatz Schule. Ein empirischer Beitrag zur Beschreibung des Burnout-Syndroms und seiner Verbreitung sowie zur Analyse von Zusammenhängen und potentiellen Einflussfaktoren auf das Ausbrennen von Gymnasiallehrern, Berlin: Logos Verlag.

Kramis-Aebischer, Kathrin (1995): Stress, Belastungen und Belastungs-verarbeitung im Lehrerberuf, 2. Aufl., Stuttgart: Haupt Verlag.

Krause, Andreas / Dorsemagen, Cosima / Baeriswyl, Sophie (2013): Zur Arbeitssituation von Lehrerinnen und Lehrern. Ein Einstieg in die Lehrerbelastungs- und -gesundheitsforschung, in: Martin Rothland (Hrsg.), Belastung und Beanspruchung im Lehrerberuf. Modelle, Befunde, Interventionen, 2. Aufl., Wiesbaden: Springer Verlag, S. 61-80.

Krippendorf, Klaus (1980): Content Analysis. An introduction to its methodology. London: Sage.

Kuckartz, Udo (2010): Einführung in die computergestützte Analyse qualitativer Daten, 3. Aufl., Berlin: Springer Verlag.

Kuckartz, Udo / Dresing, Thorsten / Rädiker, Stefan / Stefer, Claus (2007): Qualitative Evaluation. Der Einstieg in die Praxis, Wiesbaden: VS Verlag für Sozialwissenschaften.

Kultusministerkonferenz (KMK) (2004): Standards für die Lehrerbildung. Bildungswissenschaften, [online] https://www.kmk.org/fileadmin/ver-oeffentlichungen_beschluesse/2004/2004_12_16-Standards-Lehrerbil-dung.pdf [06.02.2019].

Kunter, Mareike / Baumert, Jürgen / Blum, Werner / Klusmann, Uta / Krauss, Stefan / Neubrand, Michael (2011): Professionelle Kompetenz von Lehrkräften. Ergebnisse des Forschungsprogramms COACTIV, Münster: Waxmann Verlag.

Kyriacou, Chris / Sutcliffe, John (1978): A model of teacher stress, in: Educational Studies, Jg. 4, Nr. 1, S. 1-6.

Lamnek, Siegfried (2005): Qualitative Sozialforschung, 4. Aufl., Weinheim: Beltz Verlag.

Landwehr, Norbert / Fries, Othmar / Hubler, Peter (1983): Schulische

Belastung. Problemstellung und theoretisches Konzept, in: Bildungsforschung und Bildungspraxis, Jg. 5, Nr. 2, S. 125-145.

Lazarus, Richard (1966): Psychological Stress and the Coping Process, New York: McGraw Hill.

Lazarus, Richard (1999): Stress and Emotion. A new Synthesis, London: Free Association Books.

Lazarus, Richard / Folkman, Susan (1984): Stress, Appraisal and Coping, New York: Springer.

Lazarus, Richard / Launier, Raymond (1978): Stress related transactions between person and environment, in: Lawrence Pervin und Michael Lewis (Hrsg.), Perspectives in international psychology, New York: Plenum, S. 287-327.

Lazarus, Richard / Launier, Raymond (1981): Stressbezogene Transaktionen zwischen Person und Umwelt, in: Jürgen Nitsch (Hrsg.), Stress. Theorien, Untersuchungen, Maßnahmen, Bern: Huber Verlag, S. 213-259.

Maslach, Christina / Leiter, Michael (1999): Teacher burnout. A research agenda, in: Roland Vandenberghe und Michael Huberman (Hrsg.), Understanding and preventing teacher burnout. A sourcebook of international research and practice, Cambridge, UK: Cambridge University Press, S. 295-303.

Maslach, Christina / Schaufeli, Wilmar / Leiter, Michael (2001): Job Burnout, in: Annual Review of Psychology, Jg. 52, S. 397-422.

Max-Planck-Institut für Bildungsforschung (2009): Über die COACTIV-Studie, [online] https://www.mpib-berlin.mpg.de/coactiv/studie/index.html [10.02.2019].

Mayring, Philipp (2000): Qualitative Inhaltsanalyse [28 Absätze], in: Forum Qualitative Sozialforschung, Jg. 1, Nr. 2, Art. 20.

Mayring, Philipp (2002): Einführung in die qualitative Sozialforschung, 5. Aufl., Weinheim: Beltz Verlag.

Mayring, Philipp (2015): Qualitative Inhaltsanalyse. Grundlagen und Techniken, 12. Aufl., Weinheim: Beltz Verlag.

McGaugh, James (2000): Memory--a century of consolidation, in: Science, Jg. 287, Nr. 248, S. 248-251.

Meinefeld, Werner (2000): Hypothese und Vorwissen in der qualitativen Sozialforschung, in: Uwe Flick, Ernst von Kardorff und Ines Steinke (Hrsg.), Qualitative Forschung. Ein Handbuch. Reinbek: Rowohlt Verlag, S. 265-275.

Montgomery, Cameron / Rupp, André (2005): A Meta-Analysis for Exploring the Diverse Causes and Effects of Stress in Teachers, in: Canadian Journal of Education, Jg. 28, Nr. 3, S. 458-486.

Müller-Fohrbrodt, Gisela / Cloetta, Bernhard / Dann, Hanns-Dietrich (1978): Der Praxisschock bei jungen Lehrern. Formen, Ursachen, Folgerungen, Stuttgart: Klett Verlag.

Nübling, Matthias / Vomstein, Martin / Haug, Ariane / Nübling, Thomas / Stößel, Ulrich / Hasselhorn, Hans-Martin / Hofmann, Friedrich / Neuner, Ralf / Wirtz, Markus / Krause, Andreas (2012): Personenbezogene Gefährdungsbeurteilung an öffentlichen Schulen in Baden-Württemberg. Erhebung psychosozialer Faktoren bei der Arbeit, [online] http://www.ffaw.de/assets/Uploads/Abschlussbericht-Schulen-in-Baden-Wuerttemberg.pdf [06.02.2019].

Preßler, Hendrik (2018): Qualitative Forschung zu Belastungen im Vorbereitungsdienst. Analyse der Vereinbarkeit der beruflichen Situation von Referendar*innen mit ihrem Privatleben, unveröffentlichtes Lernforschungsprojekt an der Humboldt-Universität zu Berlin.

Rohmert, Walter / Rutenfranz, Joseph (1975): Arbeitswissenschaftliche Beurteilung der Belastung und Beanspruchung an unterschiedlichen industriellen Arbeitsplätzen, Bonn: Bundesminister für Arbeit und Sozialordnung.

Rothland, Martin (2013): Belastung und Beanspruchung im Lehrerberuf. Modelle, Befunde, Interventionen, 2. Aufl., Wiesbaden: Springer Verlag.

Rudow, Bernd (1994): Die Arbeit des Lehrers. Zur Psychologie der Lehrertätigkeit, Lehrerbelastung und Lehrergesundheit, Bern: Huber Verlag.

Sadigh, Parvin (2018): Lehrermangel. »Wir müssen doppelt so viele Lehramtsstudenten zulassen«, [online] https://www.zeit.de/gesellschaft/schule/2018-08/lehrermangel-schule-bildung-lehrer-erziehungswissenschaft-peter-struck [05.02.2019].

Schaarschmidt, Uwe (2005): Halbtagsjobber? Psychische Gesundheit im Lehrerberuf – Analyse eines veränderungsbedürftigen Zustandes, 2. Aufl., Weinheim: Beltz Verlag.

Schaarschmidt, Uwe / Fischer, Andreas (2013): Lehrergesundheit fördern – Schulen stärken. Ein Unterstützungsprogramm für Kollegium und Leitung, Weinheim: Beltz Verlag.

Schaarschmidt, Uwe / Kieschke, Ulf (2007): Gerüstet für den Schulalltag. Psychologische Unterstützungsangebote für Lehrerinnen und Lehrer, Weinheim: Beltz Verlag.

Schaarschmidt, Uwe / Kieschke, Ulf (2013): Beanspruchungsmuster im Lehrerberuf, in: Martin Rothland (Hrsg.), Belastung und Beanspruchung im Lehrerberuf. Modelle, Befunde, Interventionen, 2. Aufl., Wiesbaden: Springer Verlag, S. 81-98.

Scheuch, Klaus / Haufe, Eva / Seibt, Reingard (2015): Lehrergesundheit, [online] https://www.aerzteblatt.de/archiv/170601/Lehrergesundheit [06.02.2019].

Scheuch, Klaus / Schröder, Harry (1990): Mensch unter Belastung. Stress als humanwissenschaftliches Integrationskonzept, Berlin: Deutscher Verlag der Wissenschaften.

Schmitt, Roman (2001): Stress erkennen und bewältigen. Stress in der Arbeitswelt. Aspekte des Stresses. Stressabbau in der Praxis, Kirchberg: Schmitt Verlag.

Schröder, Antonius / Katenkamp, Olaf / Kopp/ Ralf (2003): Praxishandbuch: Empirische Sozialforschung, Münster: List Verlag.

Schubarth, Wilfried / Speck, Karsten / Seidel, Andreas (2007): Endlich Praxis! Die zweite Phase der Lehrerbildung. Potsdamer Studien zum Referendariat, Frankfurt a. M.: Lang Verlag.

Schwarzer, Ralf (1993): Stress, Angst und Handlungsregulation, 3. Aufl., Stuttgart: Kohlhammer Verlag.

Selye, Hans (1974): Stress. Bewältigung und Lebensgewinn, München: Piper Verlag.

Sieland, Bernhard (2004): Lehrerbiographien zwischen Anforderungen und Ressourcen im System Schule, in: Andreas Hillert und Edgar Schmitz (Hrsg.), Psychosomatische Erkrankungen bei Lehrerinnen und Lehrern. Stuttgart: Schattauer Verlag, S. 143-161.

Stier, Winfried (1999): Empirische Forschungsmethoden, 2. Aufl., Berlin: Springer Verlag.

Strobel, Inga (2016): Schlaf und Plastizität. Schlaf konsolidiert Wissen aus komplexen Systemen, [online] https://macau.uni-kiel.de/servlets/MCRFileNodeServlet/dissertation_derivate_00007298/DissertationIngaStrobel.pdf [05.02.2019].

Süßlin, Werner (2012): Lehre(r) in Zeiten der Bildungspanik. Eine Studie zum Prestige des Lehrerberufs und zur Situation an den Schulen in

Deutschland, [online] http://www.vodafone-stiftung.de/scripts/getda-ta.php?DOWNLOAD=YES&id=16556 [06.02.2019].

Thömmes, Arthur (2015): Auch Lehrer haben ein Privatleben, [online] https://www.forrefs.de/grundschule/basics-referendariat/kolumne-startklar/auch-lehrer-haben-ein-privatleben.html [20.02.2019].

Tynjälä, Päivi / Heikkinen, Hannu (2011): Beginning teachers' transition from pre-service education to working life. Theoretical perspectives and best practices, in: Zeitschrift für Erziehungswissenschaft, Jg. 14, Nr. 1, S. 11-34.

Ubben, Lotta (2004): Anträge der Schulen auf Notenbefreiung, [online] https://www.bildung.bremen.de/sixcms/media.php/13/171_16.pdf [23.02.2019].

Ulich, Eberhard / Wülser, Marc (2009): Gesundheitsmanagement in Un-ternehmen, 3. Aufl., Wiesbaden: Gabler Verlag.

Veenman, Simon (1984): Perceived problems of beginning teachers, in: Review of Educational Research, Jg. 54, Nr. 2, S. 143-178.

Wendt, Wolfgang (2001): Belastung von Lehrkräften. Fakten zu Schwer-punkten, Strukturen und Belastungstypen. Eine repräsentative Befra-gung von Berliner Lehrerinnen und Lehrern, Landau: Verlag Empiri-sche Pädagogik.

Woolfolk Hoy, Anita / Burke Spero, Rhonda (2005): Changes in teacher efficacy during the early years of teaching. A Comparison of four mea-sures, in: Teaching and Teacher Education, Jg. 21, Nr. 4, S. 343-356.

Zapf, Dieter / Semmer, Norbert (2004): Stress und Gesundheit in Or-ganisationen, in: Heinz Schuler (Hrsg.), Enzyklopädie der Psychologie, Themenbereich D, Organisationspsychologie, 2. Aufl., Göttingen: Hogrefe Verlag, S. 1007-1112.

Grafische Darstellungen

a) Gesprächsleitfaden für die Interviews

Gesprächsleitfaden
zum Interview mit Referendar*innen

*Anhand der Berichterstattungen der Befragten werden Hypothesen zur Thematik „Belastung von Referendar*innen" aufgestellt.*

Erklärungsphase
➢ Danksagung für die Bereitschaft zur Befragung
➢ Erläuterung des Interviewgrunds → Lernforschungsprojekt (LFP) mit Thema „Belastung im Vorbereitungsdienst – Referendar*innen im Fokus"
➢ Fixierung des Gesprächs mithilfe eines Aufnahmegeräts
➢ Anonymisierung der Daten
➢ Löschung der Daten nach Beendigung des LFP bzw. Masterarbeit

Einleitungsphase
➢ Durchführung einer freien Erzählung
   o Eindrücke aus dem Vorbereitungsdienst
   o Ablauf eines „ganz normalen" Schulalltags/ Nachmittags
   o Perzeption von Be- und Entlastungen

Erzählphase
➢ Der/ Die Referendar*in berichtet von seinen/ ihren Erlebnissen

Rückgriff-/ Nachfragephase
➢ Rückbezug auf offen gebliebene Fragen
➢ Aufklärung von Widersprüchlichkeiten
➢ Thematisierung vertiefender Gesprächspunkte
   o Vereinbarkeit von Beruf und Freizeit, Familie, etc.
   o Arbeitszeit allgemein
   o Copingstrategien
   o Betreuung durch Mentor
   o ggf. weitere Punkte

Bilanzierungsphase
➢ Zusammenfassung des Gesprächs
➢ evtl. Durchführung einer Bewertung
➢ Verdeutlichung der Sinnhaftigkeit des Interviews

b) Mögliche Belastungsquellen im Schulalltag

Mögliche Belastungsquellen im Schulalltag

Systemebene	Schulebene	Individuelle Ebene
•**Verwaltungsaufgaben** •Administrative und bürokratische Aufgaben als Ursache von psychischen Störungen; werden i.d.R. in der unterrichtsfreien Zeit erledigt •**Öffentliches Berufsimage** •Mangelnde Anerkennung durch die Öffentlichkeit •Lehrer*innen werden für Ergebnisse wie PISA verantwortlich gemacht •**Schulbehörde** •Schulwechsel •Beförderung •Erlasse •Verordnungen •**Berufliche Autonomie** •„Einzelkämpfer" •Geringe Kontakte zwischen Kollegen •Wenig Rückmeldung •Begünstigung des Routineverhaltens	•**Objektive Schulbedingungen** •Schulart •Schulgröße •Materielle Ausstattung •Bauliche Gestaltung der Schule •Art der pädagogischen Projekte •**Belastung in der Klasse** •Heterogenität bzgl. Leistung oder Nationalität •Klassengröße •Raumgröße •Lärmpegel •**Probleme mit der Schulleitung** •Inkompetenz •Fehlende Transparenz der Anforderungen •Führungsstil •**Belastung im Kollegium** •Mobbing •Fehlende Unterstützung	•**Arbeitszeit und -struktur** •Jede Lehrkraft benötigt unterschiedlich lange, für die Erledigung von Arbeitsaufgaben •Zudem fehlt das Gefühl des Fertigwerdens •**Unterrichtsfach** •Belastungen unterscheiden sich je nach Unterrichtsfach •Bestimmte Kombinationen von Fächern führen zu einer höheren bzw. niedrigeren Belastung •**Objektive Arbeitsmerkmale** •Verbeamtet/ angestellt •Befristet/ unbefristet •Funktions- oder Leitungsstelle •**Interaktion mit Schüler*innen** •Verhaltensauffällige Schüler*innen •Mangel an Disziplin und/ oder Motivation •Leistungsniveauunterschiede •**Soziale Unterstützung im Kollegium** •Durchsetzen im Kollegium •Auftreten ggü. Schulleiter*in •Unterschiedliche pädagogische Vorstellungen und/ oder Erziehungsstandards •**Interaktion mit Schülereltern** •Meinungsdifferenzen zwischen Elternhaus und Schule bzgl. Bildung, Erziehung und Leistungsbewertung •**Private Situation des Lehrers** •Partner-und Elternschaft •Schaffung von Entlastungen •Trennung zwischen Privatem und Beruf

(vgl. Čandová 2005)

c) Spezielle Belastungssituationen von angehenden Lehrern

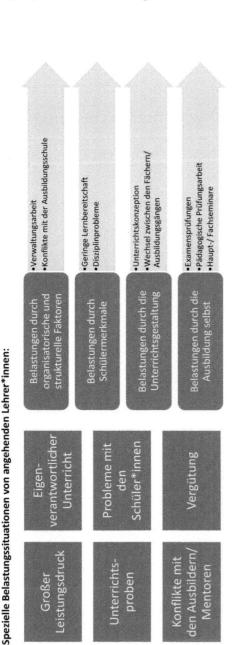

Spezielle Belastungssituationen von angehenden Lehrer*innen:

Belastungen durch organisatorische und strukturelle Faktoren
- Verwaltungsarbeit
- Konflikte mit der Ausbildungsschule

Belastungen durch Schülermerkmale
- Geringe Lernbereitschaft
- Disziplinprobleme

Belastungen durch die Unterrichtsgestaltung
- Unterrichtskonzeption
- Wechsel zwischen den Fächern/ Ausbildungsgängen

Belastungen durch die Ausbildung selbst
- Examensprüfungen
- Pädagogische Prüfungsarbeit
- Haupt-/ Fachseminare

Großer Leistungsdruck

Eigenverantwortlicher Unterricht

Unterrichtsproben

Probleme mit den Schüler*innen

Konflikte mit den Ausbildern/ Mentoren

Vergütung

Folgen psychosozialer Belastungen:
- Gedanke an Berufsaufgabe
- Arbeitsunzufriedenheit
- Verschlechterung des allgemeinen Gesundheitszustands
- Burnout-Gefährdung
- Identifizierung kognitiver Stresssymptome
- Lebensunzufriedenheit

(vgl. Čandová 2005)

d) Quantitative Übersicht über aller Kategorien

Codesystem	Alexis	Charlie	Finn	Sam	Toni
Belastungsebenen für Referendare					
Deduktiv erschlossene Kategorien					
● Systemebene					
Verwaltungsaufgaben	0	0	1	0	0
Öffentliches Berufsimage	0	0	0	0	0
Schulbehörde	0	0	0	0	0
Berufliche Autonomie	2	0	0	1	1
● Schulebene					
Objektive Schulbedingungen	0	0	2	2	0
Belastung in der Klasse	3	2	1	2	1
Probleme mit der Schulleitung	1	0	2	1	3
Belastung im Kollegium	0	0	1	3	3
● Individuelle Ebene					
Arbeitszeit und -struktur	3	2	2	10	6
Unterrichtsfach	4	0	2	5	1
Objektive Arbeitsmerkmale	0	0	0	2	0
Interaktion mit Schülern	0	0	0	0	0
Soziale Unterstützung im Kollegium	1	0	0	0	0
Interaktion mit Schülereltern	0	0	0	0	0
Private Situation des Lehrers	3	1	4	5	3
Induktiv erschlossene Kategorien					
Ausbildungsebene					
Anforderungen des Referendariats als solches	2	0	0	5	0
Beginn des Referendariats	0	1	1	2	2
Belastung durch die Seminare oder deren Leiter	3	1	2	6	2
Eigenverantwortliche Lehrertätigkeit	4	2	4	11	4
Prüfungsarbeit und deren Bewertung	8	2	3	11	2
Vergütung des Referendariats	2	0	2	0	0
Zusammenarbeit mit Mentoren	1	0	1	3	0

Transkribierte Interviews

a) Transkriptionsregeln

Die bei der Verschriftlichung der durchgeführten Interviews zugrundeliegenden Transkriptionsregeln (vgl. Kuckartz et al. 2007) orientieren sich gezielt an der in diesem Buch gestellten Forschungsfrage. Aus diesem Grund wird einzig der Inhalt der umgesetzten Befragungen wiedergegeben, wodurch sprachwissenschaftliche Aspekte keinerlei Berücksichtigung finden. Die Transkripte sind im Hauptteil dieses Buches auf verschiedene Kriterien hin untersucht und unter folgenden ökonomischen Gesichtspunkten generiert worden:

(1) Die interviewende Person wird durch ein »I« abgekürzt, während die befragten Personen durch ein »B« und ihre jeweilige Kennnummer (z. B. »B3«) bezeichnet werden.

(2) Die Transkription erfolgt wortwörtlich, nicht lautsprachlich oder zusammenfassend. Wiederholte oder abgebrochene Wörter und Sätze sind daher ebenfalls notiert.

(3) Verwendeter Dialekt ist in der Verschriftlichung weitestgehend erhalten.

(4) Schnelle, unmittelbare Anschlüsse von neuen Beiträgen oder Einheiten sind mit einem Gleichheitszeichen gekennzeichnet.

(5) Bei Stimmveränderungen bzw. beim Nachsprechen bekannter Personen oder eigener Gedanken sind diese in Anführungszeichen gesetzt.

(6) Die Kommasetzung folgt überwiegend rhetorischen Richtlinien, um beim Sprechen entstandene Pausen zu markieren. Der grammatische Verwendungszweck ist somit untergeordnet.

(7) Pausen sind entweder als sog. »Mikropause« (.) in den Transkripten realisiert oder je nach Länge mit einem (-), zwei (--) oder drei (---) Bindestrichen versehen.

(8) Ein Transkribieren von zustimmenden oder bestätigenden Lautäußerungen seitens des Interviewers oder der Befragten (wie »mhm« oder »aha«) hat nicht stattgefunden. Lediglich aufgekommenes Lachen oder Geräusche von außen (z. B. das Rascheln von Papier) sind durch runde Klammern im Transkript vermerkt.

(9) Einschübe, Ergänzungen oder Mitteilungen der Gesprächsparteien sind in eckige Klammern [...] gesetzt, während Wort- und Satzun-

terbrechungen anhand von zwei Schrägstrichen kenntlich gemacht sind.

(10)   Nicht verstandene oder schwer zu entschlüsselnde Äußerungen sind durch drei Fragezeichen (???) gekennzeichnet.

(11)   Bemerkungen, die in den Audiodateien vorkommen, aber im Transkript keine Berücksichtigung finden, sind mit folgendem Auslassungszeichen versehen: ((...))

(12)   Die in den Transkripten herausgearbeiteten Zitate sind durch deren fortlaufende Nummerierung [Zahl] in den Kategorisierungstabellen (vgl. Anhang S. 219-249) genauestens nachvollziehbar.

(13)   Durch Anonymisierung ermöglichen keine Angaben einen Rückschluss auf eine befragte Person.

b) Interview Alexis

Interview-Nr.:	1
Aufnahme vom:	14. Dezember 2017
Gesprächsdauer:	01:02:50
Transkriptionslänge:	00:01:20 bis 01:00:38
Interviewpartner:	Alexis (B1)

((...))

{00:01:20} I: Genau, was ich ganz gerne von dir hören würde, wär', wie du überhaupt deinen Vorbereitungsdienst so wahrnimmst. Also, wo du Belastungen siehst, was (-) vielleicht ein bisschen stressiger ist, als// als anderes, also genau. So deine ganz subjektive Wahrnehmung, das würd' mich interessieren. Ähm (-) genau, wär' auch ganz schön, wenn du so=nen in Anführungsstrichen ganz normalen Ablauf von so=nem Arbeitstag (???) vormittags in der Schule und dann nachtmittags, was du da dann noch äh vorzubereiten hast, wenn ich das auch von dir erfahren könnte, wie, genau, so ein Schulalltag äh aussieht und ähm vielleicht auch wie du da so ein bisschen gegensteuerst ähm mit Entlastungsmaßnahmen. Also wie du dich entspannst, sozusagen, von dem ganzen Stress [Gar nicht.], den das Ganze hier mit sich bringt, sozusagen (I LACHT) [Gar nicht.]. Genau, genau. Das wären so meine ersten Punkte und ähm ich hab' da noch ein bisschen ähm (-) ja ähm, noch so Ebenen habe ich noch ausgearbeitet, um auch noch ein bisschen mehr ähm Futter dann später für meine Forschung zu bekommen, aber erstmal wär' mir wichtig, dass du so ganz frei ähm, genau, erzählen würdest, ist auch egal, von der Reihenfolge her, einfach ähm, was dir so spontan einfällt. Genau. Und dann schauen wir mal, in dieser Rückgriffphase, was da dann noch äh für Fragen von mir kommen. Ja?!

{00:02:53} B1: Okay.

{00:02:54} I: Genau, bei Fragen auch immer gerne Fragen oder genau, falls du noch äh wissen möchtest, was ich noch wissen möchte oder irgendwie so. Genau.

{00:03:03} B1: Ja, fangen wir mal an mit den Belastungen. Ähm (---) das ähmmm ist// ist schwer zu beschreiben, weil ähm es sehr unterschiedliche

Belastungen sind. Es liegt schon allein in dem// in dem Aufbau des Referendariats, also du hast ja das// das Schulleben, wo du ganz normal unterrichtest. Kommt immer drauf an, ob du nun ähm angeleitet bist oder ob
du eben alleine oder du nur hospitierst, dann verringert sich natürlich auch
der Aufwand. Wenn du selbst unterrichtest, ist der Aufwand natürlich hö-
her, als wenn du nur hospitierst. [1] Und parallel hast ja dann mindestens
dreimal in=ner Woche Seminare. Das Hauptseminar und zweimal die
Fachseminare, die ja auch nochmal drei Stunden circa mit Pause pro Seminar in Anspruch nehmen. Und ähm das zusammen kann schon sehr anstrengend sein. Die Seminare an sich finde ich persönlich jetzt nicht
belastend, weil die Arbeit konzentriert sich in der Regel wirklich nur auf
die Seminarzeit. Man hat also eigentlich keine weiteren Arbeiten, die man
jetzt privat noch erledigen muss. Also es ist halt rein, die// die Zeit im
Seminar, die man, wo man sagen könnte, die würde einem jetzt in der
Vorbereitung des Unterrichts oder in der Vorbereitung für den Unterrichtsbesuch fehlen. Ähm plus An- und Abfahrt. Kommt immer drauf an
natürlich, wo man die hat. Manche fahren dann Stunden, ne Stunde hin
und zurück, das ist dann natürlich ähm (-) kostet halt auch Zeit. [2] Ähm
(.) und die Belastung im// im normalen Unterricht ähm ist einfach davon
abhängig ähm in welchem ähm in den Ansprüchen, die man selbst an sich
hat. Wie möchte ich das selbst umsetzen? Ähm und wenn man das dann
so machen möchte, wie es in den Seminaren vorgelebt wird, dann ist es
halt sehr viel Aufwand. Einmal sich alleine diese ganzen Methoden anzu-
eignen, die dann innerhalb// die dann auch (???) in diesen bestimmten
Zeitrahmen umzusetzen, dann, genau, auf die individuelle Klasse anzupas-
sen. Und das ist nicht einfach. Und es eignet sich zum Beispiel auch jede
Methode zu jedem Thema und auch nicht zu jeder Klasse. Wenn ich das
Gruppenpuzzle mache und die können überhaupt das Gruppenpuzzle
nicht, dann brauch' ich dafür mehr Zeit, weil ich die Methode wieder ein-
führen muss, als wenn ich dann ne Klasse habe, die das schon kann. Also,
das muss man alles berücksichtigen. Das kostet halt viel Zeit in der Planung. [3] Ähm, aber der Unterricht an sich im normalen Alltag ist jetzt
nicht so schlimm, weil man mit der Zeit einfach (.) ja diesen// dieses//
dieses ähm Theaterstück (I LACHT), was man im Unterrichtsbesuch
macht, dann halt in der Praxis nicht mehr macht. Und dann halt zum All-
tagsgeschäft übergeht, ja. Und dann halt eben ähm nicht in jeder Stunde
kooperativ ist und nicht in jeder Stunde eine handlungs- und problemorientierte Lernsituation ist. Ähm, was einem die Schüler aber auch dankbar
sind. Also es ist, wenn man jetzt von morgens bis abends jedes Mal ein

Problem hat und jedes Mal ein neues Problem und das ist von Problem zu Problem. Und irgendwann ist dann auch ermüdend. Und äh ist dann auch nicht mehr so motivierend, wie es eigentlich der Grundgedanke (I LACHT) dieser Lernsituation ist. [4] Also, der größte Aufwand ist wirklich dann ähm die Unterrichtsbesuche. Weil (-) das dann punktuell nicht hinzubekommen und zu planen mit den// mit den gesagten Punkten: »Wie ist meine Klasse? Eignet sich die Methode überhaupt für das Thema? Wie schaff' ich das in der Zeit?« Ähm. Und halt die bestimmten// die Vielfältigkeit dann halt auch zu zeigen. Denn es reicht ja nicht einfach nur die kooperativen Lernformen. Dann muss man auch mal ne Sprachförderung, ne Binnendifferenzierung, äh Praxisbezug mit Belegen, problemorientiert. Also wie bewert' ich das, dass man mir irgendwie ne weitergehende Beurteilung am Ende auch hat? Dass es auch ähm in den dritten Anforderungsbereich reingeht? Und das alles unter einen Hut zu bekommen, ist schon sehr zeitaufwändig, wo man nun auch ganz oft wieder was verwirft und dann doch wieder zurückkommt. Und (.) mit den Gestaltungen, die dann noch hinzukommen: Medien, Arbeitsblätter, Powerpoint, ähm Tafelbilder, Tafelkarten. Ähm, das ist schon sehr aufwendig zum normalen Unterricht dann hinzukommend. Man lebt eigentlich als Referendariar von Unterrichtsbesuch zu Unterrichtsbesuch. Also äh Ferienzeiten äh sind für mich jetzt kein Maßstab, um mir das jetzt einzuteilen. Ähm, sondern wirklich von Unterrichtsbesuch zu Unterrichtsbesuch. [5] Ähm (.) dann hattest du ja gefragt, wie der Ablauf// der Tagesablauf is. (--) Ich kann ja nur für mich sprechen, ähm [Sollst du auch nur.] (BEIDE LACHEN). Genau, da ich ja nur von Unterrichtsbesuch zu Unterrichtsbesuch lebe, äh begleitet mich dementsprechend auch der Unterrichtsbesuch durch den// durch den ganzen Tag. Also, es is (???) es kommt immer darauf an, in welcher Phase ich bin. Wenn ich kurz vor dem Unterrichtsbesuch bin, dann denk' ich auch schon morgens über den Unterrichtsbesuch nach. Und beim// man denkt ja immer darüber nach. Ich kann das ja nicht abschalten. Ich geh' ja nicht nach Hause und sag': »Nun ist meine Arbeitszeit vorbei und jetzt hab' ich Freizeit!« Sondern man denkt ja immer nochmal darüber nach und »Ist der Weg nun wirklich der richtige?« und »Ist das so richtig formuliert?« und »Ist die Überleitung schön?« und ja. Und dann schreibt man sich seine Gedanken auch mal morgens auf, die einem dazu einfallen. Also, das beginnt dann schon damit. [6] Und dann ähm (.) und in der Schule ist es dann auch dann mit dem normalen Alltagsstress, dann musst du kopieren, dann musst du die Kamera holen. Dann »Ist der Raum entsprechend ausgerüstet?« Ähm, dass du dann da allgemein ähm die Sachen// ähm Pausen sind immer zu kurz (I LACHT) ist immer zu kurz. Dann hast du auch mal ne Aufsicht (???) in=ner Pause und ähm bis du dann deinen ganzen Kram wieder eingepackt hast, mit deinem (-) Beamer, Kamera. Dann musst du die Kamera wieder wegbringen. Dann ähm sortierst die Unterlagen für die nächste Stunde. Dann musst du die irgendwann auch wieder drucken. Dann musst du=se auch irgendwann kopieren oder du musst dran denken, dass du=se dann in der Schule mindestens drei, vier Tage vorher (.) ähm (--) die// die äh// die ähm// die Arbeitsblätter zu unserem Drucker gibst. Also dann ähm// also du bist eigentlich immer organisatorisch, bürokratisch im Gange und das ähm sind die Pausen. Also die Pausen sind keine Erholung. Ja, und dann ist der Unterricht vorbei und dann (.) kommt halt drauf an: Entweder gehe ich nach Hause, was ich jetzt gar nicht mehr so oft mache, weil ich mir sage: »Nee, bleib' hier!« Und lass die Arbeit, versuch' die Arbeit auch hier zu lassen. Also nicht so viel mit nach Hause zu nehmen. (-) Und dann, ja wenn man dann noch Zeit hat, ja dann reflektiert man natürlich seinen Unterricht. Die Zeit hat man in der Regel nicht (LAUTES AUFSCHLAGEN EINER TASSE). Beziehungsweise man macht das so zwischendurch. Es kommt einfach auch drauf an, wie man// wie man tickt. Entweder erkennt man das gleich schon selbst, dann brauch' ich mich natürlich nicht selbst// also ich muss mich nicht jedes Mal intensiv dafür hinsetzen. (???) Ich merk' das schon im Unterricht selbst: »Wo harkt's? Was lief gut? Was lief schlecht?« (-) Ja und dann plant man den nächsten Unterrichtsbesuch (BEIDE LACHEN) und dann (-) jo, dann geht man schlafen. Und dann fängt's wieder von Neuem an. Dann korrigiert man mal ne Klausur, aber sonst (.) ist das so das Leben. [7] Freizeit?! Ja, man kann sich die Freizeit nehmen. Ich würd' jetzt auch nicht sagen, dass man keine Freizeit hat. [8] Es ist einfach davon abhängig: »Wie zielstrebig bin ich? Wie perfektionistisch bin ich? Ähm, was ist mein eigener Anspruch?« Man muss jetzt nicht, wenn man jetzt zwischen Lehrprobe zu Lehrprobe jetzt, äh oder Unterrichtsbesuch heißt es ja, ähm vier, fünf Wochen Zeit hat, dann muss ich nicht vier, fünf Wochen das vorbereiten. Das kann ich tun, kann ich auch nicht. Ähm, wenn man das aber natürlich frühzeitig anfängt, dann zieht sich das immer, weil selbst wenn ich zwei Wochen vorher fertig bin, dann is man// man ist nie fertig. Ja, dann passt da was nicht und dann sieht nach zwei Wochen sieht das Konzept wieder anders aus. Irgendwie passt das alles gar nicht mehr, was man da geschrieben hat. (-) Und von daher ähm muss man sich schon selbst disziplinieren und vielleicht seine Anforderungen runterschrauben und dann kann man das auch ähm (.) zeitlich managen, wenn man das so will. Und wenn man so (.) wenn man sich halt selbst die Grenze dazu setzt und sagt: »Von mir aus, so ab 18 Uhr war's das.« Mach' ich nur halt nicht. (--) [9] Deswegen, man nimmt sich die Freizeit dann irgendwie, aber ich hab' keine feste Zeit dafür. Das ergibt sich dann. Oder auch nicht. [Aus der Situation dann heraus, zum Beispiel] Ja. Wenn's dann gar nicht mehr geht (B1 LACHT), dann muss man sich mal Freizeit nehmen. Ja. [10]

{00:11:43} I: Ja, super. Schon mal vielen Dank. Ähm, du hast ja auch schon viele Punkte angesprochen, auf die ich jetzt vielleicht noch so vereinzelnd ganz gerne kommen möchte, mit ähm (.) mit Materialien, die vorzubereiten sind und (-) Ich würd' ganz gerne// also ich hab' äh hier so=ne kleine Übersicht erstellt, mit äh sozusagen drei Ebenen, da wo Belastungen stattfinden können. Ähm, da würd' ich dich ganz gerne, ich hab' mir auch nochmal so für mich die wichtigsten Punkte markiert (I RÄUSPERT SICH). Vielleicht nochmal fragen, hast ja schon angesprochen, diese adminis// administrativen und diese bürokratischen Aufgaben haben wir jetzt hier auf der Systemebene. Ähm (-) dass die (-) ja wie würdest du das einschätzen? Dass die auch schon, eher nur nerven, oder auch schon en recht großen Anteil auch ähm einnehmen ähm. Notengebung oder (.) Gespräche mit den Schülern, zum Beispiel?

{00:12:44} B1: Ja, was heißt nerven? Das gehört ja zum Beruf dazu. Ich würde jetzt zum Verhältnis zu den andern zeit// zeitlichen Aspekten, die ich habe, ist das wirklich der geringste. [Ah ja, okay.] Verwaltungsaufgaben (-) [11]

{00:12:58} I: Weil ich hab' auch jetzt auch schon im Kollegium gehört, dass da manche wirklich (I LACHT), gut vielleicht ähm, vielleicht weil sie da irgendwie mehr ver// verstrickt sind dann.

{00:13:06} B1: Na ja, man muss ja auch schon bedenken, dass ja auch Kollegen äh mehr arbeiten als Referendare. Und wir sind ja jetzt auch keine Klassenlehrer, die Referendare in der Regel. Also hab' ich jetzt auch (???) Ich muss mich nicht mit irgendwelchen Krankmeldungen rumschlagen, also. Ich trag' ein, der Schüler ist nicht da und das war's für mich. Und der Rest ist nicht mein Problem. [12] Und ähm von daher, Schülerfragen? Es ist ja nicht mehr so, dass man jetzt// dass die Schüler jetzt vorm Klassenzimmer, äh vor dem Lehrerzimmer stehen und dann ständig irgendwelche Fragen haben. In der Pause kommt eigentlich keiner groß.

{00:13:40} I: Ja, dann hatt' ich nur irgendwie mit Berufsimage, das weiß nicht, ob dich das überhaupt tangiert (I LACHT). Wahrscheinlich eher weniger, sonst hättst du dich nicht für den Beruf entschieden und mit der Schulbehörde hast du wahrscheinlich auch noch wenig Kontakt. Genau, ähm. Vielleicht (-) ähm bei der beruflichen Auto// Autonomie, irgendwie, dies ja, Einzelkämpfer (.) Syndrom, was man vielleicht so (.) [Nee, das haben wir hier nicht.] Also, das ist hier an der Schule auch hab' ich auch so wahrgenommen, dass das eigentlich (.) ähm nicht so der Fall ist.

{00:14:11} B1: Also, ist jetzt nicht so, dass die dich damit überhäufen. Also, du musst schon an sie rantreten und dann sind sie auch hilfsbereit, aber man darf jetzt auch nicht damit rechnen, dass sie jetzt zu einem kommen und ihre Hilfe aufdrängen. Und das ist auch nicht der Fall hier an der Schule. [13]

{00:14:25} I: Aber ich hab' das auch so wahrgenommen, wenn man da auf jemanden zukommt, dass man da auch schon ne Hilfe ähm bekommt, tatsächlich, das ist ja auch nicht in jedem (.) Kollegium so.

{00:14:36} B1: Ist halt abhängig davon, ob man's brauch oder nicht.

{00:14:38} I: Gut, das ist jetzt auch noch die Frage, genau.

{00:14:41} B1: Am Ende muss man ja doch wieder selbst seinen Unterricht für seine individuelle Klasse machen und ich find's sehr schwer, ein fremdes Arbeitsblatt zu übernehmen, weil's mir nie so gefällt (I LACHT), wie ich es selbst machen würde. Also, man kann's als Grundlage nutzen, aber am Ende musst du's dann trotzdem anpassen. [14]

((...))

{00:15:39} I: Ähm, aber auch so Punkte wie ähm von// von der Ausstattung (.) der Schule. Stör// Stört dich da irgendwas? Also (-) Würdest du gerne noch mehr haben, zum Beispiel? (I LACHT)

{00:15:51} B1: Tja, ich hab' keinen Vergleich. Das ist das Problem, ähm.

(-) Wenn ich an meine Schulzeit zurückdenke, gab's ähm// ähm einen Tageslichtprojektor und das war's. Ähm da ist natürlich ein Beamer, den wir haben und// und ne Dokumentenkamera, für mich schon ne Neuerung und schon Luxus. Also, deswegen kann ich mich jetzt nicht mokieren, denn wir haben jetzt in jedem Raum eigentlich einen Beamer oder als Referendare haben wir sowieso einen separaten Beamer und Kamera. Also, das ist von dem// ähm von dem// von der Technik her, können wir uns Referendar jetzt ähm (.) nicht beklagen. Und wenn jetzt irgendwas fehlt, dann (.) können wir das auch bekommen. Als// Als Referendar kann ich mich diesbezüglich nicht beschweren. Wir können auch so viel kopieren, wie wir wollen. Also ich hab' da jetzt kein Limit, oder so. [15]

{00:16:46} I: Ähm, Belastungen in der Klasse hast du ja auch angesprochen, dass du die ja mehr oder weniger (.) würd' ich sagen, routinemäßig dir da auch immer mehr aneignest und äh da tatsächlich gar nicht so große Belastungen (-) oder weniger Belastungen//

{00:17:02} B1: Es ist einfach davon abhängig, in was für Klassen man ist. Wenn ich jetzt// Da ich nun mal momentan nur in dualen Bankklassen unterrichte, die mit Zwei-, 2 $1/2$-jährigen, da sitzen halt nur die Abituri// Abiturienten und eigentlich mit Sicherheit die besten Bänker, die wir dann halt eben haben. Dann ist natürlich dann die Disziplin ähm schon// schon besser und die Klassengröße relativ klein, weil (.) so viel jetzt gute Bänker gibt's halt eben nicht. [16] Wenn man jetzt die vollschulischen Bänker sich jetzt anguckt, mit drei Jahren, wo ich schon eingesetzt war, da ist das anders. Da ist auch Nationalität heterogener und die Klassen sind größer (.) und der Lärmpegel ist dann auch größer. Ähm es ist jetzt schon was anderes. [17] Aber bei meinen Klassen aktuell kann ich mich nicht beschweren. Aber sie sind halt eben auch anspruchsvoll, indem sie halt auch fordern. Also, du musst schon vorbereitet sein. Wenn du jetzt// Je geringer der Leistungsstand und das Niveau der Schülerinnen ist, desto mehr Probleme haste in der// in der Disziplin. Und weniger im Fachlichen und bei den Bänkern, also bei den guten Schülern hast du dann dies umgekehrt. Dann musst du weniger Disziplinarisch machen, aber dafür immer fachlich fit sein. Weil Inkompetenz (I LACHT) als Lehrer bei leistungsstarken Klassen ähm ist nicht förderlich (I LACHT). Weder auf der fachlichen noch auf der persönlichen Ebene. [18]

{00:18:30} I: Würdest du da eher dann ähm eher sagen (-), dass du lieber

die Leistungsstärkeren hast und dann doch eher dich reinlesen musst?
Oder dann doch eher die// die mit (.) Disziplin, dass du die Schüler//

{00:18:48} B1: Ich unterrichte lieber die Leistungsstarken. Aber es ist von
meiner Natur her, also dass// ich geh' halt gern in die Tiefe und ins Detail
und das ähm (.) und da geh' ich mehr drin auf. Nicht das ich sage, ich will
keine leistungsschwächere Schüler haben, wegen der Natur der Schüler
her, sondern einfach von der fachlichen Heraus// für mich ne größere
Herausforderung das Fachliche als die Schüler zu disziplinieren, reizt mich
das Fachliche mehr als das andere.

{00:19:15} I: Holst du dir da deine Motivation dann auch daraus?

{00:19:18} B1: Genau, dafür sind die auch anstrengend (I LACHT), die
sind auch anstrengend, die Leistungsstärkeren. Nee, die sind dann mal//
also die sind dann mal// die sind halt (-) kühler, distanzierter, während
man mit den// mit den vollschulischen, dreijährigen Bänkern viel schneller
auf ne (-) persönliche Ebene kommen kann und die viel schneller (-) em-
pathisch sind, als wenn du da die leistungsstarken Bänker hast, die dann da
nur sitzen und sagen: »Ich sitz' jetzt hier meine Zeit ab und will lernen!«
Die wollen lernen und alles Zwischenmenschliche interessiert mich nicht.
Das muss man halt mögen oder nicht. Es ist natürlich zwischenmenschlich
(.) angenehmer, mit ner vollschulischen Klasse zu arbeiten, abgesehen von
den disziplinarischen Sachen, als wenn ich jetzt die sehr distanzierten
Leistungsstarken habe. Das ist Geschmackssache. [19]

{00:20:18} I: Ja, ich hab' jetzt hier noch »Probleme mit der Schulleitung«,
aber ich weiß gar nicht, inwieweit du da großartig auch Kontakt zur
Schulleitung hast. Also mit der Führung.

{00:20:24} B1: Gar keine, also kann ich keine Probleme bestätigen oder
das ist vielleicht das Problem (I LACHT). [20] Inkompetenz, boah, kann
ich nicht beur// will ich nicht beurteilen, ob die Schulleitung inkompetent
ist. [Ja, ich hab' jetzt nur mal so, genau, äh, nur mal so ein paar Punkte,
da wo man theoretisch auch äh//] Nein, also, da die Schulleitung sich in
den// in der großen// größten Hälfte des Referendariats sich komplett
zurückzieht und erst zum Ende des Referendariats überhaupt an der Schule mit einem in Kontakt tritt (I LACHT), kann ich das eher// muss ich
das eher als negativ beschreiben als// als positiv, weil sich gar nicht für den

Referendar zu interessieren, da kann ich nichts Positives dran abgewinnen. Tut mir leid. [21]

{00:21:10} I: Ja und äh, genau, im Kollegium, das hatten wir ja quasi auch schon, auf der Systemebene, da siehst du dich ja auch eher, wenig, irgendwie nicht unterstützt und da kommen auch keine großartigen Belastungssituationen zustande.

{00:21:25} B1: Nein. Aber das ist glaub' ich einfach davon abhängig, wie// wie man sich gibt, als// als Referendar: Ist man kritikfähig? Ist man wissbegierig? Ist man kompetent, auch im fachlichen Bereich? Und (.) ich denk' mal, dass fließt dann schon mit// mit rein. Also, ich würde nicht behaupten, dass die hier sehr einfühlsam sind, die Kollegen und sehr verständnisvoll sind, also man// man muss schon Leistung bringen, um// um Anerkennung zu bekommen und würde// wenn man die bringt, stellt das Kollegium auch keine Belastung dar. Würde ich jetzt aber nicht die Hand für ins Feuer legen, dass es jetzt keine Belastung geben würde, wenn man nicht äh leistungsstark ist. [22]

{00:22:18} I: Ja, also man muss da wirklich auch äh zeigen, dass man//

{00:22:22} B1: Ja, ich muss da fachlich fit sein. Wenn ich jetzt die Bänker unterrichte und von ner Bank keine Ahnung habe, dann ist das schlecht. Und das hat nun mit dem Studium gar nichts zu tun, Bankbetriebslehre. Das// das// da mu// da würde ich auch persönlich keinem raten, das zu machen, wenn man nicht selbst Bänker ist, weil es ist a) für die Schüler doof, wenn du vor der Klasse stehst und nicht weißt, wovon du eigentlich sprichst und die erzählen dir was und du weißt überhaupt nicht, was du dazu sagen sollst, weil du keine Ahnung hast, weil das in deinem Buch nicht dazu steht, wie es in der Praxis passiert, dann ist das schon schlecht (I LACHT). Oder wenn die Schüler einen fragen: »Wie// Aber wie sieht es denn in der Praxis aus? Können Sie da mal ein Beispiel geben?« Ja, dann ist das schlecht. [23] Ja, wenn man natürlich dann auch Fragen hat, zu// fachliche Fragen, dann (.) ähm die Kollegen fragt und dann gar kein Fundament da ist, (???) die Fragen ja auf Schülerniveau sind, dann// dann// ob dann das Verständnis von den Kollegen da ist? Ähm, dann könnte es dann doch irgendwann zu fehlenden Unterstützung führen. [24]

{00:23:26} I: Ja, »Individuelle Ebene«. »Arbeitszeit und -struktur«, das

hast du ja bereits eigentlich schon ähm beschrieben, deinen (.) Ablauf sozusagen, da müssen wir glaub' ich, nicht noch mal näher drauf ein// eingehen. Es sei denn, falls dir da noch was auf der Seele brennt
(I LACHT)? Ähm, ich hab' mir auch mal angeguckt, vom Unterrichtsfach
her. Ist bei dir dann ja auch mehr oder weniger Wirtschaft. Ähm, ich
kenn' noch gar nicht dein// dein zweites Fach. Ist das Rechnungswesen?
Ah ja, okay. Also volle Pulle Wirtschaft, sozusagen.

{00:24:04} B1: Na ja, das liegt ja auch an der Fächerkombination. Bei
Wirtschaft und Rechnungswesen werde ich nicht Spanisch unterrichten
(BEIDE LACHEN). Aber es ist ja schon bei mir speziell, weil ich unterrichte ja kein Wirtschaft, ich unterrichte ja keine allgemeine Wirtschaftslehre bei den Bänkern, sondern ich unterrichte Bankbetriebslehre I, was (.)
in meinen Augen im entferntesten Sinne mit// mit Wirtschaftslehre zu tun
hat, die wir jetzt auch der Uni kennen. Ja, ich unterrichte nicht »Was ist
ein Kaufvertrag?« oder (.) ähm irgendwelche magischen Dreiecke oder so.
Es ist schon was anderes. Auch kein Marketing oder sowas. Das ist schon
sehr speziell. Ja, das ist natürlich dann auch eine Belastung. [25] Auch
wenn ich Bänker bin, ähm (-) ist es auch schon länger her und es ändert
sich auch ständig was. So die Grundprinzipien und -modelle in der Wirtschaft ändern sich nicht (I LACHT). Aber in der Bank ändert sich dann
doch schon was: Produkte kommen, Produkte gehen. Und (.) man muss
denn dann einfach intensiver durchdringen, als man es selbst in der Ausbildung als Bankkaufmann gelernt hat, weil es kommen halt tiefergehende
Fragen, die ich auf meinem Niveau als// als Bankkaufmann selbst nicht
beantworten kann. Also, da muss man schon// ich würd' nicht sagen, dass
es weniger Vorbereitung ist, als wenn man jetzt (.) ähm normal Wirtschaftslehre unterrichtet. [26]

{00:25:27} I: Wür// Würdest du da sagen, dass dir die Ausbildung, die
du gemacht hast, dass dir die auf jeden Fall ähm das Fundament von dem
du gesprochen hast, dass das dadurch da ist?

{00:25:34} B1: Also ohne// ohne Banklehre würd' ich das nicht unterrichten können. Nee, also ich hab' auch keine Bücher gefund// nee, geht
nicht. Es geht nicht und ich würde auch behaupten, dass das qualitativ
minderwertiger Unterricht ist, wenn das jemand unterrichtet, der nicht
Bank// Bänker ist, weil es ist nicht authentisch und ähm es fehlt das Leben im// im Fach für mich. Also (.) man kann das nicht so mit Leben fül-

len, als wenn man selbst Bänker ist und das// das brauch man, um// um die Schüler zu motivieren und um auch die Schüler zu verstehen. [27]

{00:26:12} I: »Objektive Arbeitsmerkmale«, das hab' ich jetzt auch mal so ein bisschen ausgeklammert, das ist ja//

{00:26:18} B1: Ich bin verbeamtet.

{00:26:20} I: Ja, zurzeit (I LACHT).

{00:26:22} B1: Ja, danke für den Hinweis (BEIDE LACHEN). Ich weiß.

{00:26:27} I: Ähm, da könnt' ich vielleicht trotzdem ne Frage stellen, weil mich das ja aktuell auch ein bisschen umtreibt, diese Ver// Verbeamtung, deswegen strebe ich auch an, tatsächlich dieses Bundesland zu verlassen. Aber das war auch nie äh Thema oder// oder ein Reiz für dich, dass jetzt Berlin äh oder beziehungsweise (.) ein Ausschlusskriterium hier dein Referendariat zu machen?

{00:26:54} B1: Nee, so kann man das ja gar nicht sehen, weil durch meine Fächerkombination bin ich ja an Berlin gezwungen. Ich könnte zwar noch nach Hamburg und Baden-Württemberg gehen, das wär's dann aber auch gewesen. Fürs Referendariat zieh' ich jetzt nicht nach Hamburg oder nach Baden-Württemberg, also für die 1 $^1/_2$ Jahre muss ich jetzt nicht umziehen. Ähm, aber was die Zukunft bringt, weiß ich nicht. Da ich nicht Berliner bin, fühl' ich mich jetzt auch nicht so (.) verpflichtet oder gebunden an Berlin, nö. Also, nein. Für mich ist es auch kein Problem in ein Land zu ziehen, welches noch verbeamtet. [28]

((...))

{00:28:05} B1: Willst du noch was wissen?

{00:28:07} I: Also großartig fragen (.) Wie gesagt, höchstens: Vielleicht, wie du noch konkret ab// abschaltest, vielleicht? Hobbymäßig? Also in meinem Fall zum Beispiel, ich schreib' ganz gerne, das find' ich irgendwo entlastend, so Gedichte oder so, zum Beispiel. Da nehm' ich meine Pausen her.

{00:28:30} B1: Nee, ich brauch' wirklich geistige Pausen. Ja, also ich muss wirklich ähm ich will da nicht denken, ja. Ich geh' dann mit dem Hund oder// oder ich// ich hör' Musik oder// oder mache Sport, also ich muss da wirklich geistig raus. Es bringt mir nichts, wenn ich mich da jetzt in die nächste geistige Leistung hineinstürze. Das wär' dann für mich kein// kein Ausgleich. [29]

{00:28:52} I: Also, dann möglichst weit weg dann auch?

{00:28:55} B1: Ja, zumindest geistig. Also ich muss geistig abschalten können. Ich muss geistig entspannen können. Das ist für mich wichtig. Nicht, was anderes Geistiges, sondern komplett geistig abschalten. [30]

{00:29:03} I: Und das// Und dann sagst du auch: »Okay, jetzt kann ich entspannen und//

{00:29:10} B1: Ja, gut, ob man entspannen kann, ist was anderes. Ja, gut, man versucht es zumindest. Also richtig, schafft man das ja dann [Hat man immer was im Hinterkopf.] Genau. Aber das ist halt wieder abhängig von// von der Person selbst. Manche sind da gelassener und sagen: »Pff!« Und wenn man dann sehr zielstrebig ist, dann ist das halt eben belastend. Ähm (???) (DUMPFER LAUT). [31]

{00:29:33} I: Ich hab' hier noch// noch en kleinen Zettel (.) genau, noch mal speziell äh für junge// [Ja, großer Leistungsdruck, mhm.] Genau und// (LAUTES AUFSCHLAGEN EINER TASSE).

{00:29:46} B1: Es gibt einen großen Leistungsdruck. Also man muss das// also das Problem an diesem Referendariat ist es, dass man (-) die Fachseminare hat und die Hauptseminare, die a) nicht ineinandergreifen und teils widersprüchlich sind und diese Fachseminare einem vorleben, wie man unterrichten soll und einem den Grundstein dafür geben, wie entsprechend die Unterrichtsbesuche und das zweite Staatsexamen aussehen sollte. Und dann sind das drei Seminare und drei verschiedene Meinungen, die dann aufeinanderprallen. Das heißt, ich kann nicht// Also mein Unterrichtskonzept im Fachseminar A, ist nicht gut für das Fachseminar B (I LACHT). Und für das Hauptseminar auch schon wieder nicht. Also (--) denkt man dann in Schubladen und sagt: »Okay, für Fachseminar A

plan' ich so und für Fachseminar B plan' ich so und fürs// fürs Hauptseminar ja da kommt dann ab und zu auch jemand, der guckt sich das an.
Für den musst du dann nochmal ganz anders planen, dann wird's ja witzig,
wenn du dann (???) zwei Fachseminarleiter oder den Hauptseminarleiter
dann dabeihast, wo du weißt, du kannst es nicht schaffen, alle zufrieden-
zustellen, weil jeder unterschiedliche Ansprüche hat und auch unterschiedliche Ansprüche vermittelt.« Und das ist dann schon problematisch
und überhaupt erstmal rauszubekommen: »Was ist denn überhaupt der
Anspruch des jeweiligen?« Weil, das sagen sie nicht so genau (I LACHT).
Du kannst es nur ausprobieren und musst dann aus dem Feedback heraus-
lesen: »Ja, das war jetzt gut und das war jetzt schlecht.« Aber du sollst ja
auch nicht sechsmal das Gleiche zeigen, sondern sollst dich ja wieder ausprobieren. Das ist immer wieder ein hin und her und du weißt nie genau,
ob das das Richtige ist oder falsch war. Weil, das fließt ja immer erst am
Ende, nachdem du das Feedbackgespräch hattest (--) Und dadurch, dass
das so intransparent ist, is es (.) en großer Leistungsdruck, weil man zeigt
ja nicht den normalen Unterricht, sondern ja nur so ne Zaubertüte, mit//
wo man eigentlich jeder weiß, das ist nicht das, was// was man im normalen Unterricht zeigt. Dann muss die Tafel akkurat gewischt sein, da dürfen
keine Streifen drauf sein. Wann soll ich das tun? Im normalen Unterricht?
Dann hab' ich ja gar keine Pause. Also im Unterricht kann ich das nicht
machen. Da brauchst du ne halbe Stunde für, damit die verdreckte Tafel
endlich mal seit Monaten wieder sauber ist. (-) Und das ist ähm (--) dann
schon so=en Spagat, der eigentlich den größten (-) Aufwand und Leistungsdruck auch darstellt. Weil, das ist zeitaufwändig. Weil, wenn du dich
auf drei verschiedene Personen einstellen musst, ist das eine sehr, sehr hoher Zeitaufwand und// und ne Mehrbelastung (DUMPFER LAUT). Auf
jeden Fall. Unabhängig davon, dass ich mich auf die Schüler einstellen
muss, im Fachlichen fit sein muss, schon allein dann// allein// der größte
Aufwand ist wirklich die Anforderung// den Anforderungen der Fachseminarleiter gerecht zu werden. Das ist der größte Aufwand. [32] Das
Unterrichten (BEIDE LACHEN) ist das einfachste von allen, so ungefähr. Das ist nicht das Problem. [33] Das Problem ist wirklich, den Anforderungen gerecht zu werden, weil man weiß, man wird am Ende
benotet. Und wenn einem die Noten nicht egal sind, dann versucht man
halt// und dann kommt// kommt man zum Verzweifeln, weil man es
nicht// diesen Spagat (-) nicht schafft und es so intransparent ist, dass
man auch nie das Gefühl hat, dass man es je schaffen wird. [34]

{00:33:05} I: Also, man// man guckt quasi äh erst zur Unterrichtsprobe »Wie ist das angekommen?« Weil, vorher hat man dann wahrscheinlich gar nicht die Möglichkeit, was sie da großartig sehen, hören wollten, oder (.) wie äh kann [Nö!] ich das// also man// die erste Unterrichtsprobe ist sozusagen erstmal so ins Blaue hinein und dann [Genau!] äh guckt man, ob// ob ihnen das gefallen und dann muss man hoffen, dass man das beim nächsten Mal so [Genau!] en bisschen//

{00:33:31} B1: Du kriegst ein Feedback und versuchst das umzusetzen. Und dann hast du mal ein Anschauungsunterricht von den Seminarleitern selbst, der aber auch nicht das Non-plus-ultra ist. Und auch nicht der Maßstab sein soll: »Wenn ich das genau so mache, dann krieg' ich jetzt ne Eins.« Das ist auch nicht der Fall. Die widerspricht sich selbst in ihrem Anschauungsunterricht, was sie sagt. Und ähm (--) dann hat man ja vielleicht auch mal Seminarlehrproben, also, wo ein anderer Seminar// äh Referendar uns einlädt, als Mitreferendare, damit wir uns das mal angucken können, wie er das macht. Da kriegt man auch nochmal ein Feedback und Ideen. Und dann plant man ja auch im Fachseminar. Die Fachseminare sind überhaupt nicht theoretisch, sondern immer praktisch. Also, wir entwickeln jetzt ne Lernsituation für// für Abschreibungen in Rechnungswesen oder wir entwickeln äh ne Aufgabe zur Sprachförderung in// zum Thema XY. »Wie kann man da sprachlich was fördern?« Also, da kriegt man immer so kleine Elemente und Bausteine, die man dann mit in seinen eigenen Unterricht mit// oder in die Unterrichtsbesuche mit// miteinbauen kann. Und so hat man dann immer mehr Puzzleteile, die man dann irgendwie anordnen kann. [35]

{00:34:45} I: Findst du das eher hilfreich oder machst du das auch so, was du da kennengelernt hast? Versuchst du dann auch möglichst schnell umzusetzen oder würdest du auch sagen (I LACHT): »Egal, [Nö!] ich würde// ich zieh' da mein//

{00:34:58} B1: Nee, ich wusste schon von Anfang an, was ich will und hab' auch von Anfang an die Bestätigung bekommen, dass es gut so ist. Und somit bleib' ich bei meinem Schema. Also, dass (-) du hast bestimmte Anforderungen, die benotet werden: Du musst Sprachförderung machen, du musst Binnendifferenzierung machen und du musst Medien, ja, und kooperativ und so. Das muss alles abgehakt sein am Ende. Also guckst du: Was hab' ich schon gemacht? Was hab' ich noch nicht gemacht? (-) Und dann machst du mal ne Sache zur Sprachförderung und dann war's das auch (I LACHT). [Dann hast du deinen Soll erfühlt.] Also, das heißt nicht, dass man keine Sprachförderung mehr macht, aber nicht mehr den Schwerpunkt drauf, weil, du suchst dir die Schwerpunkte: Was muss ich noch machen? Und das mach' ich. Und da ich ja nur von Unterrichtsbesuch zu Unterrichtsbesuch äh lebe, habe ich nicht die Zeit jetzt noch im normalen Unterricht nochmal ausgiebig diesen Aufwand zu betreiben, den ich am Ende ähm für den Unterrichtsbesuch mache, denn man arbeitet ja auch// man fängt ja von Null an. Ich greif' ja auf nichts zurück, sondern ich mach' es dann selbst alles und dann ist da der Aufwand natürlich extrem. Und den schaff' ich nicht (.) ähm für den allgemeinen Unterricht ähm aufzubringen. Weil da// weil's ja auch im Verhältnis nich// der Un// der normale Unterricht wird nicht benotet und der Unterrichtsbesuch ja, also am Ende. Und da ist die Priorität ganz klar vom// vom Modell (I LACHT) äh des// des Referendariats so gewollt. Der normale Unterricht hat doch gar keinen Wert im Referendariat. Das ist dann die// die eigene Verantwortung, die Lehrerverantwortung, die man dann selbst hat. Wo man sagt: »Dann darf// und dann muss trotzdem normaler Unterricht qualitativ hochwertig sein.« Aber dafür interessiert sich im Referendariat (I LACHT) eigentlich keiner. [36]

{00:36:38} I: Theoretisch ähm, wenn ich das so richtig seh', müssten die Schüler dann auch trotzdem für den Unterrichtsbesuch ja auch so fit von dir gemacht worden sein, damit das da auch äh funktionieren kann, oder (-) findet da etwa den Unterrichts// oder weiß ich nicht// oder fängt da meistens ein neues Thema an? Oder abschließend? Oder?

{00:36:58} B1: Nee, das kommt drauf an, was du machst. Wenn ich jetzt ne Einführungsstunde zum Thema mache, dann wissen sie nichts. Dann will ich ja auch gar nicht, dass sie was wissen, weil das sollen sie sich dann erarbeiten. Wenn sie schon alles wissen, dann// dann hast du die Schüler unterfordert. Also du// Natürlich bereitest du sie darauf vor, dass die Grundlagen, die sie dafür brauchen, dass sie die können, aber das tust du in jeder Stunde sonst auch. Ich kann ja jetzt nicht in der// in der // in der Stunde jetzt den ähm (.) jetzt nicht ähm die Scheckverfahren machen, wenn ich vorher gar nicht die Grundlagen vom Scheck gemacht habe. Also, das hab' ich auch im normalen Unterricht, dass das aufeinander aufbaut und dass sie das Wissen von der Vorstunde auch wissen können. Natürlich legst du beim Unterrichtsbesuch einen besonderen Schwerpunkt

in der Stunde vorher darauf, dass du auch definitiv alles schaffst
(I LACHT) und dass du auch definitiv (.) sie alles wissen, aber auch nach
einem Tag wissen sie nicht mehr alles. Also, da muss du natürlich nochmal
nachhaltiger, dass das im// im Unterrichtsbesuch funktioniert. (--) Aber
der// joa, aber der Unterrichtsbesuch ist halt ein Theaterstück. Und da
hilft man, so viel man kann. Dass es so optimal läuft wie möglich. [37]

{00:38:07} I: Aber dann würdest auch auf jeden Fall auch sagen, dass
ähm bei dem Unterrichtsbesuch, dass du da auch eher aus dieser Lehrer-
persönlichkeit, die du ja auch am Entwickeln bist, dass du da auch ein
stückweit wieder rausgehen musst, einfach auch um die Note, die du gerne
haben möchtest, auch erreichen zu können? Kann man das so ungefähr//

{00:38:26} B1: Mmh, ja. Aber, was das Modell eigentlich gar nicht so
vorsieht. Diese Unterrichtsbesuche sind ja rein zum Ausprobieren. Um
Vielfältigkeit zu zeigen und am Ende wird nur der letzte Unterrichtsbesuch
bewertet. Also ich krieg' von meinen (LAUTES KLACKEN) Fachseminarleiter oder Fachseminarleiterin nur für den letzten Unterrichtsbesuch,
also für den (-) den fünften Unterrichtsbesuch (.) bekomme ich meine
Note. Nur das. Was davor lief, ist vollkommen irrelevant. Das heißt,
wenn ich vorher toll war und habe jetzt in der fünften ne schlechte, dann
(LAUTES KLACKEN) krieg' ich ne schlechte Note. Also, was ich vorher kann, ist vollkommen egal, so ist das Prinzip. Aber wer ist denn schon
subjektiv// aber wer ist denn jetzt objektiv und blendet das aus, was vorher war? Also hast du automatisch für dich selbst immer diesen Leistungsdruck, auch schon vorher immer Leistung zu// zu zeigen, weil das
dann irgendwie dann doch, obwohl es ja nicht sein sollte, da mit reinfließt.
Und daher macht man sich den Druck selbst. Vom Modell her ist er nicht
gefordert. Also, ich könnte ganz normal Unterricht dort zeigen und es
würde eigentlich nicht in die Note mit einfließen. Nur am Ende muss es
halt vom Konzept her passend sein und stimmig sein und was ich vorher
mache, ob das klappt oder nicht im Unterrichtsbesuch ist vollkommen
egal. Aber wie glaubwürdig das ist (I LACHT), das ist die andere Frage.
[Das ist die andere Sache.] Also von daher ist das Problem in einer gewissen Art und Weise hausgemacht (---) Tja und das ist das Problem unserer
Leistungsgesellschaft, da wir halt so gedreht werden, immer Leistung zu
zeigen und es ja auch unlogisch ist, weil (-) wo arbeitet man denn die ganze Zeit für nichts und am Ende kriegt man nur die Note. Ich hab' im Unterricht immer mündliche Noten gehabt. Ich musste immer mitarbeiten.

Ich musste auch im// im Schuljahr ähm Leistung in Klassenarbeiten bringen und nicht erst zur Abiturprüfung. Und so ist das// es ist halt nicht wie in der Uni, wo ich mich hinsetze und Däumchen drehe und nur die Arbeit zählt (I LACHT) oder die Klausur am Ende. [38]

{00:40:30} I: Gut, wenn man das so sehen würde, in der normalen, in Anführungsstrichen, Arbeitswelt musst du ja auch permanent deine Leistung ja auch zeigen und// [Nur hier auf einmal nicht.] Ja, genau. (---) Ähm (-) Ja, ich (--) hab' jetzt hier noch ein paar Punkte »Probleme mit Schülern«, das können wir ja nochmal ausklammern, da ist ja nicht so der Schwerpunkt. Ich hab' noch äh gefunden »Vergütung« tatsächlich, dass da bei einigen anderen Referendaren da auch Schwierigkeiten gibt. Ähm (.) wie die sich finanziert bekommen, tatsächlich. (--) Ich weiß nicht, ob du dazu irgendwas sagen möchtest? Äh, ist mir jetzt nur in der Recherche aufgefallen, genau. (---) Es geht ja schwerpunktmäßig hier um Belastungen, ob du da irgendwie äh dich dadurch belastet fühlst, dass du deinen Lebensunterhalt nicht finanzieren kannst.

{00:41:21} B1: Es ist weniger, als// als ähm (.) na ja, es ist mehr als BAföG (---) Aber es ist jetzt auch nicht so (---) Na ja, in Berlin damit zu leben, in einer eigenen Wohnung, alleinstehend, ähm, mit den// mit dem Umweltticket monatlich noch und den normalen Ausgaben, boah, ist problematisch. Also, das schränkt// also, wenn man jetzt nur von der eigenen Vergütung ausgeht und dann ähm und dann nicht in Marzahn-Hellersdorf in=ner 30 qm Wohnung lebt, wo die Miete vielleicht nun noch 300 Euro kostet, sondern irgendwo schon äh zentral in der Mitte und vielleicht dann doch ne bisschen größere Wohnung, wenn ich mit dreißig nun doch nicht mehr wie in=ner Hutschachtel leben möchte, (--) äh dann ist das schon knapp und schränkt dann natürlich die Hobbys ein, nee. Teure Hobbys sind nicht drin (I LACHT). Also, jedes// jedes Wochenende Party machen und// oder// oder mal Essen zu gehen oder so, das is nicht drin. Das ist schon klar. Wenn man jetzt natürlich noch zuhause leben würde, bei den Eltern, dann reicht das Geld sicherlich aus. Aber jetzt selbstständig, also und auf eigenen Füßen mit der Vergütung (-) Na ja gut, es gibt auch Berufe wie Frisöre, die weniger// wenig verdienen, kommen damit ja auch klar. Also, es ist schon machbar, aber es ist jetzt// da sind keine Sprünge drin. Das ist so wie, ja wie so=ne, ja// so=ne Azubivergütung, wenn man noch zuhause lebt. Man hat ein bisschen was, aber auch nicht viel. Aber das ist ja auch immer subjektiv. Was ist schon viel? Was hat man für einen

Lebensstandard? Also, man muss jetzt nicht hungern. Aber mehr auch nicht. [39]

{00:43:10} I: Man arbeitet ja auch schließlich, wenn man dann mal Lehrer ist, arbeitet man auch (.) auf ein deutlich besseres Gehalt hin, sozusagen.

{00:43:17} B1: Boah, na ja. Also, es gibt auch wesentlich bessere Berufe, die auch studiert haben und (.) mehr Geld verdienen. Also, ich// also// also (???) Vergütung ist definitiv nicht attraktiv, als Lehrer. Vielleicht die Verbeamtung. Wobei die in Berlin ja keine Rolle spielt (I LACHT). Also, für// in Berlin ist es für mich, sehr unattraktiv Lehrer zu werden. Da könnte ich mit meinem Studium, glaub' ich, anderweitig in der freien Wirtschaft mehr Geld verdienen, als angestellter Lehrer zu werden. [40]

{00:43:48} I: Ja. Äh, ich hab' mir hier noch einen Punkt: »Belastung durch die Unterrichtsgestaltung«, da hab' ich nur ähm unterschiedliche Ausbildungsgänge, aber du bist nur im Bankensektor auch tätig. Da kannst du auch nur wenig zu sagen.

((...))

{00:45:23} B1: Aber natürlich, diese Belastung durch die ähm (--) Wo war=n das?

{00:45:29} I: »Unterrichtsgestaltung«, meinst du?

{00:45:31} B1: Nee, was du eben grad meintest, mit der// [Ach so, das hab' ich hier nur nochmal ergänzt.] mit der Unterrichtsgestaltung. Na ja, das hat man ja schon gehabt, nicht in den Fächern, Wechsel zwischen den Fächern, sondern allein schon Wechsel zwischen den// den Klassen. Also, ne vollschulische Bänkerklasse is was anderes, als ne zweijährige duale Bänkerklasse, die (.) brauchen// die müssen das// die leistungsschwächeren Schüler müssen das intensiver aufbereiten. Da schafft man nicht so viel, wie bei den Bänk// die haben ja auch drei Jahre und sind die ganze Zeit da, während die zweijährigen Bänker nur zwei Jahre haben und sind nur die Hälfte der Ausbildungszeit in der Schule. Oder noch weniger. Also, das ist schon was anderes. Ich kann jetzt nicht meinen// meiner Unterrichtsgestaltung und -planung und mit meinen Methoden jetzt eins zu eins das jetzt da übertragen, das funktioniert überhaupt nicht, weil schon alleine für kooperative Lehrformen schon allein die Disziplin erforderlich ist. Ich muss es auch schon wollen. Die (???), wenn ich die da normal reinschmeißen würde, wenn wir Gruppenpuzzle machen, das geht drunter und drüber. Die machen irgendwas, aber bestimmt nicht das Gruppenpuzzle (I LACHT). Also, das ist schon ein Unterschied und ähm (-) da sie das halt eben in bestimmten Sachen kleinschrittiger brauchen und// und (.) mehr intensiver erklärt bekommen müssen, kannst du, außer die Anwendungsaufgaben am Ende oder Wiederholungsaufgaben, eigentlich nichts verwenden, weil die ganze Hinführung dazu, musst du komplett anders aufbauen. Also, das ist schon ne Belastung, allein schon im Fach. [41]

{00:47:01} I: Also, auch schon dies ganze Umdenken, was dann genau//

{00:47:05} B1: Genau, du bleibst// bleibst zwar in der Fachthematik drin//

{00:47:08} I: Aber machst quasi zwei//

{00:47:10} B1: Was meinst du denn mit »Wechsel zwischen den Fächern?« Wenn ich jetzt von BWL I zu Rechnungswesen wechsel' (-)

{00:47:15} I: Ähm, ich hab' das (.) ich glaub', ich mein' das auch so ein bisschen, mit// nee, ich mein' das eigentlich schon// ist ja auch ein bisschen aus meiner Denke war das gewesen.

{00:47:24} B1: Wir haben ja immer zwei Fächer.

{00:47:26} I: Jaja, genau. Aber in deinem Fall äh ist das ja ein bisschen abge// abgeschwächt, würd' ich jetzt meinen, weil bei dir ja Rechnungswesen Zweitfach ist. Ich hab' ja zum Beispiel mit Deutsch//

{00:47:32} B1: Aber was hat Rechnungswesen jetzt mit Bankbetriebslehre I zu tun? Ja, es baut aufeinander auf// nein, es baut nicht aufeinander auf. Also, ich find's jetzt nicht schlimm ähm Bankbetriebslehre I und von mir aus ähm ein anderes Fach zu unterrichten, was nicht irgendwas Wirtschaftliches hat. Boah, das (---) Also du// du// du ziehst diese Beziehung nicht im Unterricht, weil wir keine Lernfelder haben. Wir unterrichten Rechnungswesen, wir unterrichten BWL I, wir unterrichten BWL II. Das ist ja schon viel gravierender, dass BWL I von BWL II getrennt ist. Das läuft ja parallel. Die machen Kredite und wir parallel Wertpapiere, was ich aus anderen Bundesländern nicht so kenne. Das war einfach zusammen. Was dann immer nacheinander erfolgte und ich persönlich auch besser finde. Ähm (-) Wir// Wir ziehen keine Verknüpfung zu den anderen Fächern, das ist komplett isoliert voneinander. Und von daher ist das genauso=n Wechsel, als wenn ich jetzt zwischen (.) Wirtschaft und Deutsch wechsel'.

{00:48:32} I: Nee, da hatte so=en bisschen mein// meine Idee dahinter, dass bestimmt einigen auch schwer// schwerfallen könnte, da immer zu wechseln, dass man da äh zuerst Wirtschaftslehreunterricht, dann im zweiten Block zum Beispiel Deutsch und dann immer (.) so weiter. Also, immer von Fach zu Fach dann springen muss, sozusagen, dieses Umdenken im Kopf dann quasi, ob das// das irgendwie ne Belastung//

{00:48:53} B1: Nee, also ich denke bei zwei Fächern geht das noch. Wenn man jetzt natürlich dann noch andere Sachen unterrichtet, wie Sozialkunde noch hinzu oder allgemeine Wirtschaftslehre, dann ist das schon (-) mehr ne Herausforderung, könnt' ich mir vorstellen. Aber jetzt im Referendariat bei der geringen Anzahl, die wir unterrichten, seh' ich das jetzt persönlich nicht als Belastung. [42]

((...))

{00:49:22} B1: Pädagogische Prüfungsarbeit? Was=n das? (???)

{00:49:31} I: Ich glaub', das bezieht sich auch so=n bisschen auf äh dies Haupt- und// und Fachseminare.

{00:49:36} B1: Ach, das// das sind Modulprüfungen, die wir haben. (---) Ja, das ist ne Belastung. Modulprüfungen tauchen ja nochmal zu den normalen Unterrichtsbesuchen auf und genauso, wie die Unterrichtsanforderungen intransparent sind, sind auch die Modulprüfungen und -anforderungen intransparent. Du versuchst es und am Ende siehst du dann, ob das so war oder nicht. Was du dann nur im Groben, ob das dann so richtig ist, das ist am Ende. Und das belastet schon, weil du musst das ja// diese Modulprüfungen sind dann (--) spiegeln dann auch wieder Sachen aus dem Unterricht wider. Also, du musst schon das, was du thematisierst auch im Unterricht ausprobieren und entsprechend reflektieren, dass du das dann auch folglich immer in deinem Unterricht mit einbeziehen musst. Das heißt nicht, dass kann ich losgelöst machen. Jetzt mach' ich mal ne Modulprüfung und parallel mal meinen Unterricht. Nein, es muss immer ineinander dann verzahnt sein (.) und es muss natürlich// das Modulprüfungsthema muss sich dann natürlich auch zum Thema eignen, also musst du dann auch genau gucken, dass du deine Modulprüfung soweit vorbereitet hast, dass es dann auch genau zu deinem Thema letztendlich passt (.) ja und dann hast du natürlich auch nicht so viel Zeit dafür, weil für die Modulprüfung hast du// weil das Thema kriegst du offiziell erst eine Woche vorher. Ja. Du hast vielleicht noch einen Monat vorher, wo du dann ein Vorgespräch hast, wo du dann schonmal ein bisschen planen kannst, vielleicht dann doch schonmal so ein paar Sachen durchführen kannst. Aber so viel Vorplanung hast du dann nicht. Und das ist dann nochmal knackig (???) zusätzlich zu den Unterrichten, zu der normalen Unterrichtstätigkeit. [43]

{00:51:23} I: Ähm, wie oft findet das dann statt? Einmal pro Semester, oder?

{00:51:28} B1: Genau, du hast zwei Modulprüfungen.

{00:51:30} I: Ja, pro Fach dann.

{00:51:32} B1: Nee, Modulprüfungen sind vom Hauptseminar. Also, du hast insgesamt zwei Modulprüfungen. In der Regel im zweiten und dritten Semester. Dann ist das Staatsexamen.

{00:51:45} I: Ja und da ist ja dann »Alles oder nichts«, sozusagen (I LACHT).

{00:51:50} B1: Ja, da kommt's dann drauf an. Oder auch nicht.

{00:51:55} I: Aber ähm siehst du dich so// Erfahrungen kannst du ja jetzt sammeln auch ähm dahingehend (.) vorbereitet? Oder die Entwicklung? Merkst du da ein bisschen bei dir, dass du dich auch besser//

{00:52:08} B1: Nö! (I LACHT) Ich merk' keine Entwicklung. Im ersten halben Jahr ja. So mit dem Umgang mit den Schülern, aber alles eher Nebenprodukte. Jetzt im// in der Planung von Unterricht oder Gestaltung und Konzipierung, finde ich, dass man sich nach einem halben Jahr aufhört zu entwickeln. Entweder du hast es verstanden oder du hast es nicht verstanden. Und wenn man sich in den Fachseminaren umguckt, die, die es nicht verstanden haben, die werden es auch bis zum Ende nicht verstehen. Und die, die es verstanden haben, die haben es eben verstanden. Also, ich habe selten (.) bislang mitbekommen, dass wirklich jemand mit// mit nem bestimmten Stand angefangen hat und sich dann wirklich im Positiven entwickelt hat und von ner Vier auf ne Zwei gekommen ist. Also mit Vier gestartet und dann mit Zwei oder Eins geendet. Also entweder bist du gut, oder du bist nicht gut. Es ist so. Es ist einfach so. [44] Der Beruf erfordert Kreativität, durch diese Lernsituation und Handlungs- und Problemorientierung, da muss// musst du kreativ sein. Und// und// und Praxisbezüge schaffen, das// das gibt dir kein Buch. Das gibt dir auch kein didaktisch-pädagogisches Buch, das erklärt dir die Methode, ja. Aber wie du die für dein Fach, für dein Thema, für deine Klasse erfüllen sollst, das sagt dir keiner. Und entweder kannst du das, oder du kannst es nicht. Und entweder du kannst deinen Schüler einschätzen oder du kannst es nicht. Manche schaffen es bis zum Ende nicht, da// ihren Unterricht zu reflektieren und// und die Fehler in ihren// ihrer Planung zu sehen. Tja, entweder kann man das, oder man kann's halt nicht. Also, äh ich finde es ist nur beschränkt (---) fördert, weil es sind ja// man kann das ja// ja Kompetenzen sind das. Und wie soll man Kompetenzen denn messen? Das ist ja schon ein bisschen kritisch (I LACHT). Du kannst Kompetenzraster machen, aber das ist ja nur beschränkt aussagefähig. Ja und entweder man bringt es mit, oder man bringt es nicht mit. Und in 1 $^1/_2$ Jahren (---) ist (???) für die, die sich schwer mit tun, nicht schaffbar. [45]

{00:54:17} I: Vor allen Dingen, wenn du schon beschrieben hast, dass so ein zeitlicher Druck dahintersteht.

((...))

{00:54:37} B1: Ja, also wie gesagt: Es ist machbar. Man muss sich halt selbst Grenzen setzen und selbst klar werden, was ist jetzt mein Anspruch. Und wenn der zu hoch ist, sich zu hinterfragen: »Muss das so sein? Kann ich was weglassen? Wo kann ich (.) Zeit sparen?« Ja, also man muss da schon selbst für sich den eigenen Weg finden. [46] Und das ist schon (.) ja, ne Herausforderung und bis man den gefunden hat, ist das Referendariat vorbei und dann ist das Leben sowieso noch mal anders. Weil dann

hab' ich eh keine Zeit mehr. Also, von daher, tja, das ist so=en Zwischen-
schritt, der einem in seinem eigenen Management// Zeitmanagement eigentlich nichts bringt. Weil, das kann man nicht eins zu eins umsetzen.
[47]

((...))

{00:58:13} I: Vielleicht doch noch eine Sache. Tatsächlich, aber das wird
in deinem Fall nicht äh (-) ja der Fall sein, sozusagen, ähm, dass du irgendwie schon, tatsächlich, schon irgendwelche Belastungseffekte spürst
von dieser ganzen Belastung. Wie, ich weiß nicht, Burnout-Symptome
oder dass// dass deine Gesundheit darunter leidet, oder sowas?

{00:58:38} B1: Also nach der Modulprüfung ähm (-) war schon der Punkt
angelangt, wo man (--) merkte, da ist irgendwo die Grenze erreicht. Es//
Es// Das Maximum ist erreicht. Ähm (-) ja, ich bin, glaub' ich, nicht der
Burnout-Mensch, da bin ich ziemlich hart und ähm aber man merkt schon
selbst// oder ich merke schon selbst, dass// dass ne Grenze überschritten
wird, wo ich mir auch selbst sage: »Wofür eigentlich?« Ähm, man kann
den Anforderungen eh nicht gerecht werden, weil man die Anforderungen
gar nicht kennt und deswegen muss man wie gesagt selbst die Grenzen
setzen und sagen: »So, das ist mein Ziel, das ist mein Maßstab.« Das
muss man so runterbrechen, dass man sagt: »Das schaff' ich noch, das
kann ich noch.« [48] Ohne mich halt gesundheitlich zu schädigen oder gar
kein Privatleben mehr zu haben und dann mit dem auf diesem Niveau zu//
zu arbeiten oder zu gucken, wo hab' ich denn da// steck' ich da zu viel
Zeit rein und könnte vielleicht da ein bisschen mehr wegnehmen, damit ich
das dann in// in die andere reinstecke, um mich dadurch zu entwickeln.
Wenn man sich wirklich ein Zeitfenster setzt und sagt: »So, bis hier.« Und
dann in diesem Zeitfenster versucht ähm (-) die Zeit so zu verteilen, um
dann eben eine Kompetenzentwicklung hinzubekommen. Ja. Zum Beispiel,
wenn ich jetzt methodentechnisch gut bin (.) und dann muss ich nicht immer viel Methoden noch haben oder Medien haben, die müssen nicht viel
Medien haben. Dann nehm' ich halt nur ein Medium, ich hab' ja schon
gezeigt, dass ich's kann und (.) dann kann man auch mal was runterbrechen und den Schwerpunkt dann auf was anderes legen und nur wenn ich
halt alles auf 100 Prozent laufen lassen will und alles immer toll zeigen
will, dann hast du nie ein Ende. Das ist halt der Anspruch an sich selbst.
Den muss man halt eben, ja da muss man sich dann selbst die Grenzen

setzen. [49]

((...))

c) Interview Charlie (Teil 1)

Interview-Nr.:	2a
Aufnahme vom:	17. Dezember 2017
Gesprächsdauer:	00:11:39
Transkriptionslänge:	00:00:53 bis 00:11:34
Interviewpartner:	Charlie (B2)

((...))

{00:00:53} I: Dann, genau, wär' (.) ähm, wichtig ähm, wie du Belastung im Vorbereitungsdienst erfahren hast, was da so deine, von deiner subjektiven Wahrnehmung, was dir da am meisten aufgefallen ist. Und ähm (-) wenn's klappt, vielleicht so=en ganz normalen Alltag, Alltagswahnsinn, genau.

{00:01:12} B2: Ähm (---) Als Belastungsphasen habe ich wahrgenommen (---) ähm, also vorab, insgesamt hab' ich das Referendariat nicht als (-) außergewöhnliche Belastung wahrgenommen. Ähm und doch als weniger belastend wahrgenommen, als viele meiner Referendare insbesondere als vieles, was im Vorfeld mir (.) als Erwartung geschürt wurde. Ähm, was für mich persönlich belastend war (B2 RÄUSPERT SICH), war die// die Zeit vor und (--) erste Woche Beginn hier in der Schule. Gar nicht mal unbedingt aus// aufgrund des Referendariats als solchem, sondern einfach, weil ich die Schule vorher nicht kannte. Das heißt, das war für mich: Komplett neue Leute kommen (???); neue Strukturen; ich wusste nicht, wie ich da reinpasse; wo ich mich wie wo zurechtfinde. Du hast// Du lernst deine Seminarleiter kennen, du lernst deine anleitenden Lehrer kennen, wo du schon im Vorfeld weißt, dass du eine hohe Abhängigkeit hast und du erstmal so=en bisschen (.) gespannt bist natürlich, wie kommst du mit denen zurecht. Das heißt, diese Unsicherheit am Anfang war für mich belastend, für mich persönlich. Ähm, genauso wie die erste Woche im Studium. (--) Die allererste Woche. [1] Ähm (-) und danach hatte ich eigentlich nur zwei (.) kurze Phasen, die ich als// als Stress im Sinne von »Es ist mir// mehr zu tun, als ich mir sicher bin, dass ich's hinkriege.« Das war einmal (.) so nach zwei, drei Monaten (-) also im ersten Semester des Referendariats hatte ich direkt mehrere Klassen, mit denen ich auch Klassenarbeiten organisieren musste. Zusätzlich hast du dann auch die Lehrproben. Ich hab' aber bis zu den Herbstferien gebraucht, also so rund zwei

Monate, um mich erstmal hier in der Schule zurechtzufinden. Und hatte
dann im (-) praktisch nach den Herbstferien (.) hatt' ich nen Zeitraum
von vier Wochen, in dem ich zwei Lehrproben und drei Klassenarbeiten
schreiben musste, weil das sonst mit den zwei// zwei ähm Lehrproben pro
Semester nicht alles zeitlich nicht mehr hingegangen wäre. Ähm, sodass
ich da eine Phase hatte, wo es sich aus den Schulalltagsbelastungen her,
von Klassenarbeiten und den referendariatsspezifischen Belastungen mit
Lehrproben, ne kurze Phase war, wo es sehr viel war. Das war aber gefühlt
ne Woche oder zwei, wo wirklich viel war, aber es jetzt auch nicht als
schlimm empfunden habe. Aber da war tatsächlich sehr viel zu tun. [2]
Die zweite Phase war (.) die letzten fünf Tage vor// vorm Examen, ähm,
weil ich hatte meine Stunden vorher, also mit relativ viel Vorlauf vorbereitet und war auch schon relativ früh ziemlich fertig, hatte sie dann so zwischen ner Woche und zwei Wochen Vorlauf in Parallelklassen getestet und
da ist so viel schiefgelaufen, dass ich dann in relativ kurzer Zeit noch relativ viel ändern musste, sodass da (.) ne Phase war, wo ich sehr viel (-) also, wo auch wieder so relativ viel »Okay, klappt das jetzt noch?« so
Unsicherheit war, von wegen »Kurze Zeit« und »Zeitdruck« und gleichzeitig Unsicherheit. [3] Ansonsten war mein Alltag im Referendariat
nicht// hab' ich nicht als besonders belastend empfunden. Ich fand die
Gesamtbelastung sehr okay. Ich hatte// hab' Familie zuhause, das heißt
ich hab' auch nicht beliebig viel (-) Zeit von den 24 Stunden am Tag, die
ich fürs Referendariat aufbringen kann, sondern das ist bei mir tatsächlich
begrenzt. Fand es aber wirklich, abgesehen von diesen in der Summe dann
waren's 2 $^1/_2$ Wochen, ähm sehr (-) sehr (.) angenehme// vernünftiges
Belastungsmaß. Ähm, wobei ich auch dazu sagen muss, dass ich vor dem
schon 13 Jahre nach meinem ersten Studium gearbeitet habe und ich da
immer Jobs hatte, wo's nie Neun bis Fünf war und dann stech' ich irgendwo ne Karte rein und kann gehen, sondern es war auch immer mit Phasen
hoher// hoher Verdichtung verbunden, ja, deswegen fand ich das nicht//
hab' ich das Referendariat als nicht sehr (.) belastend empfunden. [4] (---)
Ganz normaler Schulalltag. Nachmittag (--) ähm (---) Also, ich war jeden
Tag hier am OSZ, weil meine Referen// meine Seminare hier waren, meine beiden Fachseminare. Und meine Tage meistens so lagen, dass ich dann
hier Montag kurz hier war. Ähm, die Schule ist mir entgegengekommen,
dass ich nie zum ersten Block muss, weil ich dann meine Kinder in die
Schule bringen muss. Ähm, sodass ich meistens halt ebent irgendwann
vor// morgens, vormittags hier in die Schule kam, dann meistens ein oder
zwei Blöcke Unterricht hatte, Schrägstrich Seminar hatte. Und ähm (-)

dann (.) meistens auch mittags wieder gehen konnte. Ähm, nachmittags und früher Abend ist bei mir Familienzeit, wo ich mich um meine Familie kümmern muss, darf. [5] Und dann// meistens hab' ich dann abends und am Wochenende noch gearbeitet, das war für mich so=en typischer Ablauf. Wenn ich gut war, hab' ich am Wochenende nicht arbeiten müssen, wenn ich nicht gut war, musst' ich am Wochenende ein bisschen was tun, aber das war (.) immer im vernünftigen Rahmen. (--) Genau, was willst du noch wissen? Also, was interessiert dich speziell noch?

{00:05:56} I: Genau, also ich hatte mir noch ein paar Punkte, also das ist in dem Zeitrahmen jetzt äh nicht möglich, deswegen mach' ich (.) ähm ganz schnell. Also, wenn ich das jetzt auch so (.) deute, dann wirst du auch ähm (--) nicht großartig ähm mit diesem Einzelkämpfer// äh sag' ich mal, Symptom, irgendwie darunter gelitten zu haben. Also, dass du dich vollkommen verloren gefühlt hast. Ähm.

{00:06:21} B2: Ich hatte zum einen das Glück, dass ich zwei anleitende Lehrer hatte, mit dem// von dem ich zumindest mit einem sehr gut zurechtgekommen bin. Von dem anderen habe ich mich überbetreut gefühlt. Ähm, also das war mir zu v// Aber das ist auch immer// auch immer so=en// so=en// da muss so=ne Passung sein zwischen Referendar und anleitenden Lehrer. Manche wollen viel (.) enge Begleitung haben, manche wollen viel Freiheit dann haben. Und was das andere angeht, ist es aus meiner Sicht immer ne Frage, wie aktiv du nach anderen// auf andere zugehst. Und schließlich sind wir per se eine// also ganz// also wir Referendar sind erstmal alleine, aber das sti// ich erlebe es so, dass du schon gestalten kannst, wie viel du dich mit anderen austauschst oder nicht austauschst. Und ich hab' zum Beispiel vielen immer angeboten, dass ich auch mir ihre Lehrproben vorher durchlese oder irgendwas// oder auch da// weil ich, wie gesagt, die Belastung war okay, und es sind wenig darauf eingegangen. Also, was ich (???) Ähm und das ist eigentlich der (-) du hast viele Phasen, wo du unsicher bist, zu sehr abhängig bist von anderen. Und da haben trotzdem viele andere es nicht// diese Möglichkeit des Austauschens wahrgenommen. Ich hab' immer ein paar Leute gefunden, mit denen ich mich austauschen konnte, deswegen fand ich das gar nicht problematisch.

{00:07:27} I: Ähm, genau, vielleicht können wir (.) ganz kurz noch auf die »Schulebene« eingehen, also zum Beispiel (.) »Schulgröße« zu groß oder

auch äh in// in der Klasse, wenn de da in der// in der Klasse gewesen, ob
du dich da auch wohlgefühlt hast, oder ob da irgendwelche Faktoren dich
großartig//

{00:07:44} B2: Also, die Schule zu groß fand ich nicht. Ich kümmere
mich einfach nicht um// also mich interessiert die Größe der Schule in
dem Sinne nicht. Also, ich glaub', es macht für mich// es würde für mich
keinen Unterschied machen, wenn die Schule doppelt so groß wäre, würde
ich davon auch nichts merken. [6] Ähm, wichtig ist, dass man seine kleine
Ecke findet, wo man ein paar Leute hat, mit denen zurechtkommt, insbesondere (.) ähm, dass du Leute findest äh also Lehrkräfte findest, die dir
helfen, bei deinem Material. Nicht im Sinne von, dir fertiges Material geben, den du dann direkt nur noch in den Unterricht gehst, aber die dir ne
Ausgangsbasis geben, von denen du dann Arbeiten verbesserst, umgestal-
ten, was auch immer, kannst, ja. Weil, wenn ich// ich hab' gelernt// ich
hatte ne Zeit lang auch Fächer, die ich wirklich von Null, komplett das
Arbeitsmaterial machen musste und auch kein fertiges Lehrbuch oder so
hatte und das ist// das war sehr zeitaufwendig. Und es ist nach wie vor eine der größten Zeitfaktoren, wenn ich Arbeitsmaterial wirklich selbstständig erstellen muss. Ähm (.) deswegen war das wichtig (.) von der
schulischen Ebene her. Das Weitere ist für mich// (???) da hab' ich mich
immer sehr zurückgehalten und wurde auch immer sehr zurückgelassen.
War für mich kein Problem. [7]

{00:08:46} I: Also, du hast dann aber auch gesagt »Ich mach'// (???)

{00:08:49} B2: Ach, die Klasse. Ähm, sorry, du hattest nach den Klassen
gefragt. Wohlfühlen. Ähm, nicht in allen Klassen. Und ich hatte auch teilweise Parallelklassen, es war ganz häufig so, dass ich mich in Klasse A
wohlfühle und in Klasse B nicht wohlfühle, einfach nur vom »Gehst du mit
nem fröhlichen Gefühl da rein und kommst du mit nem fröhlichen Gefühl
wieder raus.« Und es war auch immer so, dass es einfach von// von den//
also von der Chemie abhängig und einmal passt es und einmal passt es
nicht und jetzt// beim gleichen Bildungsgang, Gleiches alles, einfach, was
dazugehört. [8] Ich hatte (.) auch Probleme// also schwierige Klassen im
Sinne, ich hatte auch immer IBA-Klassen und kaufmännische Klassen und
die IBA sind natürlich insofern anstrengend, weil du sehr (.) intensiv damit
beschäftigt bist, die Schüler dahin zu bestärken, dass sie das machen, was
sie machen sollen äh und nicht das machen, was sie nicht machen sollen.

Um es vorsichtig zu formulieren. [9] Aber ich fand es trotzdem, dem Grunde nach, auch wenn's körperlich anstrengend ist, solche 90 Minuten, fand ich es sehr (--) sehr befriedigend von der Arbeit her, beziehungsweise auch ein sehr positiven Ausgleich, diese Kopfarbeit mit den Kaufleuten und in Abgrenzung dazu, diese sehr andere Arbeit mit// mit IBA-Leuten, fand ich angenehm. [Also die Gratwanderung.] Äh, es ist wirklich// du wirst komplett unterschiedlich gefordert, ja. Also, das// du musst unterschiedliche Qualitäten zeigen und du wirst aber auch unterschiedlich belastet. [10]

{00:10:10} I: Vielleicht noch ganz kurz, weil ich äh da auch einen Schwerpunkt noch setzen wollte. Ähm, »Private Situation«. Also, du kannst schon sagen, du nimm// nimmst dir dann die Zeit äh für deine Familie und trennst ja dann auch wirklich gut und sagst, genau: »Die Zeit nehm' ich mir!« und// oder hast sie dir genommen, so muss man das jetzt formu// formulieren (I LACHT).

{00:10:29} B2: Also, du kannst sie dir nehmen, aber du musst sie dir nicht nehmen. Das ist (--) Also, was also die Umstellung im Studium ist// Im Studium hast du// hast du nur solche Fernziele, wo du sehr// sehr äh (.) frei darin bist, wie du's dir einteilst und in der Schule hast du einerseits, solche Fernziele, wenn man diese Lehrproben als eine Art von Fernziele ansehen, die ne hohe Wichtigkeit haben. Du hast aber auch hie// letztlich jeden Tag in der Woche hast du eben solche kleinen Ziele im Sinne von: Du musst irgendwie vorbereitet in den Unterricht gehen. Du musst so vorbereitet in den Unterricht gehen, dass du ordentlich durchziehen kannst. Und das ist natürlich für (.) jemand der nur Studium kennt ne große// oder früher nur ne Ausbildung gemacht hat, ist das ne große Umstellung. [11] Für mich war's insofern leichter, weil ich halt vorher schon sehr lang, sehr// sehr selbstständig arbeiten musste und dort auch halt ebent diese Mischung hatte aus (--) administrativen Kleinscheiß, der erledigt werden muss an den Tagen und andererseits, diese großen wichtigen Sachen, die man irgendwie in zwei Monaten fertig sein muss, um das auszubaldowern. Und (.) das mit Familie in Einklang zu bringen. Und das war// das fing// fiel es für mich in der Summe gut. Also, klappte in der Summe gut. (--) Nicht immer perfekt und ich bin auch ein Aufschieber, aber im Grunde nach, passte das (KLINGEL LÄUTET). [12]

((...))

d) Interview Charlie (Teil 2)

Interview-Nr.:	2b
Aufnahme vom:	19. Dezember 2017
Gesprächsdauer:	00:07:47
Transkriptionslänge:	00:00:34 bis 00:07:25
Interviewpartner:	Charlie (B2)

((...))

{00:00:34} I: Äh, ich hab' dir mal, Moment, ne Übersicht mitgebracht, auf was ich ganz gerne noch äh so=en bisschen detaillierter noch eingehen würde. Vor allen Dingen äh im Bezug auf junge Lehrer wollt' ich dich nochmal fragen, vor allen Dingen, äh mit dem Leistungsdruck, wie du den wahrgenommen hast. [Was verstehst du unter Leistungsdruck? Also, wie definierst du Leistungsdruck?] Also, vielleicht denn// denn eigenen ge-machten oder auch unterhalb// oder innerhalb des// der ähm des Haupt-, Fachseminars, der anderen äh Mit// äh Lehrerkollegen, zukünftigen. Also mit den Menschen, mit denen du zu tun hast. Also, wenn da einer saß, der die ganze Zeit, weiß ich nicht, so getan hat, als hätte er von überall was Ahnung und äh ja// Oder hast du da immer auf dich geguckt? [Ich über-leg' gerade.] Und hast das so ein bisschen aus// ausgeblendet, sozusagen?

{00:01:25} B2: Ähm, (---) ja, dass es jemand gibt, der meint, dass er alles weiß, hast du auch in der Uni. Das ist in dem Sinne nichts Neues, ja. Ähm, das, was (---) also was ich erlebt habe, ist, dass (---) ähm, ich red' immer nur von mir, okay? [Ja, natürlich! Möglichst subjektiv (I LACHT)!] Ich hatte kein// Ich habe keinen großen Leistungsdruck von außen an mich herangetragen gefühlt. Ähm, vom// vom Seminar oder Ähnliches. Es war// Also, bei mir war es so, dass ich von meinen Leistun-gen immer so zwischen Eins und Zwei stand und ich hatte jetzt nicht das Gefühl, dass irgendjemand mir Druck macht, dass ich mich darum küm-mern muss, dass es ne Eins wird. Hatte ich von außen kein Druck bekom-men. Im (-) Bei den Referendarskollegen war's schon so, dass viele (.) gute Noten wichtig fanden. Ich habe immer versucht, dagegen zu argu-mentieren, weil so, wie der Arbeitsmarkt im Moment für uns ist, ist es völlig egal, ob du mit ner Eins, Zwei oder Drei da rausgehst. Wenn du da (???) mit ner Vier dadurch kratzt, hast du da vielleicht ein bisschen weni-ger Auswahlmöglichkeiten, kommst aber immer noch unter, aber ob du jetzt Eins oder Zwei oder Drei machst (.) die Schulen suchen momentan, auch die nächsten Monate, Jahre so stark Wirtschaftspädagogen, dass es// dass du eigentlich von außen (I LACHT) keinen Leistungsdruck hast, wenn du's vernünftig siehst, jedenfalls des Bestehens wegen. Viele Referendare machen sich selbst den Druck. Ich hab' mir den nicht gemacht. Ich hatte an der Schule ein paar Kollegen, die sowas gesagt haben wie: »Referendare an dieser Schule schließen immer mit Eins ab.« (I LACHT) Ähm, (B2 RÄUSPERT SICH) aber das waren (???) da hab' ich höflich gelächelt und mir meinen Teil gedacht. Ähm, am Schluss hab' ich mir selbst den (-) also am Schluss// am Ende hatte ich den Anspruch, dass ich (-) zeigen wollte, was ich kann. Also, das schon, aber jetzt nicht im Sinne von: Es war mir wichtig, dass ich hier mit ner Eins einen Abschluss mache, sondern ich wollte einfach (.) in den Examensstunden zeigen, was ich vorher gelernt hatte. [1]

{00:03:32} I: Ist ja ne ganz andere Herangehensweise eigentlich. Ja, sehr schön. Ähm, dann wollt' ich noch fragen, mit den// mit Haupt- und Fachseminar, wie// wie hast du die wahrgenommen? Irgendwie auch belastend? Oder, vor allem eher Zeitfresser?

{00:03:47} B2: Also das Hauptseminar war für mich ne// ne zeitliche Belastung, zumal's nachmittags war, was für Familienplan// also, was für Familienorganisation nochmal herausfordernd ist. Ähm (--) ich fand (--) also, von daher is das eher so eine entspannte Zeit, wenn du's dann geschafft hast einfach abzuschalten. Ich hab' als (.) äh als regulärer Uniabsolvent hast du// also als Lehramtsuniabsolvent halt wenig fachlich Neues, von daher war das für mich mehr zeitlich. [2] Die Fachseminare fand ich (-) sehr angenehm und nicht belastend. Ich hatte// das waren (.) beides also, waren überwiegend Veranstaltungen, wo ich das Gefühl hatte, dass ich// dass wir uns fachdidaktisch mit Sachen auseinandergesetzt haben, die mich weitergebracht haben. Und die auch offen genug waren, dass man (.) dort auch nicht nur leisten musste, sondern auch (.) »Ich hab' immer noch Probleme da und da. Lasst uns mal darüber sprechen, was man da machen kann.« [3]

{00:04:42} I: Ähm, ja dann äh Belastungen auch richtig wahrgenommen? Kann// Kann// Kannst du das sagen? Irgendwie (.) also [Nö.] gar// gar nicht irgendwie? (???)

{00:04:52} B2: Mein Laufpensum (???) Also, ich glaub', ich hatt' drei Monate in den ganzen 18 Monaten, in dem mein Laufpensum nich// ich mein Laufpensum nicht eingehalten habe (I LACHT), aber ansonsten (.) überhaupt nicht. Aber wie gesagt, ich hatte dir auch schon beim letzten Mal gesagt, dass ich ein sehr (.) also im Vergleich zu eigentlich allen Referendaren, die ich sonst mitbekommen habe, hatte ich ein sehr geringes Belastungsniveau.

{00:05:11} I: Ja, sehr schön. Deswegen, du hast dir jetzt vor allem um dagegenzuarbeiten, ja einfach die Zeit dann auch genommen. Und das ist vielleicht auch die (.) Zauberformel, dann auch wirklich äh da trennen zu können, so=en bisschen.

{00:05:26} B2: Ja, nur weil du// Also (-) Ja, es ist für mich (.) noch ein bisschen// also, zum einen (.) sich die Zeit für sich nehmen, zählt dazu. [4] Das andere ist aber auch, ähm, dass man sich auch gut organisieren muss, weil das ist ne Umstellung zum Studium, dass du so viele äh so viele kleine zusätzliche Aufgaben und Deadlines hast und so viel// und so ein paar große wichtige. Das ist ne Umstellung und viele, die in Stress kommen, machen sich erstmal ein gutes Leben und wundern sich dann (I LACHT), wenn sie plötzlich in kurzer Zeit viele Sachen erledigen sollen. Also, das ist (.) von daher// auch das Organisieren, sich wirklich planvoll organisieren, gehört auch dazu im Referendariat. Und das ist (.) schwieriger als im Studium. Es wird anders gefordert als vorher. [5] Und das Letzte is (-) dies mit dem Leistungsdruck beziehungsweise dieses sich selbst in Frage stellen, irgendwo. Ich erlebe wenige, die (???) Also, für mich war das sehr wichtig, um von mir zu sprechen, dass ich (.) einerseits mich als Auszubildender sehe. Das heißt, wenn jemand mein Unterricht kritisiert, dass ich das auch annehmen kann und daran arbeiten kann, ohne gleichzeitig (-) (BEIDE LACHEN) ohne mich gleichzeitig als Person in Frage zu stellen. Also, wenn jemand sagt, dass das und das an meinem Unterricht schlecht ist, dann sagt er erstmal, dass er meine Unterrichts// meine Lehrhandlungen schlecht waren. Er sagt nicht, dass ich als Person ein schlechter Lehrer sei. Ähm und da (.) so dieses (--) dieses Gleichgewicht zu finden, einerseits, kritikfähig zu sein, um sich selbst entwickeln zu können, andererseits, nicht sich selbst als Person in Frage zu stellen: »Kann ich überhaupt Lehrer werden? Und ich// Ich bin doch gar nicht dafür geeignet oder sonst was.« Sondern, dass tatsächlich// also da die Waage zu finden, zwischen Kritikfähigkeit und Lernen. Andererseits es nicht auf die Person beziehen, sondern nur auf die Handlungen beziehen und (???) woran man arbeiten kann, das fand ich sehr wichtig, für (.) die// als Coping-Strategie. [6]

((...))

e) Interview Finn

Interview-Nr.:   3
Aufnahme vom: 19. Dezember 2017
Gesprächsdauer: 00:37:35
Transkriptionslänge: 00:01:23 bis 00:37:05
Interviewpartner: Finn (B3)

((...))

{00:01:23} I: Genau, was ich ganz gerne von dir hören würde, wie du in deinem Referendariat ähm Belastungen wahrnimmst, sozusagen. Wo du da die größten äh Belastungspotenziale siehst, wo du ja ganz subjek// subjektiv (.) und ähm vielleicht auch so=en (.) in Anführungsstrichen einen ganz normalen Tagesablauf, also einen ganz normalen Wahnsinn, den du tagtäglich zu durchleben oder (.) vielleicht punktuell, an einem bestimmten Wochentag, dass du da vielleicht auch noch was zu sagst und äh, genau. Später hab' ich noch ne kleine Übersicht, um noch detaillierter so=en bisschen reinzugehen, aber das erstmal vorab.

{00:02:02} B3: Okay, gut. Also, ich bin jetzt seit August 2017 im Referendariat. Ich bin jetzt schon seit zwei Jahren aber an der Schule, sodass ich wenigsten da nicht mehr den großen Stress hatte. Ich kannte meine Schule vorher, ich konnte mir meine Mentoren selber aussuchen. Das äh glaub' ich, is (.) ziemlich gut, weil ich einfach da weniger Stress habe, die Leute erst kennenzulernen. Ich muss auch einfach nich// ich muss auch einfach nicht mehr wissen: Wo sind die Kopierkarten? Wo sind die Schlüssel? Welcher Raum? Wie funktioniert das mit den Beamern? Das ist alles vorher schon geklärt gewesen, das heißt, da hab' ich Glück gehabt. Ähm, (-) ja. [1] Stressig am Anfang is auf jeden Fall schonmal diese Einführungsphase. Du hast da vier Tage am Stück noch in den Ferien, wo du zugeballert wirst mit Informationen, wo aber die meisten noch gar nicht ihre Schule kennen, das ist auf jeden Fall schonmal groß// ein großer Nachteil oder auch einfach schwierig. [2] Mmh, und dann wird man auch teilweise// also, ich hab' auch Politik als Fach und du könntest auch einfach in Geschichte oder in Sozialkunde eingesetzt werden und das ist natürlich gerade zu Beginn wahnsinnig (.) anspruchsvoll, weil du erstmal dich, sozusagen, mit Hilfe deines Fachs, was du ja studiert hast und wo du dich sicher fühlst, sozusagen, dann reinfinden musst, in noch plötzlich ein ganz anderes Fach und tatsächlich auch einer anderen Fachdidaktik am Ende. Und das ist auch wahnsinnig stressig, aber aufgrund der Tatsache, dass ich mir ja (.) vorher schon ähm Gedanken machen konnte, hab' ich das natürlich hinbekommen, jetzt in diesem Jahr auf jeden Fall einen PW-Kurs zu haben. Genau. [3] Ähm, also, Belastungen. Unterrichtsbesuche sind wahnsinnig anstrengend ähm, gar nicht// also, die Vorbereitung is wahnsinnig (.) zeitintensiv, macht mir persönlich aber Spaß, weil// weil ich schreiben ganz schön finde. Trotzdem ist es so, diese Unsicherheit, ob das immer, das, was man// also, da gibt es zwei Unterschiede bei uns, einmal die Begründung der Lehr-Lern-Struktur und einmal diese Sach-strukturanalyse mit didaktischer Reduktion. Das finde ich, ist relativ gleich, da den Unterschied zu erkennen, ist nicht so einfach. Und da setzt man sich auch selber so unter Druck, das dann dem [Ja, perfekt auszuar-beiten.] ja, genau, oder auch die Unterschiede so klar und deutlich. Dann natürlich diese Prüfungssituation an sich ist wahnsinnig anstrengend (-), dass da hinten einfach mehrere Leute drinsitzen (I LACHT) und die dich einfach bewerten. Und hinterher das Gespräch, also ich finde, bisher hat mich niemand unfair bewertet und alle Kritik, war immer gut nachvoll-ziehbar (-) und auch nicht über die Maßen irgendwie negativ, aber es ist schon so, dass hinterher dieses Gespräch auf jeden Fall auch dazu beiträgt, dass ähm (-) du dann nochmal in so=ne// also, das heißt, du hast die Vorbereitung, das währenddessen und dann diese Nachbereitung. Die sind wahnsinnig anstrengend und dann wollen sie genau das hören, was schief-gelaufen ist und auch, wenn du ne halbe Stunde Zeit dazwischen hast, ge-lingt mir das auf jeden Fall nich immer. Es wird sicherlich noch besser werden irgendwann, aber (.) es ist doch alles relativ viel. [4] So (--) dann ist die Belastung// ich hab' Gott sei Dank nur zwei Klassen, in denen ich unterrichte, aber trotzdem mit zehn Stunden. Und da kann man jetzt nicht sagen, dass meine äh jede meiner Stunden perfekt geplant ist. Ähm und ich finde auch, dass wir ziemlich eingeschränkt sind, einfach durch äh nicht nur durch den Rahmenlehrplan, sondern auch durch die schulinternen Re-gelungen und Curricular. Dass man da nicht immer, die Sachen machen kann, die der Fachseminarleiter einem vorschlägt (-), da befindet man sich ja auch wieder an so=nem// in so=ner Stresssituation, weil du sozusagen Schule und Fachseminar unter einen Hut bringen musst. Und tatsächlich sind am anstrengendsten eigentlich die Seminare. [5] Das Leben in der Schule macht eigentlich Spaß, wenn man mit den Schülern und den äh mit dem Kollegium gut klarkommt. Schülerinnen und Schüler (BEIDE LA-CHEN). [6] Ähm (--) aber die Fachseminare sind einfach anstrengend,

weil man einfach Menschen ausgesetzt is, die man vielleicht nicht gut leiden kann, wo man auch nicht der Überzeugung ist, dass das wirklich selber
auch so richtig gute Lehrer sind, sondern vielleicht nur so Emporkömmlin-
ge, oder so, nicht alle um Gottes Willen, aber in Deutsch hab' ich halt irgendwie das Problem, dass der wirklich (.) super intransparent is und ganz
viele Dinge erwartet ähm (--) die er selber nicht leistet, also, das ist halt
ganz schwierig. Und (.) zu wissen: So, der kann einen jetzt nicht leiden, da
wird's bestimmt nur ne Drei oder ne Vier, is halt irgendwie Kacke! Also,
das ist halt einfach stressig und wenn man dann das Seminar wechselt, was
ich jetzt getan habe, dann muss man aber, obwohl es keine Nennung von
Gründen gibt, müssen sie dann trotzdem sagen: »Ja, äh, aber warum
wechseln Sie denn jetzt?« (I LACHT) Also, er fragt, sozusagen, nochmal
nach und du bist dem ja auch ausgeliefert, weil du kannst ihm ja auch nicht
die Wahrheit sagen, dass das einfach ein Scheißseminar ist und super un-
strukturiert und mir überhaupt nicht hilft, weil ich ja noch abhängig bin
von=ner Note. Und die krieg' ich erst im Februar, das heißt bis Februar
muss ich natürlich noch sagen: »Jaja, ich äh wechsel' aus Zeitgründen«,
oder so. Ja, und das ist halt wahnsinnig ähm (.) stressig. [Ja, dass du jetzt
so in der Schwebe die ganze Zeit hängst und ähm noch den Druck bis Februar hast.] Den Druck vor allem, also, dieses// dieses Wissen: »So, der
hat mich jetzt auf jeden Fall auf=em Kieker.« Und gleichzeitig dann auch
noch dieses äh (.) na ja, den Versuch, sozusagen, da irgendwie durchzu-
kommen und trotzdem irgendwas noch bei zu lernen (PAPIER KNIS-
TERT), das ist einfach schwierig. Ja. [7] So, ja Fachseminare. Und zeitlich
is es auch nicht ganz einfach. Also, ich hatte letztens einen Unterrichtsbesuch, am Freitag um 7:50 Uhr und hab' am Donnerstagnachmittag mein//
mein Hauptseminar, hatte meiner Hauptseminarleiterin geschrieben: Ich
würde äh nicht an der Sitzung teilnehmen wollen, würde den Inhalt auch
nachholen, aber ich muss den Unterrichtsbesuch vorbereiten, weil die
Schule 7:50 Uhr// die Schule macht erst 7 Uhr auf und außerdem äh ja,
war das ganz viel Technik. Daraufhin kam eine E-Mail zurück: Sie hätte
dafür überhaupt kein Verständnis und es würde ja Tür und Tor geöffnet
werden für jeden, der einen Unterrichtsbesuch am Freitag hätte. Ich finde,
das ist schon ein Unterschied, wenn äh 7:50 oder 9:40 Uhr der Unterricht
beginnt. Dann hätte ich auch nich// mir äh quasi das Recht rausgenom-
men, mich da abzumelden. Zumal ich auch einfach hätte sagen können:
Ich bin krank! Ähm, genau. Ich bin dann natürlich hingegangen und äh
(B3 LACHT) mein Ehemann durfte dann die Technik aufbauen
(I LACHT), weil es zeitlich anders sonst nicht geklappt hätte. Das ist halt

einfach (.) ne Situation, die so nicht sein kann. Und ich meine, wir werden angehalten Technik zu nutzen, die an der Schule faktisch nicht vorhandenen ist und dann äh muss man gleichzeitig dann aber auch (.) dann immer noch den Hauptseminarleitern oder Fachseminarleitern gerecht werden und eigentlich äh ja, ist das alles nur ein großes Brimborium (I LACHT). [8] Ja. So, gut?! Oder noch mehr? Hab' ich was Wichtiges vergessen?

{00:08:23} I: Ja, das find' ich erstmal schonmal (B3 LACHT) erschreckend (I LACHT), erschreckend, aber ähm deutet auf jeden Fall auf äh//

{00:08:31} B3: Zumal das Problem is: Es war auch ein super unnötiges Seminar. Also, ging zwar um Gewaltprävention, ab// und Drogenprävention, aber der Typ hat// also, den Vortrag hätt' ich auch in ner Viertelstunde bei Wikipedia nachlesen, das war wirklich (.) nicht sonderlich hilfreich. Aber gut, ich war. Ähhh, ja ein normaler Arbeitstag von mir. Also, nehmen wir doch mal heute, den Dienstag. [Genau, wenn du dich nicht mit Interviews rumschlagen musst, zum Beispiel] (BEIDE LACHEN). Na ja, das finde ich jetzt nicht ganz so schlimm. Also, dienstags äh hab' ich zwei Blöcke und zwar einen um 7:50 bis 9:20 Uhr und den nächsten hab' ich dann von 13:30 bis 15 Uhr, das heißt, ich hab' dazwischen zwei Freiblöcke. Ich steh' morgens wahnsinnig früh auf ähm (.) renne dann wahlweise nochmal schnell zum Kopierer, um die letzten drei Arbeitsblätter nochmal zu äh kopieren, wobei ich versuche, das schon meistens schon vorher fertig zu haben. Und dann, hab' ich zwei Freiblöcke. In der Zeit mach' ich dann Papierkram: Ich schreib' E-Mails, ich les' Texte für die Seminare beziehungsweise bereite einfach den Unterricht dann auch weiter vor. Und kümmer' mich halt um so zwei, drei Sachen, die jetzt irgendwie (--) organisatorisch an mir hängenbleiben. Also, ich mach' zum Beispiel (--) den Vorlesewettbewerb für die 11. Klassen organisier' ich, da muss ich manchmal ein bisschen irgendwie mit irgendwem was absprechen. Mit der Bibliothek oder der Schulleitung, wegen des Termins, oder so. Und ähm (.) das deutsche Sprachdiplom soll auch bei uns an die Schule kommen und da bin ich gerade dabei, das, sozusagen, in der Klasse, die dafür, sozusagen, ge// die darin geprüft werden soll, die bereit' ich sozusagen darauf vor. [9] Und weil natürlich unten in der Schulleitung sich damit niemand beschäftigt hat, sondern gesagt hat: »Jaja, mach' das mal.« Ähm, genau. Ähm, muss ich jetzt, sozusagen, den jetzt auch nochmal so=en kleinen Infobogen zukommen lassen, damit die wissen, was wir eigentlich tun. Weil eigentlich, weiß nur ich das, meinte er gerade (BEIDE

LACHEN). [10] Na ja, gut. Es macht ja auch Spaß am Ende. (--) Äh, genau. Und das organisiere ich dann und dann geh' ich eigentlich in den Unterricht nochmal (---) Ich muss sagen, mit der Klasse komm' ich halt gut klar, die sind auch ganz nett, deswegen geh' ich da auch gerne rein und meistens ist es auch irgendwie immer ne ganz// meistens ist es auch irgendwie immer, genau, also häufig ist es ne gute Stimmung. [11] Ähm, genau. Ich hoffe, sie lernen auch was (BEIDE LACHEN). Das werden wir dann hinterher erst erfahren. [Genau, wer mit dem Abitur dann abschließt.] (B3 LACHT) Ja, ja. Wobei einige müssen da noch ganz viel lernen, genau. Und dann, setz' ich mich auch schon hin. Ich hab' mittwochs Morgens um Acht dann gleich wieder äh meinen// mein Fachseminar »Deutsch«, da muss ich dann auch wieder was vorbereiten und der Unterricht. Jetzt hatt' ich ähm (.) viele Klausuren. Das hat mich Tage gekostet, das auch irgendwie ordentlich zu machen, weil das dann natürlich auch alles mit Mal kam. Und davor waren noch die Unterrichtsentwürfe, die auch geschrieben werden mussten. Genau. Ja. Das ist recht viel. [12]

{00:11:25} I: Vor allem, jetzt kurz vor den Ferien, wegen Notenschluss und//

{00:11:29} B3: Genau, wegen des Notenschlusses. Ja, wobei, nur die// die ähm 11. Klasse hat ja jetzt Notenschluss und Ende Januar kommt ja noch die andere Klasse, die hat dann auch nochmal Notenschluss, das heißt, man kommt nie so richtig zur Ruhe, weil dann ja schon die 11. Klasse, wenn die// wenn die 9. Klasse, sozusagen, ihren Schulabschluss hat, dann müssen die schon wieder Klausuren schreiben, das heißt, man hat nie so// so=ne Ruhephase irgendwie drin. Bedeutet auch, dass es sich nicht alles mit Mal häuft, auf einen Termin, aber na ja, (???) also, ein bisschen Ruhe wäre auch zwischendurch mal ganz nett (I LACHT). [13] Genau. Ja, das äh wäre so ein beschreibender Tag. Donnerstag is so// da hab' ich erst um 9:40 Uhr Unterricht, hab' dann zwei Blöcke hintereinander zwischendurch hab' ich Pausenaufsicht, sodass ich äh ja, also ich habe einfach keine Pause dazwischen und (.) danach muss ich dann zum Hauptseminar fahren, das bis 17:30 Uhr geht. Ja. Und manchmal müssen wir dann noch vom Fachseminar »Deutsch« aus ins Theater gehen (B5 LACHT). Also, ja. Nicht oft, um Gottes Willen, aber es passiert. Genau, damit ist dann die Woche immer gut voll.

{00:12:39} I: Gibt's überhaupt nen Tag äh in der Woche, da wo du mal ein bisschen// bisschen weniger hast?

{00:12:45} B3: Ich hab' Mittwoch mein Fachseminar »Deutsch« von 8 bis 10:30 Uhr und danach hab' ich theoretisch (.) frei. Aber ich fahr' meistens dann nochmal bei der Schule vorbei und geb' irgendwelche Sachen in Druck oder aber ich muss ja auch manchmal// also, mein Mentor in Politik und ich sind doppelt gesteckt, da funktioniert die Absprach natürlich ganz gut. Meine Mentorin in Deutsch wir sind nicht doppelt gesteckt, wir haben auch nich (.) irgendwie zeitgleich Unterricht, sodass wir da das parallel mal machen könnten und (-) was ja, Doppeltsteckung is, genau, ähm. Deswegen, die hat mittwochs häufig Zeit und dann fahr' ich meistens nochmal vorbei und spreche mit ihr dann irgendwelche Sachen ab, damit ich da dann// das (.) in=ner Planung dann richtig mache. Denn sonst läuft es bestimmt öfters mal gegen die Wand (BEIDE LACHEN). Genau. [14]

{00:13:33} I: Also, viel vor allen Dingen zeitlich äh, die man irgendwie sehen muss, wie man sie bestmöglich füllt.

{00:13:38} B3: Genau. Und damit man die Unterrichtsbesuche rechtzeitig plant, fängste dann auch irgendwie locker 1 $1/_2$, zwei Wochen früher an, damit du dann, sozusagen, nochmal jemanden hast, der das gegenlesen kann, damit da nicht so viele Rechtschreibfehler und so drin sind oder dann auch nochmal drüberschaut (-) Ja, und das kostet ganz schön viel Zeit. Aber na ja. (--) [15]

{00:13:58} I: Ja, wunderbar. Als erster, kleiner, großer Überblick. Ähm, ich hab' jetzt speziell, damit ich das auch hinterher noch en bisschen besser auswerten, hab' ich hier so drei Ebenen vorbe// vorbereitet, sozusagen. Ähm, die kannst du dir vielleicht mal kurz// kurz mal drüberlesen, da wo halt speziell ähm (.) auch Belastungen entstehen können. Du hast äh so=en bisschen auch Verwaltungsaufgaben angesprochen, da wo=de, ja, administrativ vorgehen musst. Siehst du das als äh jetzt große Belastung an? Oder ist einfach nur ein Zeitfresser, der//

{00:14:35} B3: Es ist ein Zeitfresser. Ich finde im Referendariat ist das noch nicht so viel, weil// also, mit zehn Stunden und ohne ähm also, die Quereinsteiger sind da sicherlich nochmal anders belastet, aber so für uns. Wir haben ja maximal zehn Stunden Unterricht und zusätzlich ja auch keine Klassenleitungsfunktion. Dementsprechend fällt daher ein großer Verwaltungsaufwand weg. Weiß ich nich, wenn man privatversichert ist, muss man einfach plötzlich ganz viel machen, was man vorher nicht machen musste, das nervt. Aber sonst ist das mehr (.) also, bei mir jetzt selbstgewähltes Schicksal mit dem deutschen Sprachdiplom, jetzt beispielsweise, also das hat nicht jeder. Und das hält sich bei mir noch (.) auch in Grenzen. [16]

{00:15:16} I: Okay. Ähm, sowas wie »Berufsimage«, oder so? (B3 LACHT) Das lassen wir jetzt auch mal weg und mit der Schulbehörde hast du wahrscheinlich auch noch nicht so viel Hut.

{00:15:24} B3: Nicht mehr, nee, genau. Also, in den Willkommensklassen immer ganz viel, aber jetzt, Gott sei Dank, nicht mehr. Und unsere Schüler sind ja nicht so problematisch, dass man da irgendwelche (.) Schulwechsel oder so beantragen muss, oder irgendwie, weiß ich nicht, Gewaltvorkommen melden. Deswegen// Da haben wir hier Glück. [17]

{00:15:42} I: Ja, genau. Und ähm »Berufliche Autonomie«? Siehst du da irgendwie dich eigentlich ganz gut aufgehoben im Kollegium? [Ja.] Das du da nicht großartig (.) Einzelkämpfer sein musst?

{00:15:54} B3: Genau. Also, das kann ich absolut unterstützen in der 11. Klasse in Deutsch, weißt du ja selber, machen wir äh sozusagen parallel Unterricht, in allen vier 11. Klassen. Und das ist ähm (.) sicherlich auch manchmal so=en bisschen einschränkend, aber auf der anderen Seite ist das natürlich gerade für uns Anfänger total gut. Ähm, einfach auch was zu haben, womit wir arbeiten sollen, denn wenn ich jetzt überlege: Kurzgeschichten, hätte ich die genommen, die ich gut finde, dann äh hätte ich meine Schülerinnen und Schüler wahrscheinlich maßlos überfordert, sondern es ist gut erstmal mit so (.) kleinen// kleineren anzufangen und (???) ich meine, da haben die Kolleginnen und Kollegen dann einfach auch mehr Erfahrung als ich. Und das ist total gut, darauf zurückzugreifen. Ich (.) kann insgesamt über unser Kollegium eigentlich nur Gutes sagen. Ich sehe das im Hauptseminar bei einigen (-) die halt selber sehr engagiert sind, aber ein schwieriges Kollegium haben. Und wie die daran einfach schon zerbrechen, also, wenn man keinen Bock hat zur Schule zu gehen, weil das da nicht läuft, das raubt ja auch so viel Energie und Kraft und ich glaube, dass es hier so gut läuft, führt auch zu besseren Leistungen insgesamt. [18]

{00:16:56} I: Zumal ähm vor allen Dingen mit dieser Einzelkämpferthematik is ja auch, dass du die Materialien selber erstellen musst, dass du da//

{00:17:03} B3: Diese Ellbogenmentalität, die da ja auch ganz häufig mit einhergeht, nee?! [19]

{00:17:07} I: Genau, genau. Aber so hab' ich das hier auch äh so wie du wahrgenommen. Also, sehr äh ja (I LACHT) kollegiales Umfeld, ja, genau, genau. Ähm, dann so »Allgemeine Schul// Schulbedingungen«, ob du da irgendwie, wegen der Schulgröße, irgend=ne Belastung empfindest? Oder [Überhaupt nicht.] wegen der materiellen Ausstattung?

{00:17:26} B3: Ja! Also, die materielle Ausstattung hier ist der Super-GAU. Unten haben wir jetzt endlich mal Beamer und Dokumentenkamera, überall anders gibt's mittlerweile Nah-Distanz-Beamer. Wir haben manchmal Internetausfälle, wir haben kein// keine funk// guten Rechner. Sowohl für die Schülerinnen und Schüler, als auch für uns als Kollegium nicht. Also ich mein', das kann ja nicht sein, dass wir WORD 2003 haben (I LACHT), auf dem man mittlerweile nichts mehr machen kann und auch keine DOCX-Dateien öffnen kann. Oder, also. Ja, die Technik hier (.) also, wirklich (I LACHT) und die Toiletten! Das muss ich auch// Die Toiletten (BEIDE LACHEN), das ist wirklich die Hölle, ja! Also, das wäre schon ganz schön. Zumal ich auch irgendwie, glaub' ich, immer noch Asbest in den Wänden ist und das auch sicherlich für die Gesundheit nicht so gut is. (--) Ja. [20]

{00:18:14} I: Also, da gibt's auf jeden Fall Belastungspoten// potenzial (I LACHT).

{00:18:17} B3: Defini// Definitiv, ja! Auch, dass man hier irgendwie keinen// keinen so=nen Rückzugsort hat, wo man mal irgendwie sich mal kurz irgendwie nett hinsetzen kann, sondern das ist dann nur im Lehrerzimmer, wo dann die Hälfte dann auch arbeitet und man will die dann auch nicht störn. (---) Ja, das is mehr »Bauliche Gestaltung der Schule«, seh' ich gerade, nee?! [Ja, aber nee, passt ja alles, da (--) irgendwie mit rein.] Ja, also, ich meine, wir haben hier Leute, die sich mit Sicherheit ganz groß engagieren, dass die Overhead-Projektoren und Beamer und so, alle heil sind und dass die Kabel da sind und das weiß ich auch zu schätzen, das find' ich auch gut. (-) Aber ich finde schon schade, dass wir, vielleicht auch nur, weil wir nur einen ausgebildeten Informatiklehrer haben, und der auch einfach ähm noch andere Dinge zu tun hat. Das ist halt so schade, dass wir technisch so schlecht ausgestattet sind. Wenn ich mir da andere Schulen angucke, haben wir jetzt (.) haben wir nicht// haben wir irgendwie was falsch gemacht. Und das wäre schon ganz gut, gerade (.) mit// mit unseren Fächern, mit Wirtschaft oder Politik. Wäre das auch gut, mehr machen zu können. Und ich würde das auch tun, also ich sage das jetzt nicht so, weil ich denke: »Och ja, mmh, andere haben das auch.« Sondern eher, weil das wirklich notwendig ist. Für die letzte Reihe in Politik wäre das so gut gewesen, wenn wir einfach so=ne Laptop-Klasse gehabt hätten und ich nicht irgendwie drei Wochen vorher mir alle Laptops aus jedem Fachbereich ausleihen muss und die Hälfte davon erstmal neu aufsetzen, weil die noch überhaupt nich fertig waren. Und das, ja. Is halt, so (--) doof. Und innerhalb des Ko// also, nee, bei den Kollegiumsrechnern, ja das Gleiche. Unser Computer hat jetzt neuerdings Internet und nach 226 Updates funktioniert jetzt gar nichts mehr (I LACHT). Der andere hat halt WORD 2003, mit dem man kein modern äh (.) Dateien mehr öffnen kann. Also, es ist wirklich (--) schrecklich (B3 LACHT). Schrecklich. Und wir haben nicht einen einzigen Farbkopierer. Jede Schule hat irgendwo einen Farbkopierer, wo man auch nicht immer randarf, aber (.) also, dass immer zu Hause ausdrucken, is halt auch einfach (-) [Ja, vor allen Dingen in Farbe, ja klar.] ein riesiger Kostenfaktor. Und es dauert auch einfach. Bei so anderen geht das ja viel schneller. Ja. [21]

((...))

{00:20:26} I: Genau, ähm, »Belastungen in der Klasse«? (--) Gibt's da irgendwelche Punkte, die dich da ganz besonders (.) aufreiben? Irgendwie lärmpegelmäßig? Oder Raumgröße?

{00:20:37} B3: Ich hab' mit beiden Klassen ganz großes Glück gehabt, deswegen// Also, die Heterogenität is manchmal schon so=en bisschen schwierig, gerade in der// dieser (GLAS KNALLT AUF DEN TISCH) quasi 9. Klasse, in der BQL. (--) Weil, das ja eigentlich alles ehemalige Willkommensschüler sind, außer einer. Und der sitzt da natürlich dann total deprimiert, dann bereit' ich den auf den MSA vor und dann kommt von ihm: »Ja, den MSA hab' ich ja aber bestanden. So, ich ja, aber trotzdem am Ende keinen Schulabschluss geschafft.« (I LACHT) Also, irgendwas läuft da ja trotzdem falsch. Und die anderen (.) also, ich hab' das Gefühl, wir// da haben wir viel zu wenig Deutschunterricht mit (???) also, zwei Blöcke, vier Stunden in der Woche. Die vergessen so viel Deutsch wieder, dass du plötzlich dann auch Sachen machen musst, die//

die du eigentlich in=ner Willkommensklasse hast. Und du hast ja// eigentlich hab' ich ja nen Plan: Ich will die aufs Deutsche Sprachdiplom vorbereiten und nen Schulabschluss will ich denen irgendwie ermöglichen. Aber (.) so wie das momentan aussieht ähm wird das ganz schwierig sein. Und das im (-) joa, is problematisch, also, im Hinblick darauf, dass die dann einfach schwieriger es in der Zukunft haben werden. Aber die sind trotzdem nett und ähm sie sind trotzdem in meinem Unterricht willig, was zu lernen. Also, das is halt. Joa, »Klassengröße«?! Wir waren am Anfang in der 11ten ziemlich viele, irgendwie mal 32. Das hat sich jetzt (BEIDE LACHEN) auf 22 und noch weniger reduziert. [22]

{00:21:52} I: Ja, tatsächlich, ich glaub' nur noch 19, dadurch, dass drei nochmal weggefallen sind. Also, das mmh ist irgendwann halbiert (I LACHT).

{00:21:57} B3: Ist ne nette Größe. Wer weiß, was noch kommt?! Genau. Und die Raumgröße?! Ja, manchmal äh hat man leider die Arschkarte und kriegt den kleinen Raum, der halt schlecht ausgestattet ist, aber (-) ja, Herr Gott, geht. Kann ich mich nicht beschweren. [23]

{00:22:15} I: Ja, dann hab' ich hier noch zur Schulleitung so=en// so=en bisschen// ein paar Punkte gefunden, also, das is jetzt aus der Literatur, sozusagen, was theoretisch belastend// [Die Inkompetenz der Schulleitung, ja?!] Ja, also, ich hab' auch gehört, dass (.) die teilweise auch sowas von (---) ganz fernab is und das man sie gar nicht zu// zu Gesicht bekommt, teilweise auch?

{00:22:33} B3: Ja, das geht bei unseren hier ganz gut. Gott sei Dank. Das Ding ist auch hier wieder, ich kenn' die halt schon zwei Jahre und bei den Willkommensklassen halt direkt an die Schulleitung angegliedert warn, als so// würd' ich behaupten, hab' ich ein ganz gutes Verhältnis zu denen. Ähm, (--) trotzdem ist es natürlich manchmal, also, Führungsstil kriegt man nicht so im Kollegium mit, dass so über einige halt gelästert wird und so. Größtenteils teile ich das eigentlich nicht. So sicherlich ist manchmal irgendwie mal eine Sache, wo ich mir auch mal denke: »Weihnachtsfeier ist da das Stichwort, nee?« Das plötzlich keine Weihnachtsfeier mehr gemacht wird, sondern ein Kollege das organisieren muss (I LACHT), eine, was war das, Dienstbesprechung geschenkt bekommen. Also, das find' ich schon ein wenig fragwürdig, aber (.) weil so=en Teamzusammenhalt so wichtig ist. Und gerade jetzt, wo so viele ältere Kollegen ja auch in Rente

gehen und die neueren sollten dann ja eingebunden werden, um sie, sozusagen, einmal zu=nem Team zu formen und auch irgendwie so an die
Schule zu binden. Ich meine, wir haben so wenig Mathe- und Deutsch-
lehrer, es wäre auch einfach sinnvoll, da ein starkes Team draus zu machen. Aber (-) ja. (---) Probleme hab' ich mit denen nicht (I LACHT).
[24]

{00:23:40} I: Nur indirekt (BEIDE LACHEN).

{00:23:42} B3: Ja, die Weihnachtsfeier wär' schon nett gewesen (BEIDE
LACHEN).

{00:23:45} I: Ja, und ähm mit Belastungen im Kollegium kann man ja fast
[Ja.] wegstreichen [Genau.], da hast du ja gesagt, dass da eigentlich alles
töfte is. Genau. Ähm, genau. Auf »Individueller Ebene«, »Arbeitszeit,
-struktur«, da hattst du ja auch angesprochen, dass, dadurch, dass du einmal im ersten, dann im vierten Block Unterricht hast, das auch ein bisschen (.) na ja, blöd gelaufen is (B3 LACHT), sozusagen, und ähm der
ganze Tag auf jeden Fall da draufgeht für.

{00:24:15} B3: Ja, also in den Hochphasen, ich meine jetzt, kurz vor
Weihnachten geht es dann ja wieder, so jetzt, wo auch die// die Noten irgendwie auch feststehen für die 11te, ist das schonmal ganz entspannt.
Ähm, (-) und ich wirklich, also, in den ersten drei Tagen hab' ich auch nur
zwei// zwei Stunden Unterricht, weil ich montags ein Fachseminar hab'
und Mittwoch und das heißt, eigentlich ballen sich die restlichen (.) sechs
Stunden dann auf die letzten beiden Tage. (--) Genau, deswegen ist das
da, ja, gerade entspannt, aber in=er Hochphase (.) ja, es dauert ewig.
Aber, das seh' ich ja jetzt bei den gestandenen Kolleginnen auch, dass die
halt auch irgendwie alle an ihre Grenzen kommen. Wer 160 Klausuren zu
korrigieren hat, der hat auch einfach keine Lust mehr irgendwann, das versteh' ich auch. Joa. [25]

{00:24:58} I: Ja, bei// beim Unterrichtsfach, da hattste ja auch so=en
bisschen angesprochen, du bist froh, dass du Politik überhaupt unterrichten (I LACHT) darfst.

{00:25:05} B3: Ja, das stimmt. Ich bin froh, dass ich das unterrichten
darf. Nachher wird es auf jeden Fall auch anders sein, dass ich Geschichte

unterrichten muss. Was ich auch nicht so schlimm finde, aber ich finde es halt, da wirst du drin geprüft und da kriegst du ne Note für was, dass du ja nie studiert hast, sondern, was du dir dann, also, nicht laienmäßig, is (???) ist ja miteinander verknüpft, aber schon irgendwie nicht sonderlich fachmännisch auf jeden Fall aneignest. Und// Und das ja auch noch unter Zeitdruck und da is es schon besser, wenn ich jetzt ne EU-Reihe plane, wo ich auch einfach mal ne Vorlesung zu hatte. So, es gibt einfach, nee, das (-) Reaktivierung von Vorwissen (I LACHT). [Ja, nee, kann ich auch gar nicht nachvollziehen.] Ja, Belastungen unterscheiden sich je nach Unterrichtsfach, ich ähm merke, das auf jeden Fall, dass es dumm war, Deutsch und Politik zu studieren (BEIDEN LACHEN). Es hätte auf jeden Fall auch irgendwas Naturwissenschaftliches oder so, dabei sein müssen. Oder Sport. Weniger kontrollieren. Ja, das seh' ich schon. [26]

{00:26:55} I: Vor allen Dingen in// in Bezug auf Deutsch oder in// in beiden, tatsächlich?

{00:26:58} B3: In beiden, also, ich (.) hospitiere sozusagen bei meinem Mentor noch bei der Betreuung von der fünften PK mit. Das is halt auch nochmal Aufwand, der, also, der jetzt für mich nur so// so als Beobachterin, aber so im// im// für später (--) ja, wird das spannend. Also, das heißt, du// du musst dann immer erst die fünften PKs machen und danach gehen dann die Klausurenphasen los, das heißt, dann hast du Politik gerade fertig, dann kommt Deutsch dran, so mit massig Extraaufgaben. Joa, das is äh viel. (---) Möcht' ich// Vor allem, wenn ich überlege, wie viel die auch manchmal einfach schreiben, schon bei 110-Minuten-Klausuren. Wie das dann erst bei so vierstündigen Klausuren wird, da boah Gott! Das wird spannend. [27]

{00:26:42} I: Ähm, »Objektive Arbeitsbedingungen« können wir, glaub' ich, auch rauslassen (B3 LACHT). Ähm, ja »Interaktion mit Schülerinnen« hattst du ja auch schon eigentlich angesprochen gehabt, dass das soweit in Ordnung ist, dass du da, [Ja.] genau, ganz// ganz nette hast. Ähm. »Soziale Unterstützung« hatten wir auch thematisiert, dass die auch sehr gut ist. [Joa.] Dass du dich auch sehr gut aufgehoben fühlst im Kollegium. Und dann »Interaktion mit Schülereltern« hat ich noch// is ja auch ein bisschen zurückgestellt. Hattest du überhaupt Kontakt auch zu Eltern mal gehabt?

{00:27:12} B3: Also, ähm, ja. In den Willkommensklassen schon, vor allem zu den Betreuern halt, nee?! Von den unbegleiteten Minderjährigen, aber (--) jetzt gar nicht mehr. Also, im// im Ref quasi nich (--) Außer das, was so halt irgendwie, weiß ich nicht, ich hatte letztens zwei E-Mails von einer, die halt in dieser BQL-Klasse drin ist, da die Betreuerin, die wollte sich irgendwie wegen Nachhilfe nochmal zusammensetzen und so, weil sie mitgekriegt hat, dass es in Deutsch halt noch nicht so die Glanz-leistung is. Genau, aber das absolut überschaubar. [28]

{00:27:44} I: Ja, und was ich noch ganz interessant finde überhaupt äh »Private Situation«, wie sich das vereinbaren lässt? Dein Referendariat mit Privat, ob das überhaupt möglich is? (BEIDE LACHEN) Oder ganz großer Humbug? (I LACHT)

{00:27:55} B3: Also, sagen wir mal so, ich bin froh, dass ich keine Mutter bin, weil ich nicht wüsste, wie ich sozusagen Kind und äh diesem Referen-dariat gerecht werden sollte. Ähm, Partnerschaft? Also, wie ich vorhin schon erzählt hab', ich hatte halt großes Glück, ich krieg' da viel Unter-stützung. Und plötzlich ma// muss mein Mann auch viel mehr im Haus-halt machen (BEIDE LACHEN), als vorher. Genau. Das ist auf jeden Fall (.) joa, ne Entlastung, wenn er das macht, is aber auch, na ja, eigent-lich sollte es schon selbstverständlich sein, aber nee, is es ja nicht zwangs-läufig. [29]

{00:28:25} I: Genau, also, nicht jeder hat da die Möglichkeit einfach//

{00:28:28} B3: Davon mal ganz abgesehen. Na ja, die private Situation speist sich auch so=en bisschen aus der Problematik des Finanziellen, also, mit irgendwie 1.100 äh Euro oder 1.200, was es ja mittlerweile sind, is es ja auch wahnsinnig schwierig. Man kann eigentlich nicht in Urlaub fliegen, was natür// oder fahren, ähm, was// was eigentlich ganz schön wäre, weil man ja einfach auch viel Stress hat. Mmh, also das heißt, da gibt es sozu-sagen keine Belohnungssituation. Und Mieten in Berlin sind ja mittlerweile auch ein// ein riesiges Thema. Und ich finde das schon krass, dass man also (.) nee, ich habe sozusagen jemanden zu Hause, der auch Vollzeit ar-beitet, der das also irgendwie mit übernehmen kann, aber wenn ich mir überlege, gerade frisch in die Stadt zu ziehen mit dem Geld und dann muss man dann für ein WG-Zimmer schon mittlerweile 500, 600 Euro ausge-geben, dann muss man die Krankenkasse noch bezahlen. Dann muss man ja auch irgendwie in Vorauskasse für diese ganzen Krankengeschichten gehen. Dann kauft man sich ja doch ständig neue Bücher, weil man irgendwie jetzt ja erst anfängt, sozusagen, zu hamstern. (-) Und dass nicht alles über das Medienforum oder irgendwie so ausgleichen kann oder über Weihnachtsgeschenke (I LACHT) und genau, [Dafür müsste Weihnachten ein bisschen öfter sein.] (BEIDE LACHEN) Das wär' schön, ja. Genau, und deswegen, ist das schon alles relativ schwierig. Und da hilft es auch nicht zu sagen: »Lehrjahre sind Herrenjahre«, denn ganz ehrlich, das Studium is ja jetzt auch nicht groß bezahlt und da schafft man es irgendwie, weil es so dazugehört. Aber jetzt wo man überhaupt keine Zeit mehr, ähm, ist das schon auf jeden Fall ne unfaire Geschichte, zumal mein Arbeitsaufwand auch auf jeden Fall 40 Stunden in der Woche sind. Also, (-) ja. Wahrscheinlich mach' ich was falsch (I LACHT). [30]

{00:30:01} I: Würdst du da auf jeden Fall sagen, dass die äh Vergütung da ange// angehoben werden sollte?

{00:30:07} B3: Ja, also, auch einfach im Hinblick auf// also, weiß ich nich, Eltern, wie die das schaffen, dass, wenn// wenn also, da muss einer sozusagen wirklich zeit- und handlungskräftig sein, um das hinzukriegen. Wohnungen, Leute, die jetzt gerade erst hierherziehen, das is alles, joa, kein Spaß. [31]

{00:30:20} I: Und dann willst du ja auch nicht im Randbezirk wohnen [Genau, wenn deine Station in Mitte is.] und dann hast du deinen Fachbereich und Hauptseminar. Biste dann ja// Fährste dann wieder zwei Stunden. [Genau. Absolut.] Ähm, und dann kommt ja noch zu der knappen Zeit, die besteht.

{00:30:36} B3: Ja, aber sonst belastet das Beziehungen auf jeden Fall, weil man einfach ständig so unter Dauerstress is, nee?! Du sagst: »So, jetzt muss ich den Unterrichtsbesuch machen, jetzt muss ich die Klausur machen, ah ich muss noch das und das vorbereiten.« Und (.) also, das ist schon (.) viel. Und da// Also, is man seelisch ja auch so (--) ziemlich hart am Limit und wenn dann auch noch einer kommt und sagt: »Aber ich wollt' doch auch mal Zeit mit dir verbringen.« Dann ist man, oh mein Gott, nee (BEIDE LACHEN). [32]

{00:31:00} I: »Du bist zwar mein Mann, aber// (BEIDE LACHEN)

{00:31:02} B3: ... aber nicht heute!« Genau. Ja.

{00:31:05} I: Ja, super. Vielen Dank. Das waren so allgemeine Sache vom// vom Lehrer. Ich hab' jetzt nochmal (ARBEITSBLÄTTER KNIS-TERN) was speziell jetzt noch für die// für die jungen Lehrer, da haste ja schon Themen angesprochen, mit »Vergütung« und ähm (-) »Großer Leistungsdruck«. [»Unterrichtsproben«, jaja.] Genau. Vielleicht nochmal ähm (-) ach, die hattst ja auch thematisiert, dass die ja auch (.) sehr, sehr stressig sein (.) können.

{00:31:30} B3: Die Unterrichtsentwürfe?! Äh, jaja, auf jeden Fall. Ja. Na ja, also, in Politik seh' ich das halt besonders, dass da so (-) (???) du nimmst, sozusagen, ne Reihe und machst da ganz soliden Unterricht und dann denkst du dir: »Ah, da könntest du was Besonderes draus machen.« Und dann denkst du dir da ein Feuerwerk der guten Laune aus und ver-suchst denn da irgendwie alles sinnvoll miteinander zu verknüpfen, aber dann trotzdem, dass das total cool aussieht. Und dann hast du da manch-mal einen Arbeitsaufwand ohne Gleichen, schon Wochen vorher. Das ist äh schwierig. Zusätzlich dazu, dass du ja sowieso die zehn Stunden regulär dann irgendwie Unterricht planen musst. Also, es kommt ja immer oben drauf. Joa, das ist viel. Könnte man wahrscheinlich auch mit weniger Auf-wand machen, aber ich hab' schon das Gefühl, dass nee, großer Leis-tungsdruck, ähm, dass man da (.) also, um ne gute Note zu kriegen und ne Zwei sollte meines Erachtens nach drin sein, wenn man sich Mühe gibt, äh, genau, das, wenn du ne Zwei oder ne Eins haben willst, dann musst du dir ja auch Mühe geben, dann kannst du nicht sagen: »Ich mach' doch so-liden Unterricht.« Weil dann jeder sagt: »So, ja, aber ...« [Da gehört ein bisschen mehr dazu.] Ja. Zumal auch solider Unterricht auch für jeden Fachseminar// oder für viele Fachseminarleiter unterschiedliche Dinge be-deutet. Die Transparenz (.) die sollte vielleicht noch erwähnt werden, die fehlt ganz, ganz stark! Du weißt bei den Modulprüfungen nich so richtig, was du machen sollst. Und wie das auch bewertet wird. Du weißt bei den Unterrichtsproben, jeder bewertet das anders, jeder wertet die Gespräche anders aus. Diese Beurteilungsbögen, die du pro Halbjahr bekommst, die hab' ich mir jetzt mal angeschaut. Das, was die darauf vermerken, also, ob das jetzt irgendwie also, es hilft dir sicherlich bei deiner Entwicklung, aber was es am Ende wieder bedeutet in Noten und am Ende geht's ja genau darum, ist dann ähm (.) auch so=en bisschen daneben. (--) Joa. Punkt (BEIDE LACHEN). [33]

{00:33:19} I: Was hab' ich sonst noch so? Vielleicht ähm (-) hab' ich mir hier noch aufgeschrieben, tatsächlich, ob du irgendwie schon Folgen von der Belastung spürst? Irgendwie gesundheitlicher Art, so=en// so=en bisschen?

{00:33:32} B3: Ich schlaf' auf jeden Fall schlecht (.) oder wenig. Genau. Also, so (???) zwischendurch waren's immer nur so zwischen vier bis fünf Stunden maximal, weil dann// danach dann das Hirn sich meldete und sagte: »So, du musst noch das und das und das machen.« Ja, das ist jetzt gerade (.) aufgrund, nee, jetzt kommt Weihnachten und so. Genau, da ist es dann wieder ein bisschen besser geworden. Aber sonst nervt das schon ganz schön, ja. Und du beschäftigst dich ja auch jeden Tag damit. Also, mir sagen ganz viele, man solle irgendwie einen Tag sich auf jeden Fall, am Wochenende oder so, Zeit nehmen. Das schaff' ich aber gar nicht, also, ich sitz' meistens doch bis Zehn, oder so, irgendwie dran. Mach' natürlich zwischendrin auch mal Pause, aber äh am Wochenende sitz' ich auch eigentlich jeden Tag und bereite Unterricht vor oder jetzt in den Ferien bereite ich den nächsten Unterrichtsbesuch vor. Und plane die nächste Reihe in Politik, also, da ist schon so=en bisschen (---) Muss man nicht zu den Eltern Weihnachten fahren (BEIDE LACHEN). Hat auch Vorteile. [34]

{00:34:28} I: Oh ha, oh ha! Äh, dann würd' mich jetzt noch interessieren, ob's überhaupt die Möglichkeit gibt, wenn man so wenig Zeit hat, ob man da überhaupt gegensteuern kann, wenn du jetzt//

{00:34:39} B3: Ja, na, einige schaffen das ja auch ganz gut. Also, vielleicht liegt's daran: Vielleicht planen die besser? Vielleicht haben die auch nicht den Anspruch, das Feuerwerk der guten Laune jeden Unterrichtsbesuch irgendwie vorzuzeigen? Weiß ich nicht, das kann ich nicht sagen, aber einige schaffen es schon, sich auch schon irgendwie frei zu nehmen. Beziehungsweise die, die das schaffen, die sind dann (???) ja, einige wissen noch nicht richtig, wie das Ref funktioniert. Letztens sagte die eine, wir hatten zeitgleich nen Unterrichtsbesuch, und sie sagte: »Nee, ich hab' noch gar nicht angefangen.« So einen Tag vorher. »Wie?! Ich hab' gerade angefangen aufzubauen und du hast noch nicht mal angefangen?!« (I LACHT) »Ja, ich muss einen ganzen Entwurf schreiben.« Und ich sagte: »Mmh, interessant, dann wirst du ja heute Nacht nicht schlafen können.« »Doch, doch! Schlaf ist doch wichtig.« Ja, das stimmt (BEIDE LACHEN). Ja, aber so=ne Kombination aus beidem funktioniert dann ja auch nicht. Ja, gut, das ist ja jetzt auch ein Negativbeispiel wahrscheinlich. Andere schaffen das schon. Ähm, aber ich hab' auch viele (.) von denen, mit denen ich mich gut versteh', die halt sagen, dass sie entweder schlecht schlafen oder aber total überfordert sind. (--) Ähm, die eine geht jetzt auch zum Psychologen, solche Sachen, also, ja, das ist schon// ich glaube schon, dass das ein weitverbreitetes Problem ist, dieser ganze Druck und diese Intransparenz und ja, doch. Wird nicht besser. [35]

{00:35:50} I: Also, hast du da nicht konkret irgendwelche Mittel, um da dagegenzusteuern? Einfach Augen zu und durch?!

{00:35:57} B3: Genau. Also, ich hab' mir vorher vorgenommen: Das werden jetzt anstrengende 1 $\frac{1}{2}$ Jahre und danach (-) geh' ich erstmal fei// fahr' ich erstmal in Urlaub (BEIDE LACHEN) und geh' einkaufen. [Mit dem ersten Monatsgehalt.] Mit dem ersten Monatsgehalt wird erstmal geschoppt, ja. Genau. Ja. Ja. Anders geht's nicht. Also, ich wüsste auch nicht, was man jetzt machen kann, wenn// ich meine, auch wenn du irgendwie, weiß ich nicht, schwimmen gehst oder irgendwie in die Sauna gehst, oder so. Du kannst ja trotzdem mit dem Kopf da sein, ob dich das jetzt wirklich so beruhigt, dann denk' ich mir lieber: »Ich setz' mich jetzt hin und mach' das weg.« Und dann fühl' ich mich// also, ich fühle mich gut, wenn ich irgendwie es schaffe, quasi (-) zwei Tage vorher mit dem Unterrichtsentwurf fertig zu sein und den durchkorrigiert zu haben. Und dann denk' ich mir: »Cool!« Das ist dann geschafft. Also, das (.) ja, aber (.) wer weiß, ob ich das noch weiterhin so durchziehen kann, jetzt im zweiten und dritten Semester? Vor allem dann, ja. [36]

{00:36:48} I: Aber, ist das dann so: Machste dann nen Haken hinter den einen Unterrichtsbesuch und dann kommt aber schon//

{00:36:53} B3: Ich hab' meine// meine Planung für das erste Semester quasi aufgeschrieben und ich hab' jetzt über die Hälfte der Sachen schon quasi abgehakt, das ist ganz gut. Drei von zehn sind schon durch (B3 LACHT).

((...))

f) Interview Sam

Interview-Nr.:	4
Aufnahme vom:	15. Januar 2018
Gesprächsdauer:	01:23:39
Transkriptionslänge:	00:01:58 bis 01:17:45
Interviewpartner:	Sam (B4)

((...))

{00:01:58} I: Genau, was ich ganz gerne von dir hören möchte, sind so deine ganz subjektive ähm Wahrnehmungen, die du hier im Referendariat so (.) empfindest. Also, wie du so den Alltag wahrnimmst. Wo du Belastungen siehst und vielleicht auch, wie so=en Alltag von dir aussieht, also, ein ganz gewöhnlicher (BEIDE LACHEN) Wahnsinnstag. Genau, (--) ganz querbeet. [Was tatsächlich, ja?!] Wie du magst, wo du anfangen magst, was dir als Erstes in den Sinn kommt.

{00:02:29} B4: Ah, das ist echt schwer, weil man selber immer so=ne Struktur haben möchte und//

{00:02:32} I: Achso, wenn du ne Struktur haben möchtest, kann ich dir auch gerne ein ähm//

{00:02:36} B4: Also, ich kann ja anfangen, aber dann// ich glaube, ja, weiß ich nicht, ob's dann für dich äh schwerer oder leichter ist nachzufragen.

{00:02:43} I: Genau, ich wollte erstmal spontan und dann wollt' ich sowieso dir noch eine kleine Struktur geben, genau.

{00:02:49} B4: Ja, ähhh Lehrer, Referendar (-) Belastung find' ich ein interessantes Thema. Ähhmm, bin ich äh tatsächlich zwiegespalten. Ich bin hier an die Sache rangegangen und dachte, es wird der absolute Horror, weil es tatsächlich auch so// so suggeriert wird vorher, dass es extrem schlimm ist. Ähm, ja, jetzt muss ich auch sagen, ich hab' Glück hier an der Schule. Ich fühl' mich hier sehr wohl. Ich wurde super gut empfangen, das is ja schon// das zählt manchmal mehr, als (--) na ja, was auch immer. Auf jeden Fall äh hatten wir hier, glaube ich, einen Tag oder zwei Tage, wo

Leute nur für uns abgestellt waren, die uns Referendare begrüßt haben, willkommen geheißt haben. Wir äh es wurden alle wichtigen Fragen gleich am Anfang geklärt: Wo gibt's Schlüssel? Et cetera. Man muss nie betteln, das hat super funktioniert. [1] Ja, dann hat man eben seine Lehrer so zugeteilt bekommen. Das war tatsächlich so=en bisschen zwischen Tür und Angel: »Sag' mal, hast du nicht Bock, dieses Jahr nen Referendar zu übernehmen? Äh, na ja.« War so schwierig, wenn man danebensteht. Ähm, ja, aber letztendlich haben sich dann zwei dazu bereiterklärt, die's wahrscheinlich öfters mal machen und ähm, ja, die haben dann das auch übernommen. [2] Ach ja, ähhmm. Es ist anstrengend ja, (.) aber ähm (-) man kann sich seine Freizeit auch noch nehmen, wenn man sie brauch, sagen wir's mal so. (---) Man kann's auch// man kann sie sich auch nicht nehmen, das ist so ganz schwierig zu beschreiben. Es ist extrem anstrengend. Man muss viel tun und viel vorbereiten, aber ähm, wenn man sagt, »Ich kann nicht mehr, ich brauch mal nen Tag frei«, kann man sich den irgendwie auch freischaufeln, indem man strukturierter vorher arbeitet und nicht so viel (.) Leerlauf oder Denkarbeit, sondern bleibt dann einfach bei einer Sache. [3] Ich bin so perfektionistisch und mach' manche Dinge sehr oberkorrekt, das muss nicht immer sein. Ähm, ja tatsächlich ist das Referendariat eine Arbeit von (--) ähm Lehrprobe zu Lehrprobe, das hätt' ich nicht gedacht vorher. [4] Der normale Unterricht läuft echt super. [5] Manchmal ist es schon so, dass wenn jemand mal spontan krank wird, ist das Schlimmste. Wenn ich früh komme und der ist krank und dann »Spring mal ein!«, das ist ungünstig, weil man den Schülern gegenüber trotzdem (--) kompetent erscheinen möchte, kann's aber gar nicht immer, weil man das Thema in dem Moment gar nicht vorbereitet hat. Das ist ein bisschen schwierig, das ist die schlimmste Situation so, die dir passieren kann, die auch ein bisschen Stress auslöst und auch teilweise bei der Hinfahrt denkt: »Oh Gott, Hauptsache ist jemand nicht krank, so!« [6] Ähhmm, ansonsten ähhmm bereitet man tatsächlich für die Lehrproben so (.) durchdacht und da brauch man schon so zwei Wochen oder was weiß ich und ahhh und schon viel Zeit, die dafür flöhten geht, wo man manchmal denkt: »Ist das wirklich (-) nicht sehr realitätsnah, so=ne Stunde solange vorzubereiten.« Und dann klappt das am Ende nicht mal so, wie man denkt und ist dann auch unzufrieden. [7] Also, es ist so=en bisschen schwierig, so der normale Unterricht fällt mir leicht. Ich bin// Ich hab' mich hier super wohlgefühlt. Ich (.) ähm ich komm' mit dem Stoff soweit ganz gut zurecht und da hatt' ich ehrlich gesagt auch Schiss vor, dass ich dachte auch vorher: »Ach man, kann ich das alles überhaupt noch so!«

Aber (.) wenn man's gut vorbereitet, kriegt man's gut hin. [8]

{00:06:21} I: Ähm, darf ich ganz kurz nochmal fragen, dein// deine Fächer?

{00:06:24} B4: Ah ja, Wirtschaft und Rechnungswesen.

{00:06:27} I: Ah ja, okay. Die Kombination.

{00:06:29} B4: In Wirtschaft bin ich eingesetzt im Bankbereich. Ähm, ähm in Rechnungswesen im Immobilienbereich. Das ist ein bisschen schwieriger, weil es gibt spezielle Immobilienbuchführung, die hatt' ich halt noch nicht. Da (.) bin ich auch noch nicht (B4 LACHT). Ich bin im Moment noch bei// kurz vor Abschreibungen, so. Bis dahin konnt' ich alles und kann's auch gut anwenden. Und dann etwas Neues jemandem beizubringen, was ich selber nicht kann, ist schon nochmal ne Herausforderung. Also, da muss ich auch viel (-) ähm vorbereiten auch, nee?! Da wird dann vielleicht die Vorbereitungszeit auch noch viel enormer. [9] Dann ist es auch so, dass Wirtschaft auch enorm viel Vorbereitungszeit kostet, was ich nicht sofort gedacht hätte. Ich dachte: »Wirtschaft, oh da kann ich Methoden über Methoden und (.) so viel Krempel machen und (-)!« Ja, aber das ist auch so schnell verpufft. Dann macht man was und die sind sehr leistungsstark, die sind sehr schnell, die Schüler hier und dann muss man, wenn man drei Stunden die Woche in der gleichen Klasse hat, dann muss man schon was aufwarten, dass man die ähm am Ball// [Bei der Stange hält, sozusagen.] Das ist wirklich schwer. Das hätt' ich vorher nicht so gedacht und dachte: »Mensch, Wirtschaft fällt mir viel leichter als Rechnungswesen.« Aber es ist tatsächlich genau andersrum: Rechnungswesen ist strukturiert, da gibt's so eine große Aufgabe, die (B4 LACHT) (???) sind 90 Minuten beschäftigt und freuen sich und ja, da brauch man nur nen coolen Einstieg und so, wo man die so=en bisschen motiviert. Aber Wirtschaft jaaa (-) so Gesetzesarbeit ist dann auch nicht das, was die so super lieber und (.) ja, also (.) hab' ich mir das anders// besser vorgestellt, sagen wir es mal so. [10]

{00:08:05} I: Darf ich noch fragen, hast du denn auch ne Bankausbildung vorher gemacht gehabt? [Ja.] Das hilft dir wahrscheinlich doch auch sehr, dass du da in dem Bankensektor auch unterrichtest?

{00:08:13} B4: Also, ähm, hab' ich auch gedacht, dass es mir hilft. Es hilft in dem Sinne// erstens, kann man ein paar Anekdoten bringen, das ist immer ganz nett, wenn man selber auch aus der Bank kommt. Ähm, dann ist es natürlich so, ich wurde vorher gefragt, will ich Bankbetriebslehre oder Wirtschaftslehre unterrichten. Hab' ich mich für Wirtschaftslehre entschieden und da (.) is es ja sehr allgemein, also, da is es tatsächlich gar nicht auf Bank bezogen und dann bringt mir das in dem Sinne, keine Vorteile, dass ich die Bankausbildung gemacht hab'. Den einzigen Vorteil, den ich habe, muss ich tatsächlich sagen, wenn ich// ich hab' die Unterlagen aufgehoben von früher schön artig sortiert im Hefter, mit Blick »Ich weiß, ich werd' mal Lehrer!« Das hilft, weil ich hab' ne Lehrerin hier zugeteilt bekommen, die is gerademal (.) ein, zwei Jahre dabei, die hat selber noch gar keine richtige Struktur, sie weiß selber noch gar nicht so richtig, wann was in welcher Tiefe unterrichtet wird. Das fällt mir tatsächlich leicht, in den Unterlagen jetzt zu gucken, von vor sieben Jahren, eigentlich ganz schlimm, wenn (B4 LACHT) man sich das überlegt. Ja, aber es bleibt thematisch das Gleiche und es ist schon interessant, nach welchem vor// also, es ist auch alles das Gleiche geblieben (???) witzigerweise, wenn man so den ähhmm Lehrplan anguckt (.) ähm ja und ähm das hilft schon, dass man da nochmal Sachen, egal, welche Ausbildung man, glaub' ich, gemacht hat, dass man die nochmal rausholen kann und sagen kann: »Mensch, wie haben die das damals gemacht?« Und jetzt in ne schöne Methode verpacken, oder so (B4 LACHT). [11]

{00:09:44} I: Ja, das hilft denk' ich schon, wenn man wenigsten schon mal was vor sich hat und nich vollkommen da in der Leere am Suchen ist, oder?

{00:09:52} B4: Also, was noch schön ist hier vielleicht zu der Belastung ähm (.) hier werd// wird man tatsächlich doppelt gesteckt, an dieser Schule, also, es ist nicht so, dass ich alleingelassen werde. Ich hab' zwar einen (.) Kurs, den ich vollkommen alleine unterrichte, ist mir aber auch recht. Dadurch hab' ich natürlich ne andere Stellung auch den Schülern gegenüber, das merk' ich, als in den Klassen, wo man jemanden mit bei ist, das ist auch nett, aber ich müsste das auch nicht (BEIDE LACHEN) für alle durchgehend haben, das ist auch okay, weil, wenn ich mal was abgeben kann und wenn du nette anleitende Lehrer hast, sagen die: »Mensch, du hast morgen Lehrprobe, dann mach' ich heut' den Unterricht.« Ja, das ist wirklich toll. [12] Ähm, der einzige Nachteil ist ebent, oder was heißt Nachteil? Es ist kein Nachteil, aber (--) die Anleitung, da ist natürlich nicht der Unterricht, den wir äh zeigen sollen. Nee, also es bringt die Hospitation// die Hospitationen bringen (--) wenig. Das ist eher Zeitentlastung, die mir dadurch// ich dadurch kriege. Es ist// manche Methoden oder manche Ideen finde ich schon nett, würd' ich auch dann anders wieder machen, also sind nett, aber (.) oft ist es immer noch Frontalunterricht einfach. Und wir sollen// was heißt sollen (-) ist ja auch schöner für die Schüler, wenn die viel mehr selber machen. Und ich bin auch nicht der Mensch für Frontalunterricht, ich kann das mal so, aber nicht 90 Minuten. War noch nie mein Ding. Und ich bin auch froh, dass (BEIDE LACHEN) das kooperativ gut funktioniert. Ja. Also, ich kann vielleicht, aber äh weiß ich nicht, die da auch bei Laune zu halten, das ist auch ne Kunst. Ja, und das funktioniert hier schon gut. Also, ich kenn' viele Referendare, die voll ebent ihre, was weiß ich, ihre fünf Blöcke, die wir eben nur haben, ähm unterrichten. Die kommen auch klar, haben aber mehr zu tun, ja?! Also, die, ja. Dafür wende ich vielleicht mehr Zeit auf, für meinen einen Block, weil ich das vielleicht wieder genauer mache, als die das dann vielleicht im Alltagsunterricht (.) ja, mmh. Also, ich bin nicht so gestresst, wie ich gedacht hätte. Ja, aber manchmal kommen schon so Phasen, wo man denkt: »Oh nein, schon wieder Lehrprobe oder Modulprüfung, da muss man gucken, wie krieg' ich das alles unter einen Hut.« Dann muss man zeitlich schon sehr weit im Voraus überlegen: Wann mach' ich das? [13] Dann müssen die Fachseminarleiter ja auch zu deinem Unterricht kommen und Zeit haben. So, dann haben die da keine Zeit und schon (???) (B4 LACHT) um ne Woche und so. Ja. Also, es geht (B4 LACHT). [14]

{00:12:25} I: Siehst du, da auch so=ne Schwierigkeit wirklich dann der Termin// Termin finden?

{00:12:30} B4: Also, es// Also, an sowas, denkt man so gar nicht vorher. Die versuchen das auch immer zu ermöglichen, das ist es nicht, aber (.) ähm (--) ja, wenn sie nicht können, können sie nicht, das ist klar. Also, man muss sich schon irgendwie auch anpassen und manchmal funktioniert's gut, ich mein, ich hab' den Vorteil: Meine beiden Fachseminarleiter sind beide an meiner Schule. Die können zwischen Block 1 und Block 2 oder also, zwischen erstem und drittem ohne Fahrtweg mich besser besuchen, als andere. [15] Hat auch Nachteile, man hat die um sich rum, nee?! Das hat Vor- und Nachteile. Man muss äh (--) weiß nicht, fühlt sich dann vielleicht ein bisschen eingeengt, nicht unbedingt, aber so war mein erster Gedanke: »Mensch, wenn beide an meiner Schule sind, das ist vielleicht auch komisch?!« [16] Im Moment seh' ich noch die Vorteile, sagen wir es mal so (BEIDE LACHEN). Andererseits, obwohl ein Nachteil fällt mir jetzt schon ein und zwar in Wirtschaft, ist das schon so, w// wenn die Fachseminarleiter die gleichen Klassen unterrichten, wie ich selber auch, das ist echt schwer, nee?! Da kann man auch nicht verkaufen, von wegen, was weiß ich, »Die sind leistungsschwächer!«, oder äh, die// die// und sie weiß auch, wie sie es dann auch unterrichten würde und wenn ich's dann anders mache, mein erster Unterrichtsbesuche war dann auch nicht sooo toll, weil sie dann ne andere Form hat, wie sie's machen würde, das ist ein bisschen schwierig, nee?! [17] Man muss sich tatsächlich, und das hätt' ich nicht gedacht, seinen Fachseminarleitern anpassen. Was die wollen, muss man zeigen. Und das ist dann auch nochmal so (.) das fördert vielleicht doch mehr den Stress. Man setzt sich schon unter Druck, man möchte es so toll machen zu den Vorführstunden. Und wenn man das (-) es gibt auch Leute, die machen das nicht. Ich hab' auch Leute, die sagen: »Ist mir doch egal! Ich zeig', wie sonst!« Na gut, aber ich glaub', meist beim dritten Mal nicht mehr (BEIDE LACHEN). Ich weiß nicht genau. Ich weiß nicht. Ja. Würd' ich so sagen, ja. [18]

{00:14:23} I: Weil hinterher dann doch die Note irgendwie interessant ist.

{00:14:26} B4: Jaja, man bekommt ja nur am Ende ne Note, das ist echt doof. Aber man kriegt so=ne Art Feedback letztendlich und// [19]

{00:14:33} I: Und das wird ja dann nicht vergessen, was man da über die//

{00:14:35} B4: Nee, wird auch nicht. Und weil du hinterlässt auch nen ersten Eindruck. Also, man merkt das auch. Leute, die sich schlecht präsentiert haben am Anfang (---) werden dann auch nicht mehr so (???) genommen. [20]

{00:14:48} I: Behalten dann quasi ihren (???) Ruf.

{00:14:52} B4: Genau. Ja, doch. Isso. Ja. Okay.

{00:14:55} I: Deswegen is wahrscheinlich ja auch äh öfter so, dass da wenn man schon am Anfang merkt, das klappt irgendwie nicht, dass dann

auch gewechselt wird. (--) Ja, super (B4 LACHT). Ähm, magst du mir
vielleicht noch so=en (???) allgemeinen Tag oder so=en, weiß nicht//

{00:15:14} B4: Woche macht wohl eher Sinn. Also, ja, es ist so schwierig,
zu sagen. Also, gerade der Tag des Hauptseminars is heute, der ist extrem
lang und (.) ätzend, quasi, umgangssprachlich gesagt. Man steht früh um
fünf auf und is abends um 19 oder 20 Uhr, klar mit Fahrtwegen und so,
nee, kommt immer drauf an, wo du wohnst und wo das Hauptseminar ist,
aber trotzdem ist das extrem anstrengend. Und man muss ja auch im
Hauptseminar, da ist ja auch jemand, der dich nachher bewertet. Da musst
du dich ja auch präsentieren, das heißt, du kannst da auch nicht hin und
dich durch// absitzen so die Zeit. Ähm, manche machen das tatsächlich,
die bereiten ihren Unterricht währenddessen vor, mach' ich nicht, weil
ich// das ist jemand, der bereitet sich auch vor, hält auch dort Unterricht
und (.) wie gesagt, er bewertet mich auch irgendwo und wenn ich den Eindruck vermittel', ich interessier' mich nicht dafür gar nicht, macht auch
keinen Sinn. Also, die// die Tage sind extrem lang und anstrengend und
ge// weil's auch noch ein Montag ist, hängt man gefühlt so ziemlich doll
durch. [21] So, dann kommt es auch drauf an, wie so die Wochen verteilt
sind. Ich hab' zum Beispiel in den B-Wochen immer den Dienstag frei, das
ist extrem hilfreich. Einen Tag die Woche frei, das ist super hilfreich. Wenn
ich was am Wochenende nicht schaffe, kann ich sagen: »Uh, ich hab' ja
noch den Dienstag.« Und vor allem nach dem elenden, ätzenden Montag
(I LACHT), muss ich mich nicht Montagabend noch hinsetzen, sondern
kann es am Dienstag machen, das ist perfekt. [22] So, in den A-Wochen
hab' ich leider den Dienstag nicht frei und auch wenn ich nur einen Block
hab', durch den Fahrtweg, (--) ist nicht das Gleiche. Wenn ich nach Hause
komme, ist man dann erstmal durch. Dann macht man dann doch erstmal
ne Pause. Und nicht so, wenn ich früh aufstehe und ich mich sofort ranset-
ze. [23] Ähhmm, (-) ansonsten gehen die Tage. Also, ähm Mittwoch hab'
ich denn so bis 16 Uhr Unterricht, früh vor Seminar und dann noch nen
Block Unterricht. Ähm, Donnerstag hab' ich auch nochmal zwei Blöcke
Unterricht und Freitag mein Wirtschaftsseminar. Bloß, das ist ein super
Abschluss, weil Wirtschaft endet dann um 12:15 Uhr und dann kann man
quasi ins Wochenende starten beziehungsweise in die Erarbeitungsphase.
Ähm, tatsächlich hatte ich (---) also, Wochenende hat man auch tatsächlich nicht mehr so wirklich. Man arbeitet schon v// oft, Samstag und
Sonntag. Aber, was ich vorher meinte, wenn man Samstagabend dann mal
weggeht, kann man das schonmal machen. Also, ich arbeite nicht Tag und

Nacht durch, das mach' ich nicht. Und bin auch quasi nicht so (---) (???) setz' mich nicht zu sehr unter Druck oder mach' dann mal Freitag frei und mach' dann nichts mehr (B4 LACHT). Außer es wird stressig und man muss irgendwas abliefern, dann nicht. [24] Ja, aber so die normalen (-) Unterrichts// ja (.) ich bin jetzt auch nicht so=en Mensch, der das erst einen Tag vorher vorbereitet. Hat ich auch schonmal (---) is aber nicht so toll. Nee, das is nicht so toll. Man (???) dann ist es nicht gut und dann will man noch was ändern, dann schafft man's nicht mehr und ja. [25] Wir haben ja hier diesen Kopiermenschen und da// der drängt einen schon dazu, das rechtzeitig abzugeben, weil zwei Tage vorher sagt er: »In zwei Tagen?! Ja, schaff' ich nicht mehr!« So, wenn man gut ist, hat man so ne Woche vorher fertig. Schaff' ich auch nicht immer, natürlich nicht. Immerhin hat man ja noch seine Kopierkarte, Gott sei Dank (B4 LACHT). Weiß ich auch. Ich kann gar nicht genau was zu den Wochen sagen. Also, mein Stundenplan ist eigentlich ganz nett. Ich bin halt die Einzige, die zum Beispiel nach dem Seminar am Mittwoch noch ne Unterrichtsstunde hat. Ist auch nicht super genial, weil ich halt zwei Stunden hier rumsitze, dann erst Unterricht habe und dann ebent erst 16, 17 Uhr zu Hause bin. Und dann macht man auch nicht mehr so viel. Ähm, andererseits, wäre dieser Block auch irgendwann anders. Also, wenn ich ihn dann noch, weiß ich, die// Donnerstag hinten dran hätte oder so viel Tageauswahl ist ja auch nicht mehr, oder an meinem freien Dienstag herkommen müsste (I LACHT). [Das geht ja gar nicht!] Jaja, das ist mir doch lieber so. Also, eigentlich bin ich mit meinem Stundenplan schon zufrieden. Wir haben jetzt nicht// Ich habe jetzt nicht im ersten und vierten Block Unterricht, das wär' tatsächlich ne Katastrophe, weil ich mich auch hier in der Schule nicht so gut konzentrieren kann. Also, ich mach' (.) mal so Notenausrechnen oder mal ne Klausur kontrollieren. Aber (.) alles, was so Denkleistung richtig behandelt, kann ich nicht so gut hier (---) [26]

{00:19:45} I: Ist ja auch schwierig wahrscheinlich, sich irgendwo (.) komplett zurückziehen zu können, weil//

{00:19:50} B4: Sowas steht ja eigentlich zur Verfügung, nee?! Würde man so bewusst sagen, dann denkt man, macht mal Pause, isst mal was nebenher und lässt sich auch leicht ablenken. Das macht man zu Hause nicht ganz sooo, weil man weiß, man muss wieder in den Unterricht, oder so. [27]

{00:20:03} I: Und natürlich die Kollegen, die ja auch mal freihaben und dann bespricht man doch nochmal irgendwas, was den Unterricht// jaja, ich versteh' das schon.

{00:20:10} B4: Das ist tatsächlich so. Ich hab' oft auch ganze Blöcke, wo ich nur gequatscht hab' und denke: »Ach, Gott! Zeit vorbei!« Aber es muss auch sein, weil (.) ich merke, dass ich mit manchen eben noch gar nicht so wirklich gesprochen hab' und denk': »Boah, krass!« Jetzt bin ich fast ein halbes Jahr hier, kenn' vielleicht nicht mal richtig den Namen, das ist auch die Größe der Schule, die Menge der Lehrer, aber es ist schon wichtig, so=en paar Kontakte zu knüpfen, weil sonst, ja steht man auch irgendwie (-) al// also, Lehrer ist schon irgendwie doch schon mehr Einzelkämpfer als man (-) als man denkt. [28] Ich mein' klar, im Unterricht musst du sowieso allein bestehen, das ist auch in Ordnung, aber dieser Konkurrenzkampf und das find' ich immer noch ätzend (--) untereinander, mit den Materialien rausgeben und »Ich hab' das vorbereitet und da hab' ich Stunden dran gesessen und das will ich jetzt nicht geben!« [29] Ah ja, mir gegenüber geht das, also gerade meine anleitende Lehrer sind mir gegenüber schon (.) freizügig, also sie geben mir freiheraus ihre Materialien, auch wenn ich ebent teilweise die alleine nicht so verwenden kann, weil sie eher auf Frontalunterricht abgemünzt sind. Aber, trotzdem geben sie mir das, aber so (-) andere// meine anleitenden Lehrer berichten mir ebent auch: »Als ich hier angefangen hab', hatte ich nichts! Und keiner hat mir was gegeben und alle haben gesagt ›Nein, wir haben alle nichts!‹« Nee, ist ja Schwachsinn, jeder macht ja Unterricht (BEIDE LACHEN). Und dahin und da gibt's nichts und dann alles von// neue Fächer von Grund auf erarbeiten, ist einfach sehr schwer und dieses zusammenarbeiten fehlt so dermaßen, auch hier an der Schule und (???) und das hinter einen auch manchmal. [30] Also, zum Beispiel (---) ein anderer Referendar an der Schule (.) hat mir super geholfen, mega. Er hat mir einen Ordner gegeben, da sind Sachen drin, wenn ich mal spät dran bin oder// oder auch// Wieso soll ich denn jede Rechnungswesenaufgabe neu erstellen?! Das macht keinen Sinn! Ja, ich meine, wenn es welche gibt und auch an dieser Schule so umgesetzt werden, warum nicht? Und damit hat er mir auch viel erleichtert, ja. Muss ich auch sagen. Er ist so freimütig: »Willst du haben?! Ja, bitte!« (BEIDE LACHEN) Ja, wirklich. Man// [31]

{00:22:31} I: Ja, wie du schon gesagt hast, einfach, um sich orientieren zu können, auch einfach mal. Wenn man da komplett vor nichts steht, dann sucht man ja auch Stunden nach einem Anfang.

{00:22:40} B4: Das ist tatsächlich so. Wenn man noch nie ne Ausbildung gemacht hat, stell' ich's mir tatsächlich auch sehr schwer vor, (-) sowas zu erstellen beziehungsweise in die Tiefe und alles, man kann sich da mega verrennen, nee?! Ich mein', im Studium hatten wir ja auch alles mega tief in diesem Sinne, nee?! Was wir jetzt so nicht mehr brauchen, in dem Sinne, ja?! Ja. Aber, ja.

{00:23:06} I: Nee, also den Eindruck hab' ich hier auch schon gewonnen. Wir haben ja ungefähr zeitgleich angefangen (I LACHT). Und das kann ich vielleicht berichten aus Deutsch zum Beispiel, dass das da ein bisschen besser tatsächlich der Aus// Austausch funktioniert, ja.

{00:23:21} B4: Ja, das ist schon schöner. Das ist (--) teilweise, wie du sagst, menschabhängig oder lehrerabhängig, nee, oder lehrerzimmerabhängig vielleicht sogar. Ähm, es gibt eben bestimmt Bereiche, da funktioniert das echt überhaupt nicht, da ist so kontra. Und bei manchen im Bankenbereich funktioniert das wohl auch ganz gut. Also, mein Problem ist eher, dass ich auch oft (-) nicht wegen allem betteln möchte, nee?! Das ist immer so diese Bittstellung, auf eine Art und Weise find' ich's okay, man is ja auch der, der was haben möchte, aber ich kann auch nicht wegen jedem Thema sagen: »Sag mal, haste was zu Marketing? Haste was zu Steuern?« Kommt mir auch doof vor, weil entweder gibt sie das gerne und sagt: »Ja hier nimm.« Oder sie, er sagt so von wegen, ähm: »Na ja, hier hast du ein Arbeitsblatt.« Das bringt mir dann auch nichts, nee?! [32] Also, cool wär', so ein tuti completto Paket und daraus wandelt man ab. Man nimmt selten etwas, wie's is. Und das hilft, weil man nicht alles neu erstellen muss, weil man nicht, wie gesagt, die Themen nicht noch mal// welches Thema, oder was steckt überhaupt dahinter manchmal. Es steht im Lehrplan was// hab' ich jetzt kein Beispiel, aber// und dann muss man erstmal überlegen, äh was genau überhaupt damit gemeint is. Nee, weil man selber das so gar nich kannte oder hatte. [33]

{00:24:42} I: Oder selber sich nochmal vergegenwärtig: »Ach ja, das hatte ich ja auch mal.« (BEIDE LACHEN)

{00:24:45} B4: Ja, oder so. Ja, dass man sagt: »Ja, das war's!«

{00:24:50} I: Nee, das hatt' ich äh tatsächlich auch so=en bisschen, weil ich hab' ja auch ein bisschen unterrichtet. Ich hab' tatsächlich die Unterlagen auch selber erstellt, aber so viel Zeit ging dafür drauf.

{00:24:58} B4: Ja, Wahnsinn, oder?!

{00:25:00} I: Es ist unglaublich!

{00:25:01} B4: Ja, find' ich auch.

{00:25:02} I: Und dann wundert man sich dann nicht, wenn dann äh pro Stunde da (.) Stunden ins Land gehen, bis man die dann ordentlich vorbereitet hat.

{00:25:10} B4: Eine Stunde, das ist echt Wahnsinn! Es// Und da sag' ich, muss man echt Abstriche manchmal machen, weil, es kann// man kann gar nicht so perfekt, wie man's lernt, jeder Stunde// das würde nicht funktionieren. Aber manchmal// oder selbst an den// den Vorführstunden sind Stunden, die dafür draufgehen, sich nochmal Gedanken zu machen, das kann man im normalen Unterricht überhaupt nicht umsetzen. Und auch ebent äh kooperative Sachen (.) zu erstellen, das dauert lange und dann geht das 90 Minuten und ich hab' da Tage dran gesessen. [34] Es ist wirklich Wahnsinn, deswegen (.) is es halt auch nicht verwerflich, manche kommen hier mit nem Arbeitsblatt, einem und reden dann eben 90 Minuten drüber. Ja, weil man auch für diese Art Stellung (--) Nee?! Es ist halt nicht besonders cool und ich kann das auch nicht und mach's deswegen auch nicht (BEIDE LACHEN). Na ja, da ist man noch nicht so firm drin. Aber, ja, weiß ich nicht. Also, es wär' schon schöner, wenn das ebent auch zur Verfügung stehen würde und dann nicht jeder das Rad neu erfinden muss. Und das (-) schränkt die Arbeit als Referendar schon auch nochmal ein. [35] Und wie du sagst, bei manchen läuft's besser. Nee, bei manchen Fachbereichen und bei manchen ebent nicht so. Oder man ist auch bei den Falschen. Ich hab' ne anleitende Lehrerin und möchte sie auch nicht übergehen, nee?! Das ist dann wieder so// Manche würden sich gar keinen Kopf drüber machen. Ich sag' mir denn: »Mensch, wenn ich jetzt jemand anderen nach den gleichen Materialien frage, ist auch irgendwie komisch, nee?!« Wirft wieder ein schlechtes Bil// aber ja// mein eigenes (???) [36]

{00:26:50} I: Ja, nee, klar versteh' ich. Man möchte ja keinem vor=n Kopf stoßen oder so und//

{00:26:53} B4: Ja, genau. So von wegen: Das gefällt mir nich! Ja, das is es. Ja, man hat schon so=ne Stellung, ja, aber ich komm', Gott sei Dank, Gott sei Dank, mit meinen anleitenden Lehrern gut klar. Das war schon meine Angst vorher: »Was ist, wenn ich mich hier nicht wohlfühle?« 1 $1/2$ Jahre irgendwo hinzugehen, wo du dich nicht wohlfühlst, oder sei es nur ein halbes Jahr, das ist das Gleiche, oder?! Auch bei meinem Praktikum dacht' ich vorher: »Oh, Hauptsache, das wird einigermaßen!« Man hat irgendwie schon Angst. Auch nachher, wenn man sagt: »Bleib' ich hier, geh' ich woanders hin? Äh, kommt// trifft's mich besser oder kommt's schlimmer?« Das ist echt äh// das ist manchmal so viel abhängig von den Kollegen und wenn die keine Neuen haben wollen, beispielsweise, ja. [37]

{00:27:38} I: Weiß man ja auch leider alles nicht. Und dann stellt man sich vielleicht noch schlechter. Das ist alles schon schwierig.

{00:27:45} B4: Ich bin trotzdem froh, wenn's vorbei ist. Muss ich schon ehrlich sagen, sicher. Wir haben// Meine eine Fachseminarleiterin, die sagt: »Die Zeit danach war viel schlimmer!« [Nach dem Referendariat?] Nach dem Ref, weil sie gesagt hat, ähm. Sie war dann plötzlich 26 Stunden oder 13 Blöcke ebent, die normale Zeit, allein. Dann wurde sie kunterbunt eingesetzt in verschiedenen Fächern und verschiedenen// ganz anderen Abwandlungen. Wirtschaft kann ja auch Außenhandel, (???) oder Immobilienbewirtschaftung, ist ja auch Wirtschaft, ja?! Und sie musste sich in drei, vier, fünf neue Fächer einarbeiten. Sie konnte nichts doppelt verwenden. Also manche haben ja parallellaufende Klassen, das ist super. Hab' ich leider auch nicht. Das ist cool, weil dann kannst du eine Sache probieren und dann nochmal umändern. Hab' ich auch nicht, das ist schade. Das sollte man mal für Referendar (BEIDE LACHEN) überlegen, ob das sinnvoll wäre, wirklich! Das hilft einem auch, um nochmal Anpassung zu machen und dann zu sehen, was kann ich besser machen. Ja, so kann man sich das nur aufschreiben und ja, pff// [38]

{00:28:50} I: Irgendwann, wenn's dann nochmal die Situation ungefähr so hinhaut, das stimmt.

{00:28:54} B4: Na ja, auf jeden Fall meinte sie dann, das war ganz schlimm. Auch, weil sie dann sehr alleine gelassen wurde und (.) extrem viel Vorbereitungszeit ebent gekostet hat. Und das könnte ich mir auch vorstellen, das kommt halt drauf an, nee?! Manche haben Glück und die haben dann Wirtschaft, was sie dann eh schon im Referendariat unterrichtet haben und können das gleich wieder benutzen, dann haben die erstmal en bisschen Schnaufpause. Und andere, die werden komplett neu irgendwo reingewürfelt, die, ja, fangen quasi von Null an als nochmal zu erstellen. Deswegen wollt' ich ja auch nicht in Bankbetriebslehre, weil ich Angst hatte, wenn ich nicht hierbleibe, hab' ich mir das alles erarbeitet und das ist auch ziemlich (.) heftig an Stoffmenge, was da zu bewältigen ist. Und dann brauch' ich das nicht mehr, weil Bank äh ist nun mal nur hier. Ja. Deswegen hab' ich mich auch für Wirtschaftslehre entschieden, ja (B4 LACHT). [39]

{00:29:46} I: Ja, super! Für die ersten Eindrücke. Ich hab' äh genau, noch en kleinen// kleinen Leitfaden hab' ich hier noch zusammengebastelt. Denn würd' ich dir auch ganz gern' noch zeigen und zwar hab' ich versucht so=ne (.) kleine Struktur zu schaffen, (PAPIER RASCHELT) unterschiedliche Ebenen eingeteilt. Ähm, ich hab' mir auch notiert, was denn vielleicht dich noch irgendwo am ehesten tangieren könnte. Aber da hast du ja auch schon einige Sachen von angesprochen, zum Beispiel hier bei »Systemebene« den letzten Punkt »Berufliche Autonomie«, dass da dieses Einzelkämpfer äh (.) ja Phänomen, dass du auf jeden Fall noch siehst. Vor allen Dingen in dem Fachbereich. Ähm, genau.

{00:30:32} B4: Also, soll ich jetzt noch mal auf die Sachen nochmal eingehen, oder?

{00:30:34} I: Wenn// wenn du magst. Also, ich hab' jetzt zum Beispiel das, weiß nicht, ob dich da dieses Berufsimage, ob du da großartig Wert drauf legst, wahrscheinlich eher weniger.

{00:30:40} B4: Ja, find' ich witzig, ist mein Auge drauf gefallen, weil ähm (-) das mag auch vielleicht auch so sein in der Öffentlichkeit, aber so intern, im so Freundeskreis, die finden das total süß. »Du bist jetzt so richtig Lehrerin, so vor der Klasse?! Ja.« Also, so intern das Image oder für mich fällt das äh// merk' ich das überhaupt nicht. Also, ich krieg' so viel positives Feedback. »Und das machst du! Das kann ich mir überhaupt nicht vorstellen!« Oder eben so von wegen: »Das könnte ich niemals machen, Hut ab!« Also, so von meinen Freunden, wobei man ist ja als Student und vorher gearbeitet und das ist irgendwie etwas Cooles. Ja, ich mein', ir-

gendwas Besonderes irgendwie. Das macht auch nicht jeder. Ich hab' jetzt
auch aus meinem Freundeskreis auch nicht irgendwie tausende Lehrer oder
sowas. Da ist das schon ganz niedlich, da merk' ich das auch gar nicht so
(???), dass quasi gar nicht so gering schätze, außer: »Ja, du hast schon
wieder Ferien!« Also, da ist schon// das ist schon sehr witzig und das//
obwohl ich gerade mal ein halbes Jahr dabei bin, merk' ich jetzt schon:
»Ach Ferien, die hätt' ich auch gerne!« (B4 LACHT) Also, das ist total
krass. Ja, ich meine, dass man dafür// dass man eh was machen muss,
mmh, aber man hat auch Jahre daraufhin gearbeitet, weißt du?! Wo man
noch studiert hat: »Oh, immer noch im Studium?! Is ja ätzend!« So, wo
die anderen schon Geld verdient haben. Da sagt keiner: »Oh, ich will tau-
schen!« Aber dann, wo die Ferien kommen (I LACHT), also sehr witzig.

((...))

{00:32:29} B4: Obwohl ich sagen muss, manche nutzen es tatsächlich.
Also, dass merkt man auch. Man äh// zum Beispiel unsere Fachseminarleiterin, die macht manchmal Stunden, obwohl, sie macht eigentlich immer
ein bis zwei Stunden mehr pro Woche und dafür lässt sie mal einen Tag
wegfallen. Und meist den Tag vor den Ferien, was auch nett ist, nee?! Da
kann man selber auch früher starten. Aber sie nutzt das auch tatsächlich,
sie fährt dann wirklich jedes Mal nach Mallorca oder so, äh eben da, wo
sie gerne hinmag und die nutzen komplett die Zeit, nee?! Bedingt macht's
auch Sinn, weil man sich ja auch erholen muss, aber dann (.) ja, nee (???)
bis// also, ich kann das nicht. Ich muss schon noch im Moment viel (.) ja.
(???) Ja, oder?! Also, ich freu' mich auch schon auf die Sommerferien,
muss ich auch sagen, weil ich glaube, dass das so die einzigen Ferien, die
man wirklich nutzen kann. Gerade die ersten drei Wochen, wo man sagt:
»Eh, komm, eh! Schultasche, ab in die Ecke!« Und da macht man sich ja
auch keine Gedanken, das find' ich auch in Ordnung, muss auch mal sein.
Hat man im Arbeitsalltag ja auch. [40] Aber ebent so, jetzt die Ferien, die
kommen, die eine Woche, das ist ja nichts. Ja, eine Woche, da bin ich ja
quasi mit Nachbereiten äh oder auch Weihnachten. Also, da war schon
teilweise stressig von Termin zu Termin, weil ich so viel zu tun hatte. (???)
Richtig genießen (.) konnte man nicht und das muss ich sagen, dass das
echt dieses Nicht-abschalten-können, das merk' ich auch jetzt. Und ich
weiß auch, dass das bleibt, das ist tatsächlich (.) manchmal schon sehr belastend oder wenn man schon nicht mehr richtig schlafen kann, weil man
(.) nicht abschaltet, weil man im Hintergrund halt weiß: »Mensch, das

musst du noch machen!« Dann denkt man an so viel oder überlegt schon, wie ich den nächsten Unterricht so gestalte. Dann liegt man zwei Stunden wach und merkt's kaum, weil man sich in seinen Gedanken verliert. Das merk' ich schon. Und das ist auch// da kann ich mir schon vorstellen, dass manche auch in nen Burnout geraten. Man muss bewusst// [41]

{00:34:24} I: Auch die Pausen machen und schaffen. Ja, das hattst du ja auch gemeint, dass du dann tatsächlich auch doch irgendwo jeden Tag da mit der Schule in Kontakt bist und daran denkst und dass//

{00:34:35} B4: Ja, schon. Im Moment ist es schon so, dass man kaum mehr Wochenende hat. Ich kann auch (.) nich// also, im Moment funktioniert das noch nicht, dass ich sage, ich mach' den ganzen Samstag frei oder den ganzen Sonntag frei. Das geht// außer da ist ne Veranstaltung oder so. Ne// ne Hochzeit, oder so. Würde man sagen: »Mach' ich frei!« Aber wenn ich so=en ganz normales Wochenende hab', wo ich nichts Besonderes vorhab', dann geht das nicht so wirklich, weil man ebent kein Ende hat, so richtig. Man kann immer was machen. Den nächsten Unterrichtsbesuch, dann muss man da dieses riesen Pamphlet schreiben, was ich so// boah, das kostet so viel Zeit und (.) (???) [42]

{00:35:13} I: Und wie sinnvoll das dann ist//

{00:35:15} B4: Ja, ein anderer Referendar sagt immer zu mir: »Ja, er findet es so sinnvoll. Da macht man sich Gedanken.« Ja, aber das kann ich auch so, ohne das aufzuschreiben. [Oder in=ner andren Form.] Ich mach' mir manchmal ne andre Form oder Handlung, dieser Planungszusammenhang, Handlungsentwurf, macht Sinn. Oder auch didaktisches Konzept, aber warum muss ich denn jetzt nochmal sagen, warum das so wichtig ist? Das (???) das zieht man sich doch aus den Fingern, zu jeder Situation wird// wird// hat ja en Grund, warum's im Lehrplan ist (I LACHT). Ja, wieso muss ich denn jetzt nochmal begründen, warum das nun wichtig ist für die Schüler?! Boah! Denn (--) da verbringt man Stunden mit, wo man denken würde: »Unnütz!« Ja, oder so. Sachstruktur? Ja, (--) warum muss ich nochmal nen Fachaufsatz über Abschreibungen (-) zusammenfassen, wenn ich das eigentlich äh (.) ja, brauch' ich nicht für den Unterricht in dem Sinne, ja?! Also, ja, kostet schon viel Zeit. [43] Aber, ja, »Administrative und bürokratische Aufgaben« hab' ich leider// Gott sei Dank noch nicht. Merk' ich aber schon, dass das tatsächlich (.) (???) nich wenig is.

{00:36:22} I: Ja, das hab' ich auch von anderen äh Lehrern auch gehört, dass das äh (.) dann, wenn man denn ausgelernt ist, sozusagen, dass das nochmal viel Zeit in Anspruch nimmt.

{00:36:30} B4: Ja. Das ist so. Im Moment wird man damit echt gar nicht tangiert. Und das muss ich schon sagen, ist wirklich (.) Gott sei Dank. Aber man merkt es, wie die anderen Lehrer damit konfrontiert werden. Man ist natürlich auch schon// man muss so an diesen ganzen Versammlungen und so teilnehmen. Ach ja, auch die sind natürlich, wie alle anderen Lehrer auch empfinden, nicht immer die sinnvollsten, ja. Oder die// kostet Zeit oder ebent das Schlimmste ist eigentlich noch die Wartezeit nach dem Unterricht. Wär' es gleich um 13 Uhr oder so, wenn ich Schluss habe. Okay! Aber nein, dann fängt es 15:15 Uhr an, dann geht es bis 17:15 Uhr und dann bin ich auch erst 19 Uhr zu Hause und dann ist der Tag auch verloren, so, nee?! Weil man sonst, um Zwei zu Hause wär'. Das ist, ja, eeh, eeh. Also Versammlungen (BEIDE LACHEN) (???), [44] das ist ja nicht mal dieses ganze Bürokratische, was du damit eigentlich meinst, aber, ja, muss bei mir auch nicht so sein. Aber, ja. So, was haben wir denn noch so? Ähm, ja »Schulbedingungen«, Gott sei Dank, nee, hatten wir schon gesagt, super hier. Ähm, hätt' ich auch// ich hab'// hier war mal ein Referendar und hat hier Praktikum gemacht und der hat abgebrochen und ich dachte: »Na toll!« [45]

{00:37:37} I: Da hab' ich auch schon von gehört (B4 LACHT).

{00:37:39} B4: Gut, und ich hab' mich hier beworben und dachte: »Schön!«

{00:37:43} I: Aber// aber auch erst hinterher.

{00:37:44} B4: Ach, okay, siehste also auch, ja. Da dacht' ich auch: »Ach, du großer Gott! Was erwartet mich hier?!« Ähm.

{00:37:51} I: Konnt' ich jetzt nicht irgendwie bestätigen, also ich bin auch super hier aufgenommen worden und äh (-) und wenn (.) ich nich andere Pläne hätte, dann würd' ich wahrscheinlich auch ähm (.) hier versuchen mein Referendariat dann auch//

{00:38:05} B4: Wo willst du hin?

{00:38:08} I: Äh, nach Niedersachsen.

{00:38:09} B4: Ah, okay. Direkt auch das Referendariat, ja? Damit man sinnvoll//

{00:38:12} I: Ja, also hat auch einfach private Gründe, mit// mit meiner Frau möcht' ich da dann auch// vor allem, was dann Kinder anbelangt, eventuell (--) Und weil wir da auch so=en bisschen die Wurzeln herhaben.

{00:38:24} B4: Na gut, dann (.) bietet sich das auch an. Is ja auch so. Ich mein' Berlin (--) Also, meine Wurzel sind ursprünglich in Brandenburg und für mich ist es ebent auch so, dass ich überlege wieder nach Brandenburg zurückzugehen. Dieser ganze Stress, den Berlin auslöst manchmal, diese berufs// wie heute Morgen schon wieder, ja, da fährt die Bahn nich und das ist ebent etwas, (-) was als Lehrer// man hat keine Gleitzeit. Wenn's losgeht, geht's los. Und das ist auch peinlich, als Lehrer fünf Minuten zu spät zu kommen. Es ist nicht schlimm, nee?! Die Schüler sehen dir das nach. Aber du musst deren Verspätung eintragen, nee, und musst irgendwie auch ne gewisse Strenge dahinter haben, also, ist das für dich blöd, wenn du fünf Minuten zu spät kommst. Und auch, wenn du rechtzeitig losfährst, du kannst ja nicht jedes Mal ne $3/4$ Stunde mehr einplanen und sitzt dann hier rum. Nee?! Und dann kommst du Montagfrüh an die Bahn und denkst: »Mmh, Scheiße!« [46]

{00:39:14} I: Jetzt fällt sie doch aus!

{00:39:15} B4: Ja, ja, genau. Und wenn man dann auch nur so wohnt wie ich am Rand, ist es schwer// da gibt's kein Ausweichen, nee?! Mitten in Berlin, da fährste eben U-Bahn anstatt Straßenbahn, oder so. Das ist für mich halt nicht drin. Und ich fahr' rechtzeitig los und war quasi auch heute eine Minute nach, war ich dann im Raum wohlbemerkt, nicht nur in der Schule. Aber irgendwie ist das doof, nee?! Man will das dann auch immer nicht. Das äh fordert für mich auch Stress herbei, das ist aber eher Berlin, der Standort. Dass hier viel Gewusel und Gerangel und das ist meiner Meinung nach so außerhalb nicht ganz so. [47]

{00:39:51} I: Ja, das ist aber auch so=en Phänomen, was ich hier so für mich festgehalten hab'. Also, ich komm' auch ähm ursprünglich aus Rheinland-Pfalz und (.) aus nem 10.000 Seelendorf und da äh da war man dann einfach auch schon ne $^1/_4$ Stunde dann schon beim Zug, weil du weißt, der fährt nur, wenn's hoch kommt, jede halbe Stunde, wenn man Glück hat (B4 LACHT). Und ähm dann// dann war man aber trotzdem// ist man da hingegangen, hatte dann irgendwie gar nicht dieses (.) Phänomen: Der// Der Zug fährt jede fünf Minuten und der fährt gerade ein und den musst du jetzt trotzdem bekommen. Warum auch immer.

{00:40:23} B4: Ich kenn' dieses Phänomen, dieses: Man rennt dahin, obwohl in fünf Minuten, ja. Aber das ist nur Inner-Berlin, jaja. Ich weiß. Ich find' das auch nicht so schön, deswegen. Ich fühl' mich dadurch auch gestresst. Und eben auch dieser Fahrtweg. Ich mein', es geht noch bis hierher, weil im Norden insgesamt nicht so viele Schulen sind. Deswegen ist das bis hierhin noch in Ordnung, im Gegensatz zu allen anderen Schulen, die hier so waren. Aber so von Haustür zu Haustür ne Stunde ist trotzdem nicht wenig, nee?! Man ist trotzdem Zeit, die man, also (-) wär' halt schöner, wenn man die anders verwenden könnte. Wer nur zehn Minuten Fahrtweg hat, der hat natürlich auch viel mehr vom Tag. [48]

{00:40:58} I: Oder lass auch nur ne halbe Stunde sein, dann hast du trotzdem ne ganze Stunde dann auf=en Tag, die du anders nutzen kannst. Das ist schon viel Zeit.

{00:41:06} B4: Ja, deswegen. Also, ganz// ich würde schon gerne nach Brandenburg, perspektivisch. Aber mein Fach wird da nicht anerkannt und so weiter und sofort. Ja, mal gucken. Auch wenn meine// mein Rechnungswesen trotzdem weiter unterrichtet wird. Die nehmen mich vielleicht nur nicht so gerne, weil sie eben wissen// weil es ja jetzt nur noch als ein Fach eingestuft wird. Wirtschaft und Rechnungswesen ist ja nur eins (I LACHT). Aber andererseits (.) hier is es ja so, könnt' ich ja gefühlt überall einge// also nicht in Deutsch und Englisch oder so, aber alles, was hier »Bewirtschaftung«, »Außenhandel«, was ich vorhin auch aufgezählt hab', das sind so hunderttausend Spaten Wirtschaft, wo die ebent dann auch Leute brauchen, nee?! Und auch Rechnungswesen gibt's hier als einzelnes Fach und in mehreren Klassen, auch nicht das, was (.) ja, (???) [49] So, »Belastung in der Klasse«. Ah ja, meine Klassen sind ähm (.) sehr nett (B4 LACHT) (???) Also, nein, anders. Also, ich habe eine Klasse, die ich allein unterrichte, die lieb' ich, die wird jetzt// die vergisst man auch nicht, ja. Aber das// Weil es die erste Klasse ist. Und die sind so nett zu mir und ich mag die auch total gerne und die arbeiten gut mit und äh (.) obwohl ich Mittwoch im vierten Block, also richtig übel und dann auch noch Rechnungswesen, was kein Mensch mag, ja und ich war letzte Woche// hab' ich ne Gesamtübung gegeben, was wir bis jetzt hatten und die konnten das richtig gut. Ich war total begeistert (BEIDE LA-CHEN). Na ja, bei Rechnungswesen ist das immer so, Mensch, da steigt der eine bei Erfolgskonten aus, der andere bei, was weiß ich, ähm Thema und die konnten das echt gut und da war ich total halt// hab' mich gefreut. Und ja, solang' man dann auch herzlich und offen ist, dann (-) die sind auch super nett immer in den Lehrproben, wirklich, die geben sich richtig Mühe. Sag' natürlich vorher, dass jemand kommt. Und denn (.) sind die schon so ähm (???) die erste Lehrprobe war so, fünf Minuten bevor es losging, war so eine schneidende Luft. Keiner hat sich unterhalten. Ich sag' so: »Sie dürfen sich noch sprechen, wir sind noch nicht// Und das war// die waren so aufgeregt auch und ich// ich ja auch und ja. Das ist toll, ja. Und Wirtschaft, da ist das so, da sind die Klassen auch super bei Lehrproben. Also, sie geben sich Mühe und ähm versuchen es einem auch recht zu machen. Aber die sind schon ganz schön quatschig, also, wenn ich die im normalen Unterricht habe, dann ist das schon schwer, was ich vorhin schon gesagt habe, die bei Laune zu halten, nee?! Wenn die nicht beschäftigt sind, dann werden die unruhig und du kannst eben// und wenn man teilweise einen Lehrervortag hat, müssen die sich ebent auch mal disziplinieren und zuhören und das klappt schw// schlechter als ich gedacht hätte. Also, die haben (.) ja, Respekt würd' ich nicht sagen, das ist schon okay, aber die sind so redebedürftig. Und das ist schonmal auch anstrengend. Muss ich auch sagen. Also, das ist// Da hab' ich auch noch nicht ganz so den richtigen (.) Dreh gefunden, wie ich die dazu kriege, dass sie nich (--) so viel quatschen (B4 LACHT), ohne dass ich ausraste oder so. [50]

{00:44:18} I: Nee, das find' ich ganz interessant. Also, ich hab' ja auch ne gymnasiale Oberstufe, die ich betreue in Deutsch und da kommt das ungefähr auch so// so hin, dass sie sehr, sehr große Probleme haben sich (.) teilweise zehn und mehr Minuten irgendwie zu fokussieren, auf irgendein// irgendein Thema und wahrscheinlich müsste man alle zehn Minuten irgendwie wieder ne andere Methode oder irgendwie was anderes, damit die tatsächlich immer konzentriert ähm weiter dem Unterricht folgen können, weil das//

{00:44:46} B4: Welche Klassen hast du noch in// bei äh//

{00:44:50} I: In// In Wirtschaft hab' ich Versichertenklassen gehabt. Aber da hat ich eher das Gefühl, dass das schon// die so=en bisschen le// lethargisch sind (BEIDE LACHEN) und schwierig, irgendwie so für ein Thema zu begeistern.

{00:45:01} B4: Okay, ja. Das ist ganz unterschiedlich, oder?! Ja, es is auch ganz unterschiedlich, ob man jemanden hat, der schon// der frisch ist oder der schon ein Jahr hinter sich hat. Also, ich merke das auch. Ich hab' auch W// Wirtschaftslehre im zweiten Lehrjahr (.) und die Lehrerin, die mich dort halt betreut, ist selber nicht so durchgängig mit ihrer Disziplin. Und dann ist das natürlich auch so. Wenn die von ner Lehrerin kommen, die total streng war, dann sind die natürlich auch eher eingeschüchtert und (.) reden vielleicht nicht so viel, sagen wir's mal so. Ja, schwierig. Aber sonst, ist es schon (--) kann ich mich hier noch glücklich schätzen, würd' ich mal so sagen. Ich hab' halt auch keine IBA-Klassen, die ich betreuen muss. Ich würd' da gerne schonmal reingucken, aber ja, selbst unterrichten (I LACHT) müsste jetzt nicht im Referendariat jedenfalls sein. [51]

{00:45:52} I: Ja, ich war erst letzte Woche in einer BQL-Klasse, da war das auch// fand ich ziemlich spannend, weil da ganz viele drinsitzen, die wollen unbedingt die Sprache lernen, Deutsch, aber// auch ganz schwierig is ähm, dass manche halt noch nicht wissen, was// was Unterricht irgendwie bedeutet, dass// dass die dann immer dazwischen reden und irgendwie eher so (-) weiß nicht, wie nen Workshop oder irgendwie eher sowas sehen (BEIDE LACHEN), wo man dann immer mal seine schlauen Ein// Einfälle direkt einwirft und sowas.

{00:46:22} B4: Ja, genau so. Ja. Aber so ähnlich ist das in den Bankenklassen auch noch. Die wissen zwar eigentlich, was Unterricht heißt, aber (.) sehen's auch manchmal eher als Workshop (BEIDE LACHEN) an. Ja, aber ich weiß, was du meinst. Ich glaube, das ist auch noch härter und nicht ganz vergleichbar. Man darf auch nicht// man muss davon wegkommen, dass es ganz leise ist. Das ist so (.) ne Irrvorstellung, deswegen ist das am Mittwoch so süß, weil die sind wirklich manchmal so still (I LACHT), das ist schon erschreckend still, ja wirklich (BEIDE LACHEN). Aber das ist nicht realitätsnah, nee?! Weil die Schüler und man selbst, weiß sich ja auch noch in die Situation reinzuversetzen. Man ähm unterhält sich ja auch manchmal übers Unterrichtsgeschehen, also, manchmal ist man ja auch: »Mensch, ähm wie meinte sie denn das nochmal?« oder »Das ist ja interessant!« Da will man sein eigenes// seinem Nachbarn sein eigenes Erlebnis dazu erzählen. Das ist in Wirtschaft ja auch noch so. Wenn ich bei (-) Sachmängeln und »Was hatten sie denn da so?« und nee?! Das ist ja so, ja. [52]

{00:47:17} I: Oder vielleicht doch, hat man zufällig irgendeine Wirtschafts-App oder so und unterhält sich dann vielleicht auch mal? Klar.

{00:47:24} B4: Man// Dann darf man es halt nicht ganz unterbinden, Hauptsache, die machen halt was, aber wenn so manche: »Na ja (???)« Da muss man dann schon gucken, dass man es nicht zu sehr (--) schleifen lässt.

{00:47:35} I: Dass man da wirklich die in der Spur behält.

{00:47:38} B4: Ja, »Schulleitung«? Keine Ahnung (I LACHT), kenn' ich nicht wirklich (BEIDE LACHEN). Wirklich, ich hab' mich auch hier nicht vorstellen müssen, das lief über E-Mail. Ähm, ich bin mir nicht mal sicher, ob sie meinen Namen kennen, ich glaub', sie hat mich schon ein paarmal gesehen und sie weiß, dass ich hierhergehöre, aber das war's dann auch. [53] Äh, »Belastung Kollegium« hatten wir ja schon. »Arbeitszeit, -struktur«, ähhh, das stimmt. Also, »jede Lehrkraft benötigt unterschiedlich lange Zeit«. Ähm (--) genau, »zudem fehlt das Gefühl des Nicht-fertig-werdens«, ja! Das stimmt und das ist, äh, tatsächlich (--) das wär' schön, wenn sich das nochmal ändern würde. Wie auch immer man das geregelt bekommt. Höchstens dann, wenn man schon so lang dabei ist und nichts mehr vorbereiten muss, vielleicht?! [54] (-) Obwohl ich glaube, dass sich das schon ändern würde, wenn es eine Plattform gäbe, auf die man einfach nur zugreifen muss, nee?! Dass man zum Beispiel keine Panik morgens Früh hat, wenn uh, »Derjenige ist krank! Was mach' ich jetzt?!«, sondern ich geh' an den Computer und druck' schnell was aus. Klar ist es was anderes, mit einem fremden Arbeitsblatt zu arbeiten. Aber es nimmt so viel (--) weg, so viel Angst und so viel (.) Zeit, die man auch für ein simples Arbeitsblatt verbraucht, die Layout; Überlegung, was steckt dahinter. [55]

{00:48:57} I: Und dann auch nur äh die Fragen formulieren, die müssen dann auch zum Beispiel und solche Sachen.

{00:49:01} B4: Ich mein', da// da brauch' man auch noch Zeit, nee?! Das ist ja, man macht ja das Normale und deswegen dauert das auch so lange, bei nem ähm Vorführunterricht. Weil man sich über so viele Aspekte (.) Was mach// Also, erstmal »Was mache ich?«, »Wie grenze ich das Thema für 45 Minuten so ab, dass das passt?«, nee?! [56] Im normalen Unterricht und da muss ich jetzt einfach mal ehrlich sein: Was ich nicht schaffe, dass mach' ich dann beim nächsten Mal fertig und gut is! Ja, das is doch// dann auch egal. Oder dann geb' ich denen eben mehr Zeit, wenn ich merk', die// die// die schaffen das nicht von der Zeit, dann is das überhaupt kein Beinbruch, dann geb' ich noch fünf Minuten. Und wenn wir die Sicherung am Anfang der nächsten Stunde machen, ist das auch für mich in Ordnung. Ja, also, da (-)

{00:49:44} I: Die gleichen Erfahrungen hab' ich jetzt auch hier gemacht. Also, überhaupt erstmal einschätzen zu können, wie lange// vor allen Dingen ist ja auch Tagesform abhängig.

{00:49:53} B4: Ja, das kommt noch dazu.

{00:49:55} I: Genau, deswegen kann man das gar nicht so hundertprozentig äh klar, wär' vielleicht schön//

{00:49:59} B4: Ja, aber das ist auch kein Alltagsunterricht. Kein Mensch führt regelmäßig (???) nicht mal meine Fachseminarleiter, die ja auch ihren Vorführunterricht zeigen, die// auch die werden nicht fertig (???)

{00:50:10} I: Ja, sind ja auch nur Menschen.

{00:50:12} B4: Ja, es sind Menschen und ich finde auch// ich weiß auch gar nicht, ob da so immer so der Fokus draufgesetzt werden sollte, weil das Schwachsinn ist. Es sollte zwar eine abgerundete Einheit sein und du sollst jetzt nicht hunderttausend (.) aber ob du das nun die Stunde schaffst oder nächste? Ja, da setzt man sich schon ganz schön unter Druck. Und dann, wie gesagt: »Was mache ich? Wie mache ich's? Wie setz' ich die Methode überhaupt an? Äh, wie is meine Klasse?« Das sollst du ja eigentlich machen. »Welche Methode brauch' ich in der Klasse, da und da?« Boah! »Welche Fragen stell' ich? Wie stell' ich die Fragen? Wann stell' ich die Fragen?« Ohhh! Welche// Dann musst du die Materialien erstellen, es ist der Wahnsinn. Und dann musst du noch dieses scheiß

Zehnseitenpamphlet schreiben, wo du denkst: »Das auch noch!« Wirklich, also, das kostet// [57]

{00:51:02} I: Und dann fällt dir noch auf: »Ach du liebe Zeit! Was hab' ich denn jetzt hier gemacht?« (BEIDE LACHEN)

{00:51:06} B4: Das kostet wirklich Nerven, Kraft und ich bin bei meinem jetzigen Unterrichtsbesuch schon bei meinem nächsten: »Oh Gott! Jetzt kommt ja noch einer und noch einer!« Es ist jetzt belastend, das denkt man gar nicht so. Weil, ja, (-) ja, weil einfach so viel Zeit flöten geht für eine Stunde, für 45 Minuten. Und du wirst ja auch daran bewertet, das ist ja das Schlimme. Die sind ja// die sehen dich ja nur fünf Mal. So und dann musst du dich so präsentieren, dass die denken: »Woah, cool! Die hat aber ne Eins verdient!« Oder so. Ja. Manche machen sich auch nichts daraus, die sagen: »Na ja.« Aber ich bin schon noch (--) [58]

{00:51:46} I: Ich glaub', das machen// machen die Wenigsten. Also, wenn man dann schon// man darf ja nicht vergessen, mindestens fünf Jahre Studium. Also, wenn man denn nicht irgendwie quer, oder so, einsteigt und man hat da ja auch schon irgendwo einen gewissen Anspruch wahrscheinlich an den Tag gelegt und dann möchte man jetzt hier nicht, wo man eigentlich die ganze Zeit drauf hingearbeitet hat, und man merkt, der Beruf ist ja wirklich was für mich, tatsächlich, das kann sich ja auch nochmal ändern (I LACHT).

{00:52:11} B4: Ich sag' dir mal was: Ähm ja, seh' ich auch so, bei den Normalstudenten. Ich war schockiert! Mein allererster Tag im Referendariat dacht ich: »Boah! Wie viele Referendare gibt's denn hier?« Doch wirklich, weil wir ja kennen ja aus unserer Uni so: »Ach hi, sind ja zehn Hanseln, oder so.« Oder auch in unserem Wirtschaftsseminar. Und diese Fachseminare oder die Hauptseminare sind schon eingeteilt nach Fächern. Und dann dachte ich: »Wo kommen die denn alle her?!« (I LACHT) Es ist wirklich: $3/_4$ sind Quereinsteiger! $3/_4$! Das ist der Wahnsinn! Und man merkt leider// muss ich schon sagen, leider bei vielen, das schon// muss ja auch, wär' ja schlimm, wenn eigentlich// wenn die genauso gut wären// gut, genauso (???) informiert wären, wie wir. (---) Weil (-) die gehen mit ganz anderen Erwartungen da ran. Die// Die (.) »Wie mach' ich denn überhaupt ne Stunde?!« Äh, ja. Gute Frage, nee?! So, heute, am ersten Tag des Referendariats. Wie stell' ich mich vor? Na, wie stellt man sich denn vor?! Also, da sind so Fragen gekommen, boah! Und die unterrichten ja nicht wie wir fünf Blöcke, sondern teilweise 13 oder mehr! Oder// nee, mehr nicht, sondern so zwischen sieben und ach// wie auch immer. Auf jeden Fall mehr! Allein, ohne Hilfe, wo ich mir denke: »Boah, also könnt' ich auch nicht.« Nee?! Von Null auf Hundert reingeworfen. Und dann eben die witzigste Aussage, die kann ich jetzt nochmal kommentieren für das Interview: »Ich dacht', wir hamm Buch, an das ich mich langhangeln kann!« Das war so süß (I LACHT), da dacht' ich so: »Ja, is nee nette Idee und in der Grundschule vielleicht auch noch vertreten, aber so// so diese Idee dahinter und zu sagen, ›Ich dacht', ich hätt' ein Buch!‹ und brauch einfach nur Seite 25 aufschlagen und los geht's!« Äh, ja, wurde schnell revidiert und der ist jetzt// hat jetzt auch zu kämpfen mit hunderttausend Zeitstunden. Also, boah, ja! Wahnsinn! Also, wirklich viele quälen sich da und ich muss auch sagen: Alles, was wir jetzt machen, wiederholt sich vom Studium. Also, auch wenn man denkt: »Ach, Wirtschaft, so viel hamm wir ja gar nicht, nee?! Was man brauchen kann.« Ja, das ist aber nun mal die Theorie und auch die wird jetzt wiederholt, ja?! Also, wie mach' ich den Unterrichtseinstieg? Wie strukturiere ich meinen Unterricht? Äh, wie geh'// stell' ich Fragen? Gut, das war vielleicht noch nicht so sehr im Studium, aber das sind so Themen, das wiederholt sich. Sprachförderung und so weiter. Und die Leute sitzen halt da und: »Aha!« Und Timo und ich sitzen immer: »Ah, ach den Leisen, den hamm wir schon, jaja, kenn' wir schon.« Nee?! Also, wir sitzen die Zeit tatsächlich (.) wir haben jetzt nicht mega krassen Erkenntnisgewinn, jetzt// so Spezialsachen schon. (-) Ebent für (.) Lehrerfragen oder Lehrerimpulse, wie stell' ich sie? Das schon, was ich so direkt für den Unterricht, aber (???) Ist alles noch mal das Gleiche. Gerade Hauptseminar ist damit gestraft, der// das alles nochmal durcharbeiten muss. Ja, »Unterrichtsfach«. Mittlerweile (B4 LACHT) find' ich Wirtschaft nicht mehr so cool (BEIDE LACHEN). [59] Ja, verbeamtet wär' ich auch gerne (B4 LACHT). Ja, mit diesem befristeten und unbefristeten. Bei mir ist es tatsächlich so: Ich muss mich ebent noch bewerben, nee?! Und das ist eben bei den Quereinsteigern auch nicht so. [60]

{00:55:41} I: Stimmt, die haben ja ihren Platz, wenn die bestehen, ist der sicher. Genau, das hatt' ich auch so// konnt' ich auch nur kopfschüttelnd so hinnehmen, also, ja.

{00:55:49} B4: Das ist total krass, die haben dann noch// also, manchmal haben die schon gearbeitet, aber eigentlich, nee?! (???) Ohne Stu// (???)

ohne pädagogisches Studium haben die quasi ihren Platz schon sicher und werden auch noch denen quasi vorgezogen, die ganz grundständig äh ihr Referendariat machen und äh wie spät man erst erfährt, ob man an der Schule bleiben kann. Man muss sich eigentlich frühzeitig schon bewerben. Dann musst du ja auch (-) bestehen. Du überlegst ja auch, bewirbst du dich bevor du bestanden hast, aber musst du eigentlich, weil danach ist ja eigentlich nicht mehr so viel Zeit. Wir können froh sein, dass im Moment die Marktsituation schon so ist, dass die ja Lehrer suchen, nee?! Man muss jetzt nicht mega Angst haben, dass man keine Stelle bekommt oder hab' ich auch nicht. Aber (--) es ist schon so, die haben ihren unbefriste-ten Vertrag und ich nich. Also, ich steh' halt quasi ohne was da und (.) versuche auch so schnell wie möglich dann das abzuschließen, also, man kann ja, weiß ich gar nicht, ob du das weißt, ziemlich frühzeitig schon sein Referendariat in dem Sinne beenden, dass man schon vor Weihnachten diesen Jahres die Prüfung machen kann. Das ist auch mein Ziel. Das find' ich total spannend. Wusst' ich auch vorher nicht. Und// Weil der Prü-fungszeitraum schon so früh losgeht, das find' ich super. Weil, das ist schon nett, wenn man schon so dieses Jahr// unser Hauptseminarleiter sagt so, die erste Stunde in diesem Jahr: »So Leute, es geht dem Ende zu. Manche haben Ende diesen Jahres einen Stempel, auf dem steht: voraus-sichtlich zugelassen.« Und so weiter, ja. Oder »voraussichtlich bestanden« oder was auch immer. [61]

{00:57:29} I: Deswegen, also, das ist wirklich zeitig auch richtig, richtig happig.

{00:57:32} B4: Ist auch insgesamt richtig knackig, wenn man überlegt// es sind dann ja gar nicht so wirklich 1 $\frac{1}{2}$ Jahre, sondern noch zwei Monate weniger. (--) Und wenn ich jetzt noch so sehe, was noch auf mich zu-kommt, boah. Ja, doch schon// ja, ist doch schon ein Berg. Also, mit den vier Unterrichtsbesuchen hab' ich noch nicht mal die Hälfte, insgesamt sind's ja zehn. Dann noch die beiden Examensstunden und noch die beiden Modulprüfungen, boah. Das ist schon, ja. Ich glaube, die Modulprüfungen noch// ich unterschätze das auch noch. Weil das ist ja quasi wie nochmal ne Vorführstunde, vermut' ich mal, vom Zeitaufwand. Noch so irgendwo dazwischen gequetscht. Also, das so, ja. [62]

{00:58:15} I: Ja, da hab' ich// kann ich dir vielleicht sagen, von einem an-deren Referendar// Referendar (-), dass das wirklich nochmal äh (-) nicht ohne wohl ist.

{00:58:27} B4: Ja, nochmal einfach ne Zeit, die dafür flöten geht, auch die (--), ja. (-) Ja, das glaub' ich auch sogar, ja. Das Schlimme ist ja da auch, dass du dir ein eigenes Thema wieder wie (.) boah. Was mach' ich denn?! Keine// Weiß ich nicht?! Ich würde auch was machen, wenn man mir das gibt, ja?! Jetzt muss ich mir erstmal ein Thema überlegen. So, das ist ja auch nett, dass man selbst bestimmen darf, aber (.) ah, erstmal das Thema zu finden. Und wenn ich das hätte, dann würde es vielleicht sogar gehen, aber da weiß ich auch nicht so richtig, was man da// Man wird auch nicht so richtig// Wir hatten sogar das Thema schon »Wie man// Was ist bei der Modulprüfung?« und ich bin jetzt immer noch nicht viel schlauer. Ja, finde dein Thema und (B4 LACHT) und erzähl was drüber, so in etwa. Das ist ohhh! Nee, wieder so=en Schwammiges, das mag ich nich. Ich will (.) wissen was, (B4 LACHT) konkret ich machen muss und dann mach' ich das auch. Aber (-) das ist wie eben, wenn so=en// so=ne Vorführstunde hast und das Thema nicht weißt. Das ist so ganz blöd, so=ne// so: »Such' dir doch eins!« Ja, das ist manchmal// du verwendest dafür mehr Zeit, als (.) notwendig wäre, ja. Also, ja (I LACHT). [63] Das ist schon, is schon// is schon heftig, was in der kurzen Zeit abverlangt, muss ich schon sagen. Also, im Grunde, weil hier unten steht noch »Persönliche Situation«, mit Kindern stell' ich mir schon sehr, sehr schwer vor. Sehr schwer. Ich hab' mich bewusst dafür entschieden, keine Kinder zu kriegen, vor, also (-) oder während des Referendariats, weil ich glaube, (-) also, es wäre machbar, aber (.) mit großen Abstrichen. Also, gerade diejenigen, die Kinder haben, da merke ich auch, dass denen (.) das Schulleben nicht so wichtig is, wie mir. Also, die sind ebent nicht für jede Stunde so (.) perfektionistisch oder gerade die Quereinsteiger, die ne Stelle haben, sagen: »Na ja, ich mach' das, krieg' nachher ne Note, ist mir egal, weil ich hab' sowieso nen festen Vertrag!« Muss ich ehrlich sagen, also, da sind viele// [64]

{01:00:28} I: Ja, klar. Wenn die nur daran denken: »Ja, ich besteh' Hauptsache und dann äh//

{01:00:33} B4: Ja, das sind eher diese grundständigen Referendare, die sich Gedanken machen. »Mensch, wie schneid' ich ab?« Und dann ist man auch noch so in diesem Leistungs// von der Uni schon noch. Nee, man möchte ja auch gut abschneiden. [Da ist man auch im Vergleich ir-

gendwo. Rechts und links guckt man dann ja doch irgendwo.] Ja, letztendlich ist es auch einfach mal so, man macht das und hat darauf solang' hingearbeitet, da möcht' man auch ne gute Note haben, nee?! Also, dann so
mit Vier oder so am Ende rauszugehen, wär' einfach mal so voll deprimie-
rend, so. Von wegen: »Na ja, so nichts Halbes und nichts Ganzes, nee?!«
So ein Prädikat, Lehrer mit Vier, na ja. Andererseits sind die Noten in
meinen Augen extrem subjektiv. Sehr, sehr, sehr, sehr. Wie in der Schule
leider auch. Es ist so abhängig vom Fachseminarleiter, von »Was will er
sehn? Was will er hören?« und mmh, muss ich leider so sagen, es is=so.
Und dann frag' ich mich wieder, ob das wirklich (.) mein erstrebtes Ziel
ist, also, ob ich// ob ich traurig wär', wenn's ne Drei wär', weil ich eigentlich weiß// (GLAS KNALLT AUF DEN TISCH) mittlerweile sollt'
ich wissen, is doch so. [65] Es ist doch so abhängig, auch die Klausuren,
ich merk' das doch selber. Wenn// Wie ich ne Klausur erstelle, wie meine
Kollegin ne Klausur erstellt. Spricht man vorher das nochmal so im Detail
durch? Natürlich wird's dann besser, das ist doch klar! Nee, das sind so
Dinge, da (???) man kann ja nicht mal vergleichen, wenn man die gleiche
Klausur schreibt. Wenn der eine in der Vorstunde das genauso bespricht,
na ja, natürlich wird die besser als die andere (I LACHT). Also, es ist so
lehrerabhängig, selbst die schriftlichen Noten, sind nicht wirklich objektiv.
Und von daher, na ja (B4 LACHT). [66]

{01:02:12} I: Da hab' ich auch schon so=en bisschen festgestellt, wie dann
die Zeugnisnote dann doch noch ein bisschen an// angepasst werden
kann, obwohl's (.) rechnerisch eigentlich gar nicht mehr so möglich ist.

{01:02:25} B4: Teilweise finde ich, ich hab' jetzt auch teilweise die Problematik: Bei manchen muss ich auch Zeugnisnoten erstellen und dann
denkst du: »Oh, man eigentlich würd' ich gerne. Und rechnerisch is es
nicht drin.« Und dann dacht' ich so: »Aber eigentlich hab' ich die Freiheit.« Andererseits (.) und deswegen macht man's oft nich, du sollst auch
fair sein, nee?! Nur weil ich den mag, oder, was heißt mag, aber weil, der
mir so zeigt, dass er so will und weil ich so weiß, dass er will (B4
LACHT), geb' ich ihm ne bessere Note, ist auch unfair denen gegenüber,
die vielleicht innerlich wollen, es nur aber so nicht zeigen können. Also,
es ist tatsächlich sehr, na ja, schwer. Ja. Haaa. Gott sei Dank, hab' ich
keine Eltern hier. (---) Ja, Motivation der Schüler. Ja, ich glaube, ja. (---)
[67]

{01:03:17} I: Das wären so die wichtigsten Punkte. Äh, vielleicht nur ganz kurz nochmal »Private Situation«, das hast du ja so=en bisschen thematisiert, dass es sehr schwierig is, das irgendwie (.) äh ja, unter einen Hut zu bekommen, sagen wir mal so. Dass man sich wenn, dann wirklich strikt dann Freiräume nehmen muss.

{01:03:35} B4: Ja. Ja, es ist so schwierig irgendwie so wirklich in Worte zu fassen. Also, man könnte durchweg arbeiten ohne Pause, man hätte genug zu tun (BEIDE LACHEN), man würde immer was// man würde was finden. Und das ist immer wieder das, man wird nicht fertig und das ist tatsächlich nicht so toll. Weil man selber sich auch Stress aufbürdet, der vielleicht nicht sein muss. Ähhhm. (---) Trotz, jaaa. (--) Ja, weiß ich auch nicht so richtig. [68] Ja. Also, ich nehm' mir die Freizeit dann einfach oder sage eben: »Mensch, ähm.« Also, mir hilft es am besten, wenn ich wirklich verreise. Wenn ich weg bin. [69] Weil, wenn ich zu Hause bin, mach' ich immer irgendwas dann. Das war nämlich auch zu Weihnachten so. Ja, dann hatt' ich dann einen Tag mal keinen Termin und dann so: »Oh, eigentlich müsste man.« Und man is ja jetzt auch zu Hause und (.) oh. Und dann macht man den ganzen Tag nichts, fühlt sich aber so gestresst, ob man eigentlich was hätte machen müssen. Das ist irgendwie blöd! Also, ich versuche noch daran zu arbeiten, mir mehr bewusste Freiräume zu lassen und dann auch zu genießen. Ich glaube, das ist noch so die// die Herausforderung zu sagen: »Ich nehme mir den Tag und dann genieße ich ihn auch ohne ein schlechtes Gewissen.« Andererseits (.) is vielleicht auch nach dem Referendariat noch mehr// genug Zeit dafür (BEIDE LACHEN). Ähm, manchmal kann man das ebent auch nicht, wenn man weiß: »So, in zwei, drei Tagen is der Unterricht da und da.« Da musst du natürlich bestimmte Sachen fertig haben. Und dann machst du es natürlich auch. Ja. Es gibt aber auch Wochen, wo ich eben weiß: »Mensch, da und da muss ich nicht unterrichten.« Da ist auch mal ne Woche, wo ich mal durchatmen kann. Wo ich sagen kann, äh: »So, da unterrichtet mein// meine (.) Fachlehrerin oder meine// meine anleitende Lehrerin.« Das verschafft mir mal ein bisschen Raum und Luft andere Sachen zu schaffen oder mal eben (.) ein bisschen Freizeit. Ja. Kann ich gar nicht so richtig sagen. Ich hab' schon Weihnachten// Ich hab' nicht Weihnachten gesessen, das will ich jetzt nochmal sagen. Aber ich bin auch noch ganz am Anfang, nee?! Also, man hat noch nich// die Modulprüfung stand noch nicht an, mein Examen stand noch nicht an. Ich hab' Leute, die haben ihr Examen jetzt in zwei Wochen oder so. Die saßen natürlich zu Weihnachten! Ja, oder auch äh quasi

abends noch. Das hab' ich nicht gemacht. Und ich saß auch nicht an Sil-
vester oder so. Und ich s// ist auch selten, dass ich wirklich ne Nacht-
schicht einlegen muss. Außer, was weiß ich, man hat nicht rechtzeitig das
vorbereitet und macht das am Abend// Nacht vorher (I LACHT). Aber es
ist nicht so, wie (.) was weiß ich, (???) in meinem Studium hab' ich öfters
mal nachts gesessen, aber (-) weil ich da auch einen anderen Tagesrhythmus
hatte als jetzt. Jetzt muss man ebent früh auch parat sein, nee?! In meinem
Studium konnte ich dann irgendwann die Nacht zum Tag machen und das
hat dann auch funktioniert (B4 LACHT), aber das geht jetzt nicht mehr,
weil man jetzt ebent Verpflichtungen auch hat. Ähm, ja. Aber es ist aber
schon trotzdem noch so, dass ich Freizeit habe. Es (???) man schafft auch
mal zum Sport zu gehen oder mal ebent Freunde zu treffen. Das is schon
so, aber auch: »Nee, heut kann ich nicht. Oder das ganze Wochenende
kann ich nicht, weil nächste Woche was ist.« Aber das ist immer. Letztendlich ist es doch immer. Außer da ist jemand, der hat ebent nen Job, wo
er wirklich nach Hause geht und nichts mehr hat. Aber trotzdem im Studium war's doch auch so. Nee, da hat man auch kurz vor den Prüfungen:
»Uh, nee, da kann ich nicht!« (BEIDE LACHEN) [Vor allen Dingen, vor
den Prüfungen!] Ja, is ja so. Nur// Nur im Studium war es halt geballter.
Man hatte viel Freizeit und dann plötzlich musste man sich extrem ranset-
zen und viel zu lernen. Und// Und die Zeit war ja auch immer hart. Jetzt//
Jetzt ist das so, ist nicht ganz so hart, weil da// im Studium kann ich mich
noch erinnern, da war ich Nachtschichten und al// also, nicht nur Nachtschichten, was ich gerade gesagt hab', sondern auch wirklich, gebüffelt, weil
es zeitlich alles nicht mehr// So ist es jetzt nich. Also, ich hab' jetzt nicht
so das Gefühl, dass ich jetzt auf keinen Fall schaffe und (???) Und immer
dieses kontinuierliche. Man hat ebent nicht so das Gefühl: »Boah, wenn ich
den Unterrichtsbesuch weg hab', bin ich durch!« Nee, bin ich ja nich!
Weil, dann kommt ja in der nächsten Woche der normale Unterricht und
danach kommt ja (.) zwei Wochen später der nächste Unterrichtsbesuch.
Das is so oh, ja. [Das stell' ich mir auch schwierig vor.] Das ist es auch!
Also, (???) aber es geht. Aber andererseits geht's wieder (BEIDE LA-
CHEN). Das ist so, wie ich eingestiegen bin. Eigentlich, so schlimm ist es
dann doch wieder nicht. Nicht so, wie's gesagt wurde. Es ist schon schaffbar. Andererseits muss man auch sagen, wenn man nicht, wie du hier sagst:
Private Situation, wenn du jemand Kranken zu Hause hast, wenn du Kinder zu Hause hast, das sind so Sachen, die würden ja noch zusätzlich (-)
belasten, die ich Gott sei Dank nicht habe. Ja?! Wo ich sage, äh: »Das
geht. Das ist machbar.« (---) [70]

{01:08:21} I: Ja, dann klingt das ja aber trotzdem alles in allem (.) eher positiv.

{01:08:25} B4: Ist es auch, ja. Also, deswegen hab' ich mich auch gerne darauf eingelassen, weil ich hab' das Gefühl, dass es sehr schlecht gemacht wird. Sehr, sehr schlecht gemacht wird. Es ist auch nicht einfach (.) Und ich finde auch manchmal übertrieben viel, dafür, dass du Lehrer werden willst (BEIDE LACHEN). Muss eigentlich nicht sein, ich weiß// also, ich (???) Na ja, andererseits, nee, die müssen ja auch gucken, wie du dich entwickelst. Also, eigentlich macht so ein Unterrichtsbesuch auch Sinn. Aber vielleicht ebent dieser Papierkram, das wär' vielleicht schön, wenn sie das denn lassen würden, wär' schonmal was, wo man sagt, äh (---) [71]

{01:08:59} I: Ja, also, vor allem// gut, vielleicht ist das dahingehend geschuldet, wenn// wenn da wirklich so viele Quereinsteiger sind, vielleicht wollen die dann auch sehen, dass die da irgendwie halbwegs wissenschaftlich da was, aber wenn man selber mal guckt: Ich hab' den ganzen Sommer auch mit Schreiben wieder verbracht (I LACHT), also, wie man äh solche äh Arbeiten verfasst, das sollte man jedenfalls, wenn man aus=em Studium kommt, mittlerweile dann ja//

{01:09:22} B4: Ja, aber ich war ganz froh. Als ich aus=em Studium kam, brauch' ich nicht mehr, aber: Nein. Ich wusste ja, dass das kommt. Aber (--) ich bin froh, wenn es nicht mehr ist. Ich bin nicht so=en Schreibfan, also, es gibt ja manche, die schreiben es einfach runter. Ich mach' mir (???): »Ja, wie formulier' ich diesen Satz?« Ja, dann macht man sich (.) manche schreiben es einfach viel schneller. Ich (???) brauch' dafür ziemlich lange, weil ich's wieder so perfekt machen will oder weil's sprachlich ebent auch angemessen sein soll. [72]

{01:09:52} I: Klar, oder keine Ahnung, dann findet man noch bessere Quellen. Da sind ja so viel Faktoren, die da noch mit reinspielen oder man wirft nochmal das Konzept irgendwie um, oder, genau.

{01:10:01} B4: Musst' ich, Gott sei Dank, noch nicht (I LACHT). Al// Das ist tatsächlich// ich hab' ne Referendarin, die hat letztens gesagt: »Gu// Och! Mein Unterricht stand gestern Nachmittag (???)« Und da dachte ich: »Nee! Also, das wär' mir etwas stressig.«

{01:10:15} I: Ähm, ich hab' jetzt nur noch eine äh Sache vielleicht, die ich dich ganz gerne fragen würde. Ähm und zwar ähm, den Druck haste ja angesprochen. Hast du da irgendwie so=en// so=en Mittel auch, wo du dann auch so dagegen arbeitest? Zum Beispiel sagst du dann einfach: »Jetzt ist Schluss!« Oder hast du irgendwie, weiß nicht, Medi// Meditation, irgen// irgendne Sache, die dich wirklich vollkommen von der Schule wegführen kann? Also, hier Coping-Strategien, das ist so das Schlüsselwort, also, tatsächlich, um Belastungen entgegenzuwirken.

{01:10:55} B4: Ja, prinzipiell würde man jetzt schon erstmal denken: »Ja, wenn man mal Zeit hat zum Sport oder so.« Aber selbst dann kann ich nicht komplett abschalten. Also, ich nehme mir die Zeit und sage: »So, Mensch, jetzt musst du aber mal wieder!« Und dann machst du dein Fitness oder was. Oder ähm (-) triffst dich eben mit Freunden, aber trotzdem kann ich nicht komplett abschalten. Und das (.) bleibt ebent oder ist im Moment noch so. Das// Ich habe keine Strategie es komplett zu vergessen. Auch wenn ich sage: »Ich guck' heute Abend nen Film und treff' mich mit meinem Freund oder so. Oder ich mach' heut' Sport und (.) gönn' mir die Auszeit.« Trotzdem weiß ich im Hintergedanken: Ich muss das und das machen. Und ähm hab' ich keine komplette Strategie, die mir hilft (BEIDE LACHEN). Das ähm (.) Ja, (-) das außer Acht zu lassen. Kann man vielleicht auch gar// Weiß ich auch nicht. Also, wenn's jemanden gibt, mit dem müsst' ich mich mal zusammensetzen (I LACHT). Jemand, der das komplett kann. [73]

{01:11:55} I: Kommt glaub' ich auch wirklich so=en bisschen auf die Vorgeschichte auch so=en bisschen drauf an und (.) wie man tatsächlich ähm an die ganze Sache ran// rangeht. Wenn du sagst, du bist eher der Typ, der da so perfektionistisch (???) Muss ja auch nicht vollkommen perfektionistisch sein. Aber auch nur der einfach m// möchte, dass die Sachen gut ausgearbeitet sind, die Sache ordentlich machen, das// das reicht ja meistens dann schon, da wo dann einfach auch ganz viel Zeit für äh aufgewendet werden muss, ja.

{01:12:22} B4: Also, ich sag' mal so: Es ist schon so, dass man sich zum Beispiel an dem Tag, wo dann diese (.) Prüfung, Vorführstunde ist. Die gönnt man sich auch einfach, nee?! Da lässt man sich so feiern zu Hause: »Oh, geschafft wieder!« (BEIDE LACHEN) »Toll!« Und so. Oder man (.) ärgert sich, was nicht so gut gelaufen ist. Äh, bin ich jetzt der Letzte, der sich in die Bahn setzt und denkt: »So! Abgehakt, das Nächste!« Das nicht, nee?! Also, man// Oder auch im Urlaub, schon, so wenn ich in den Urlaub fahre, kann ich schon auch mal abschalten. Ich glaube, ich war sogar im Herbst und da war ja auch schon Referendariat. Doch das funktioniert schon. Doch, Urlaub is glaub' ich so// In den Ferien, wo ich weiß, ich hab' zwei Wochen mindestens und ich sage: »Doch, das geht.« So halb (BEIDE LACHEN). [74] So halb. Äh, vielleicht, der ein oder andere Gedanke äh an äh ne Vorführstunde, das man so nicht geda// aber dann würd' ich mir auch nichts mitnehmen, oder so. Doch das funktioniert schon. Wenn ich sage: »Ich hab' genug Zeit, das noch aufzuholen.« Aber so jetzt am Wochenende oder so, mal einzelne Tage, ja, mmh, schwer, da komplett abzuschalten. Also. Nicht wirklich. [75] Aber wie du sagst, es gibt einfach auch andere Menschen, die haben schon viel mehr erlebt, die haben viel mehr hinter sich, die haben (.) andere Lebensumstände. Für die ist das ebent (-) ein Teil des Lebens und im Moment ist es schon// nimmt es schon sehr viel Platz in meinem Leben ein. Was manchmal schöner wär', wenn's nicht ganz so wäre. Aber ganz ehrlich: Für mich ist Lehrerwerden etwas (.) Ich kann mich hier entfalten und habe aber trotzdem noch genügend (.) Also, ich werde auch Lehrer um mehr Zeit für mich auch in meinem Leben zu haben. So und das so zu gestalten. Also, dass// dafür nehm' ich das in Kauf, dass das jetzt so ist. Ja, ich bin nicht so, dass ich sag': »Oh mein Gott! Wenn das mein Leben lang so bleibt, ja dann boah!« Ja, nur so, nee?! Ich merk', es macht mir Spaß. Und das ist so wichtig. Ja, weil man aus dem Studium kommt, denkt man: »Ja, ob ich dafür geeignet bin?« Man hat schon Angst. Ja, man denkt so: »Ach du großer Gott! Wenn ich das nicht kann, dann äh stehste da, nee?!« Da hast du fünf Jahre studiert. Und so richtig üben, kannst du's ja nie. Auch die ganzen Praktika, ja, da hat man auch viel nur daneben gesessen und (.) Ja, hat man schon Schiss. Dann hatt' ich mein Praktikum an ner Privatschule. Mein zweites und das war auch super, nee?! Die Schüler waren total niedlich und nett und dann dacht ich: »Oh Gott, dann komm' ich an ne öffentliche Schule (BEIDE LACHEN) und die sind alle total (???) unmotiviert und// und laut!« War dann auch nicht so. Und das ist// das hilft. Das ist enorm, diese// diese äh dieser// diese Selbsterkenntnis, man kann das gut. Das ist toll. Das ist am Anfang, so wo du denkst: »Oh Gott sei Dank, du hast den richtigen Beruf gewählt.« Du kriegst nette ähm Rückmeldung, auch teilweise von Schülern: »Oh, das war heute aber schön.« Wo ich mir so denke: »Ich hab' das nicht gemacht!« (I LACHT) Ich hab' nie Lehrern gesagt: »Oh, das haben sie heute aber schön gemacht!« Da lernt man erstmal die ganzen Schleimer zu schätzen:

»Kommt in meine Arme!« (BEIDE LACHEN) Ja, ist wirklich. Man denkt immer so als Schüler: »Oh, Schleimer!« Aber das ist nett, das hilft weiter, das ist so süß irgendwie. [76]

{01:15:29} I: Ja, nee. Ist ja auch ein super Feedback, wenn auch einfach// Wenn da was gut geklappt hat und das ist ja eigentlich, würd' ich jetzt sagen, der größte Lohn, wenn die Schüler tatsächlich sogar auf einen zukommen und sich dafür bedanken, dass man unterrichtet würde.

{01:15:40} B4: Also, das ist wirklich Wahnsinn. Das hätt' ich nie so erwartet. Und ich kann auch// fühl' mich auch total bestärkt. Also wirklich. Alles richtig gemacht und es macht// es macht mir auch Spaß. Ja, der Stress der drumherum ist, den vergisst du, wenn du vor der Klasse stehst. Nee, wenn's dann erstmal vorbereitet ist (.) und denn siehst du, wie's läuft und so, im normalen Unterricht, mein' ich jetzt auch. Das macht (.) jetzt auch schon Spaß. Und auch das Hiersein macht mir Spaß. [77] Nur eben, nach Hause fahren und zu denken: »Oh und wieder ran!« So, das ist so, wo man oh. Andererseits, mit der Annahme, dass es irgendwann hoffentlich nicht mehr (.) Und ist es ja auch nicht. Wenn man an einer Schule bleibt, hat man's vorbereitet, ja?! Auch, wenn ich weiß, man soll sich anpassen. Ja. Aber aktuell auf=em Stand zu bleiben, heißt ja trotzdem nicht, dass man alle Arbeitsblätter noch//

{01:16:29} I: Vor allen Dingen in Wirtschaft. Da hast du deine Themen und zum Glück ist das ja nicht so, dass du da wie zum Beispiel in Deutsch unterschiedliche Kurzgeschichten hast (BEIDE LACHEN), die du dann immer wieder irgendwelche anderen vorbereiten musst. Da ist das vielleicht auch nochmal, weiß nicht, ein bisschen aufwendiger nochmal.

{01:16:41} B4: Ja, weiß ich auch nicht. Ich glaube, das kann man schwer (-) ja.

{01:16:46} I: Da hast du vielleicht von der Thematik auch so dieses Grundgerüst, also, was zu einer Kurzgeschichte gehört, das wiederholt sich ja auch immer. Aber ähm nochmal das immer wieder lesen oder dann auch die (--) Romane, die du dann da (-)

{01:17:00} B4: Ja, aber ein bisschen Abwechslung manchmal// Ich hab' mir auch jetzt mittler// nur im Referendariat schon gedacht: »Mensch, äh, kommt denn bei mir auch irgendwann dieses Eintönige?« Aber ich glaube schon, nee?! Wenn man's dann// Ich hab' ne Kollegin, die unterrichtet, was weiß ich, drei- oder viermal das Gleiche in einer Woche! Quasi. Nur in anderen Klassen oder so. Das ist dann schon nur noch ein Absitzen, nee?! Also, die ersten zweimal hast du noch Bock drauf (.) und dann (???) Nee, dann (???) Ja, das kann ich mir auch vorstellen, dass das irgendwie// Für mich ist so jede Stunde was Neues und ich würd's ja gern nochmal sogar machen, nee?! Aber so viermal?! Kann ich mir schon vorstellen, dass das auch nicht so cool ist.

((...))

g) Interview Toni

Interview-Nr.:	5
Aufnahme vom:	17. Januar 2018
Gesprächsdauer:	00:40:37
Transkriptionslänge:	00:01:43 bis 00:38:29
Interviewpartner:	Toni (B5)

((...))

{00:01:43} I: Genau, und äh, was ich ganz gerne von dir wissen möchte, wie du quasi dein Referendariat so wahrnimmst? Wo du Belastungen siehst? (---) Ganz breit gefächert, was dir als Erstes in den Sinn kommt.

{00:01:59} B5: Also, ich mache ein Anpassungslehrgang, das ist ein Referendariat für ausländische Lehrkräften. Und von daher (.) der// das große ähm Unterschied ist, dass ich keine Modulprüfungen mache und keine Examen, weil es (???) ich bin schon Lehrerin in Lateinamerika und so, und jetzt hier ich habe ja (.) nur ein anderes Fach, also ein weiteres Fach äh studiert und jetzt mache ich mein (.) Referendariat, das ist 18 Monate, das ist alles äh genauso. Ich besuche auch die Seminare und äh ja die Seminare finde ich äh (--) äh belastend. Ehrlich gesagt, sind äh ist viel Zeit, die wir da (-) verbringen [1] und äh, also, so Nebensachen, die wir auch im Kopf behalten müssen und die ganzen Vorbereitungen, Durchführung von äh Unterricht und Nachbereitung und äh, wenn man (.) in der Schule ankommt, dann ist es also wirklich da (.) ich hatte ja keine Ahnung, wie das hier alles funktioniert, so von der Kopierer her, wie's// wo finde ich eine Schlüssel für das Fach der Beamer, oder so. Oder äh gibt es überhaupt hier ein Kabel, das funktioniert für meine methodische// also technische Sachen, die ich brauche. Und so// Und solche Kleinigkeiten also sind// klingen banal, aber sind belastend, weil du musst ja vielleicht, also früher kommen, bevor dein Unterricht anfängt und überall die Leute suchen, die// diejenigen, die dafür Verantwortlichen. [2] Und so, und ja, danach also ganz schnell Unterricht machen äh, die Schüler sind ja nicht immer in// in ihren besten Tagen, so, das heißt, diese erzieherische Arbeit in der// im (.) also im Klassenzimmer findet auch immer wieder statt. Also, das heißt, also (???) ich kann mir so gut vorbereiten, also fachlich, inhaltlich, methodisch, didaktisch, alles, was ich will, aber natürlich kannst du

nicht wissen, was äh in der Stunde dich erwartet und von daher, es ist
psychologisch auch ähm sehr belastend, weil (--) du musst ja, die ganzen
90 Minuten da drin wirklich konzentriert sein und ähm also kleinere (.)
Entscheidungen treffen, was äh pro Minute oder so, also, nun gut. [3]
Aber ja, was ich sagen wollte, ist, dass diese ähm diese vielen Stunden, die
wir mit dem (.) Hauptseminar zum Beispiel verbringen, da finde ich vielleicht äh könnte eine (.) Verminderung geben. Oder wenn ja// wenn
nicht, dann ähm zweimal im Monat nur, anstatt jede Woche. Ähm, weil
ähm es ist schon ähm (--) wichtig und finde ich auch ähm (-) nützlich,
dass wir das haben, diese// dieses Zeitfenster, wo wir mit unserem
Hauptseminarleiter, also ein bisschen (.) uns austauschen können. Aber
andererseits, es ist nur Theorie, was wir da sehen und das haben// hat
man schon in der Uni gehabt, das ist eigentlich Wiederholung. Was man
jetzt braucht// Also du hast ja schon in dem Studium das ganze Theorie
gehabt, jetzt braucht man praktische Tipps. Also, wirklich ähm (---) [Me-
thoden, die man einsetzt.] Methoden, also, zum Handeln. Aber nicht
schon wieder das zu den pädagogischen Theorien, oder so. [Nochmal alles
zu wiederholen und neu aufzuziehen.] Eben, es kostet Zeit und ähm, ja.
[4] Und diejenigen, die noch Modulprüfungen haben, also sie haben noch
mehr Belastung als ich, aber// also ich kann ja nicht äh einfach so froh
sein: »Jaja, die anderen haben mehr.«, weil// weil bei mir ist das äh von
Anfang an (.) werde ich benotet, das heißt, ich habe ja keine Lizenz hier
um Fehler zu machen, nicht richtig wie die anderen Referendaren, die//
die gehen einfach, ich glaube, dass erste// fast das erste ähm Jahr komplett
ohne benotet zu sein. Und von daher ist quasi äh also eine Stunde zeigen
und dann Nachbesprechung führen, aber, also man hat ja keine Konsequenzen danach direkt. Bei mir schon. [5] Und von daher, also (???) ich
war// stell' dir vor, ich hatte nicht mal eine Woche hier in der Schule gehabt, wo ich ähm (???) also meine Fächer sind (.) Wirtschaftslehre und
Spanisch. Wirtschaftslehre wurde mir anerkannt, das heißt, es ist eigentlich nicht mein Fach. Und dann ja, ich musste mitlaufen und so, ich hatte
Gott sei Dank eine anleitende Lehrerin gehabt. Aber sie ist krank gewesen
und da (.) ja, ich kam in die Schule und Gott sei Dank hat sie mir aber
auch ähm Materialien gelassen, weil sie krank war. Normalerweise das
passiert nicht, dass äh jemand krank ist und gibt dir was in die Hand. Na
ja, ich habe sechs Arbeitsblätter bekommen. Und mir wurde gesagt: »Ja,
jetzt äh kannst du in den Unterricht gehen.« (I LACHT) Ja, vielen Dank,
aber// Danke für die Materialien. Die Materialien kannte ich überhaupt
nicht, so von daher, ich konnte ja nicht richtig kalkulieren, was ich mit

meinem Zeitmanagement und so. Und ich kannte eigentlich die Schüler
auch nicht. Und// [Richtig schön ins kalte Wasser geworfen.] Das war
wirklich. Uff. Wie kann ich das erklären? (BEIDE LACHEN) Es war (.)
ähm sehr, sehr chaotisch. Aber ich bin ran// rangewesen und ja, ich habe
irgendwie das äh diese Situation (.) arrangiert und da, also damit klarge-
kommen, aber ähm weißt du was? Keine Theorie hat mir dafür geholfen.
[Musstest du dann quasi einfach Improvisationstalent unter Beweis stellen.] Das war ehrlich gesagt, die Universität des Lebens. Also praktische
Tipps, praktische Sachen. Weil ansonsten, also (.) ja, okay (BEIDE LA-
CHEN). Hätte ich das nicht machen können, glaube ich. [6] Ähm, von
meinen Fachseminaren findet auch, also (???) es war gut, aber auch
nochmal zu viel Zeit. In meinem Fachseminar »Spanisch« lerne ich ähm
am meisten, weil ich habe super Glück gehabt mit meinem Fachseminarleiter. Er ist sowohl fachlich, als auch ähm menschlich sehr (.) ähm sehr
gut, also ich finde ihn gut und ich lerne ganz gerne mit ihm. Im Fach
Wirtschaftslehre ist es ein bisschen anders. Ähm (---) Und ja, aber in beiden kann ich sagen, dass ähm ja vielleicht die Basics kann man noch äh
lernen zum// also Unterrichtsentwürfe zu schreiben. Und so, weil// das
haben// also, das hatte man nicht in der Uni gehabt. Von daher, das ist
neu, das ist äh (.) [Dann auch mal hilfreich.] Das ist sinnvoll, das zu machen. Ja?! Also, Unterrichtsentwürfe zu schreiben oder didaktische Reduktion, Sachanalysen und so, solche Sachen. Ähm (---) Im Referendariat
ist nicht alles schlecht oder (--) oder so weiter. [7] Also, ich mache wirklich (.) sehr gerne in der Klasse zu sein, mit den Schülern. Ich verstehe
mich ganz gut mit ihnen, also, auch// auch bei der menschlichen Ebene.
[8] Äh, ich genieße es tatsächlich, wenn ich äh meine Stunden vorbereite,
dann (.) ich versuche das zu machen ähm (.) also Lerngruppe// also
adressatengerecht, äh, gerichtet (B5 LACHT). Genau. Und ich genieße
es, wenn ich da, also da meine Stunden plane oder// und an meine Schüler denke: »Ach ja, vielleicht// der Oliver würd' sich freuen, wenn wir sowas machen, so wie das Gespräch, oder so.« Ja?! [9] Beim Durchführen,
wie gesagt, also man kann ja nicht immer (BEIDE LACHEN) so machen,
wie's auf dem Plan stand. Ähm, ja. Und die Nachbereitung, also, die
(???) mehr Sachen bekommen wir, wie Noten, wie gerade in diesem Moment. Ich weiß nicht wirklich, hundertpro. Sicher bin ich nicht äh wie man
hier// wie man hier benotet, die Noten gibt. Aber ja, ich habe eine anleitende Lehrerin so, ich werde sie fragen. [10] Ähm (---) Was noch? Ja, das
ist die schönste// die schöne// der schöne Teil des Referendariats, also
mit den Schülern zu sein. Auch ähm ja, ich lerne wirklich ganz schön viel

methodisch, vor allem. Weil es wird das ähm es ist gewollt, dass äh also, keine, oder so wenig, wie möglich Lehrervorträge da zu halten, und so. Und dann, wenn// die Schüler sind diejenigen, die im Vordergrund sind, dann// das kostet dann zwar mehr Zeit, bei der Planung (.) zur Vorbereiten, aber in der Durchführung und Nachbereitung dann ein bisschen weniger, würd' ich sagen. (---)

{00:11:08} I: Ja, super. Dann schon mal vielen Dank. Ähm, ich hatte da noch geschrieben, ähm wie du vielleicht so=en ganz normalen Arbeitstag von dir beschreiben würdest. (--) Wenn man das überhaupt sagen kann?! (I LACHT) Oder vielleicht ne Woche, wie die bei dir aussieht?

{00:11:24} B5: Ja, okay, einen ganz normalen Tag, würde zum Beispiel// ja, heute, ich bin, ja gegen (.) halb Sieben bin ich aufgestanden, dann (.) ganz schnell, also gefrühstückt, Kaffee getrunken// haben wir den Kaffee getrunken, dann schon Zeitung gelesen für wirtschaftliche Themen, so. Und danach ähm (--) habe ich schon tatsächlich ein// einen Teil eines Unterrichtsentwurf geschrieben, für meine Wirtschaftslehre, so Lehrprobe, die ich nächste Woche habe. Und auch eine ähm (.) ein// eine Arbeitsblatt erstellt für meinen heutigen Unterricht noch. Und ähm (---) ja, meinen Verlaufplan auch für heute. Also, ich hatte ja schon angefangen, aber ich hab' (--) quasi// ich wollte nur ergänzen, aber am Ende hab' ich alles wieder neu gemacht (BEIDE LACHEN), das habe ich jetzt äh jetzt hab' ich Unterricht gleich und danach gehe ich nach Hause und habe Klausuren zu korrigieren, von dem Nachschreiber. Und wenn ich noch äh Kraft oder ja (.) Kopf (-) Platz habe, dann (.) versuche ich halt meinen Unterrichtentwurf noch ein bisschen weiterzukommen. Dann ähm morgen ist Donnerstag, das heißt, ich habe Unterricht schon um (--) im zweiten Block. Wirtschaftlehre, dann habe ich äh irgendwie zwei, drei Stunden da// dazwischen, in denen ich normalerweise nutze, um in die Bibliothek zu gehen, um meine Fachliteratur zu (.) holen, also zu recherchieren, und so weiter und sofort. (???) Also, in der Uni. Und äh danach habe ich äh Fachseminar. Äh, nee, Hauptseminar. Freitags habe ich äh ja vormittags äh Fachseminar »Wirtschaftslehre« und äh nachmittags gehe ich noch äh so freiwillig zu einem Modul, das ist ein Wahlpflichtmodul für, also Deutsch für ausländische Lehrkräfte, das sind aber nochmal drei Stunden nachmittags. Und ich unterrichte samstags auch hier in der Schule, dann habe ich ja zwei Gruppen. Also, in einer Gruppe hospitiere ich nur. Und in der anderen bin ich so selbstständig da, da mache ich selbstständig Unterricht. Und äh, ja diesen Plan habe ich schon am Montag geschrieben. Meinen Stunde von Samstag, weil, da ich samstags arbeite, habe ich montags frei. Also, wenn ich Samstag äh nach der Schule nach Hause gehe, in der Regel, will ich nichts mehr machen, (--) aber wenn// wenn es nicht so ganz gut klappt, dann habe ich auch kleine Teste// Tests oder ähm Diktate, ich machen, wo ich arbeite mit meinen Schülern. Zu korrigieren oder Kleinigkeiten zu erledigen. [11] (--) Sonntags mache ich nichts. [Muss ja auch mal sein.] (BEIDE LACHEN) Nichts für die Schule. [12] Und ja, montags in der Regel sitze ich wirklich äh am Schreibtisch von (-) ungefähr von 9 Uhr morgens bis 18 Uhr. (???) Das// Montags ist mein Tag, wo ich ähm meine (-) ja meine A// Unterricht der ganzen Woche vorbereite. Oder, das ist mein Plan, aber normalerweise ist es nur Zeit für Unterrichtentwürfe für meine Lehrproben, also so. Die Literatur, die ich geholt habe in er Bibliothek oder so, in diesen zwei, drei Stunden, ja, Montag wird gelesen und dann alles, also so, didaktisch reduziert und dann entwickle ich ja mein// meine Verlaufplan und mein Verlaufplan, oder so. Und das kostet mich am meisten Zeit und das ist ganz normal. Acht Stunden zu arbeiten, das ist ein (.) das arbeitet jeder in einem Büro, zum Beispiel. [13] Aber ich sage es dir wirklich hier, also, das mache ich// oder die letzten zwei, drei Male habe ich fast ohne Pause gemacht, ich hab' sogar vergessen zu essen! (--) Tatsächlich, ja, wirklich! [14] Und ähm, ja, (.) Das Gute ist, dass, wenn ich das auf einmal mache, also, das ist nur an meinem Tag, weißt du?! Aber damit ich da an diesem Tag alles schaffe, dann muss ich dann die// die Tage davor wirklich meine Sachen, wofür ich gesammelt habe// [Genau, damit du dann den Montag, genau, alles dann vorbereiten kannst.] Und ja, Montag ist für mich ein ganz normaler Arbeitstag, würde ich sagen. So jetzt, ich versuche ja (B5 LACHT) vielleicht da eine Pause zu machen, zum Essen oder so. [15] Damit// Ich arbeite von zu Hause aus und ja, dienstags hab' ich schon erzählt, was ich mache?! [Nee, ich glaub' nicht.] Ich glaub', ja dann. Dienstags habe ich ähm (---) Wirtschaftslehre in der 11. Klasse, ersten Block. (--) Danach hier äh normalerweise eine Stunde, um hier in der Schule Kopien zu machen oder irgendwelche Sachen zu (.) organisieren und danach muss ich rennen bis zum Reinickendorf, zu meinem Fachseminar »Spanisch«. Und ja, dienstags Abend, also nachmittags, wenn ich nach Hause komme, dann auch ein bisschen vielleicht für die Schule für mittwochs machen. Aber so// Aber wie gesagt, man kann ja doch einen Tag frei in der Woche haben (I LACHT), es ist nicht nur Arbeit. [16]

{00:16:54} I: Ja, aber na gut, es ist ja trotzdem, die ganze Woche ist voll, ja.

{00:16:57} B5: Ja, fast (B5 LACHT).

{00:16:59} I: Ja, gut, den einen Sonntag, dann.

{00:17:02} B5: Aber das ist normal für Lehrer, also. Das kenne ich auch von meinem Mann, der arbeitet auch so. Also, am Wochenende von zu Hause einen kompletten Tag. Also, von zwei Tagen frei, die man hat, äh, ja, einen// also einen Tag ist wirklich auch für die Schule, für die ganzen Vorbereitungen oder Nachbereitungen. Und ja, das ist normal im Lehr// Lehrerberuf. [17]

{00:17:24} I: Ja, vielleicht überleg' ich mir das nochmal (BEIDE LA-CHEN).

{00:17:29} B5: Also, aber, vielleicht, ja es kann sein// ich kann mir vor-stellen, dass, wenn du ja das alles (.) schon zum vierten Mal gemacht hast, so dann hast du schon deine Arbeitsblätter, dein Unterrichtseinheiten, so fein gemacht, das is// das kostet dich nicht mehr so viel Zeit. Äh für jedes Thema da, irgendwie alles neu zu entwickeln.

{00:17:52} I: Das ist ja auch äh das Schwierige, das hab' ich ja auch so ein bisschen mitbekommen, also, einige Unterrichtsstunden durfte ich ja auch hier machen. Allein bist du dann das Arbeitsblatt so hast, wie du das gerne möchtest, zum Beispiel, unglaublich viel Zeit geht nur für erstmal eintip-pen, dann äh verwirfst du wieder was und das// die ganze Überarbei-tungsphase, also//

{00:18:11} B5: Ja, und dann habe ich manchmal auch (.) tolle Arbeitsblät-ter gehabt, aber nicht selber ähm durchgeführt, oder wie kann ich sagen, nee, also gemacht, damit (???) also, das habe ich nicht gemacht und dann in der Stunde, wo// also mit den Schülern dann: Ah, vielleicht hat das Papier einen Fehler oder ja es hat// es hätte besser anders geklappt. Also von daher// Jetzt mach' ich nochmal so// Ich bin so müde schon. Und ja, Arbeitsblatt ist fertig, aber jetzt muss ich nochmal so als Schüler das ma-chen und da (???) dann kann ich da (.) Fehler entdecken. Und nochmal zu korrigieren (BEIDE LACHEN). [18] Das kann ich dir empfehlen. Immer

(.) bevor du das äh den Schülern gibst, dann selber es gemacht haben.

{00:19:04} I: War auch ganz interessant. Ich hatte letzte Woche auch en Unterricht und da war das dann auch so=en bisschen// bisschen schwierig geworden (.) ähm für die Schüler. Da hätte man vielleicht nochmal konkreter die Aufgabenstellung formulieren müssen und sich noch ein bisschen besser hinterfragen (.) an meiner Stelle. Aber, na gut. (---) Ich äh hab' auch noch ähm (-) hier so=en kleine// so=ne kleine Übersicht vorbereitet, was mich (--) nochmal ganz gezielt äh interessieren (DUMPFER LAUT) könnte. Weil ich hab' versucht, auch so=en kleinen äh so kleine Kategorien schon zu äh zu entwerfen, damit ich das Ganze auch später besser einordnen kann. Da würd' ich jetzt auch aus Zeitgründen nur ein paar ansprechen. Ähm, genau, wie du zum Beispiel ähm dieses Einzelkämpfer-Phänomen, das ich hier ähm hingeschrieben hab', wie du das zum Beispiel wahrnimmst? Also, fühlst du dich so=en bisschen alleingelassen oder eigentlich ganz gut äh aufgehoben so im// im Kollegium, dass du da, wenn du mal jemanden fragst, du hattst ja deine anleitende Lehrerin//

{00:20:14} B5: Ja, das zum Glück. Nein, also Einzelkämpferin bin ich nicht. Ähm, also nicht// nicht in dem Sinne, weil ich äh eine anleitende Lehrerin habe und dass sie wegen also so Stundenverminderung kriegt, dann (BEIDE LACHEN) ich darf sie wirklich äh also wirklich alles fragen, also. Äh, also, ich hab' zwei anleitende Lehrerinnen, eine für jedes Fach. Das ist wirklich Luxus. Ähm, und andere äh (.) Kollegen auch äh haben mir das angeboten (.) und ja, so, ein Kollege von Bänk// Bänkern Betrieb (???) also, ich (.) (B5 LACHT) also, ich frage ihn ganz schön viel (BEIDE LACHEN). Ähm, also, von daher würd' ich sagen, die Kollegen sind ähm in der Regel (.) hilfsbereit, natürlich nicht alle, also, sie haben ihre Arbeits// äh Alltag und jeder hat seine Probleme, von daher sind vielleicht genervt, wenn die kleine Referendarin (???) immer hinterläuft und fragen, fragen, fragt. [19] Also, ich versuche wirklich, wirklich äh so selbstständig, wie möglich meine äh meine Fragen zu beantworten, jetzt intern oder so, oder, wenn das nicht mehr geht, dann vielleicht nicht immer die gleiche Person zu belasten. Ja, und dann, das vielleicht hat nichts zu tun damit, mit Einzelkämpfer oder so, aber ähm (-) was ich auch äh (--) was mir auch passiert, ist, dass ich mich ausgenutzt gefühlt habe. Weißt du?! Also, wenn// ich hatte das Gefühl gehabt, vor allen im// von den spanischen Kollegen, dass äh (.) als ich hier (.) ankam, dass äh sie hatten plötzlich (.) ja Freischein, um nicht in der Schule zu kommen und da ist jemananden, die vertreten kann. Ja?! Und äh da ist mir einmal das auch passiert, dass eine Kollegin hier mich gefragt hat, ob ich ihre äh Gruppen auch übernehmen kann, also parallel mit meiner Gruppe so quasi. Also, zwei Gruppen in einer haben, weil sie den Umzug einer Freundin hatte und sie konnte ja nicht in der Schule kommen. [20]

{00:22:34} I: Aha, das ist aber sehr sus// suspekt.

{00:22:37} B5: Ich wusste nicht, weißt du?! Ich dachte: »Na ja, hier vielleicht, Deutschland ist so modern, dass// es ist sowas erlaubt?!« Also, ich hab' in zwei anderen Ländern gearbeitet in der Schule und das wäre überhaupt nicht möglich gewesen. Einerseits finde ich äh, dass sie (B5 LACHT) total äh ehrlich war und hat die Wahrheit gesagt, bei uns in// also, sie konnte sich ja einfach wirklich krankschreiben// melden und Punkt. Aber das fand ich auch ein bisschen respektlos, weil wieso sollte ich äh also, ich sie vertreten?! [21]

{00:23:11} I: Vor allen Dingen, je nach dem, wie stark jetzt die Klassengröße ist, dann sitzt du da auf einmal mit, keine Ahnung, mit 50 Schülern, oder// (I LACHT)

{00:23:18} B5: Ja, das ist Fremd// Fremdsprachen, so, Fremdsprachenunterricht, also, je weniger, desto besser. A// Schülern. Aber, na gut, da hatte ich um die 20 Schüler gehabt, aber die Sache ist, dass als Referendar musst du Diagnostik führen. Und deine Gruppe erstmal, also wirklich gut kennenlernen, so. Und wenn da ständig eine andere Gruppe sich reinmischt, dann habe ich wirklich den Überblick verloren. Vor allem, weil ich sie, diese Gruppe nur einmal in der Woche sehe. Na gut, da// da hab' ich mich ausgenutzt gefühlt oder (.) manchmal ist auch so, dass äh wenn du tolle Material hast, dann kommen sie: »Ah, hast du das? Könnte ich das auch haben?« Gerne, mega gerne, also für// wirklich. Aber ich finde es äh, dass irgendwann sollte es anfangen zu sein// [Sollte es auf Gegenseitigkeit beruhen, dass man dann auch mal was von der anderen Person bekommt.] Richtig, so in beide Richtungen. Ja, aber ich denke ähm, ja das (???), in Wirtschaftslehre mit meinen anleitenden Lehrerin, da mit ihr funktioniert das auch so sehr gut mit den Materialien und Austausch. [22] Ja. Was noch?!

((...))

{00:25:39} I: Genau, vielleicht auf der »Schulebene«? Ähm, vielleicht, wie du so die äh die Klassengröße, wie du die wahrnimmst. Ob du da irgendwie belastungstechnisch was siehst, oder?

{00:25:49} B5: Nein, in Wirtschaftslehre ich hab' 23 Schüler, das ist normal würd' ich sagen. Und in Spanisch hab' ich im Moment auch also sehr angenehme Klassenstärke, zwölf und zwölf. Ja, zwei Gruppen mit zwölf, [23] aber jetzt kommen ja das Nächste. Sie haben hier an der Schule Probleme mit einer Lehrerin oder einen Lehrer in Spanisch zu finden für samstags und jetzt wurde mir// mich// inoffiziell gefragt, ob ich mir das vorstellen könnte äh zwei Gruppen parallel zu unterrichten. Also, ich denke, um die 24 Schüler würden es sein. Ehrlich gesagt, äh ich würde am liebsten das nicht machen müssen, weil ich schon meine Gruppe habe und ja, mit denen kann ich (B5 LACHT) entspannter arbeiten. Ja, aber zur Not, vielleicht?! [24] Müsste ich das machen, also, es wäre auch temporär, aber (.) siehst du nochmal dieses (.) äh (---) meine Ausbildung interessiert (.) nur mich. Also, und davon das Beste machen zu können, da bin ich doch eine Einzelkämpferin. Ja?! Weil die Schule interessiert nur Feuer zu löschen. Da haben sie einen Notfallstelle, ja, irgendjemand muss das machen. Ja, wenn// wenn ich in meiner Ausbildung so kleinere Gruppen brauche oder (.) ehrlich gesagt, überhaupt in der Erwachsenenbildung eingesetzt werden sollte, sondern in der OG oder FOS, BOS, diese anderen Bildungsgänge, Sekundarstufe II, das interessiert niemand. Und dann muss ich doch kämpfen. [25] Letzte Woche hat mir der Schulleiter hier gesagt, dass ich aus der Form wäre?! Als mir// Als// Äh ja, als der andere mir diese Frage gestellt hat, ob ich mich das vorstellen könnte, dann hab' ich »Nein!« gesagt und er hat gesagt: »Ja. Sie sind jetzt hier aus der Form, es geht nicht um ihnen, sondern hier müssen wir es intern regeln.« Mmh, ja, vielleicht hat er recht?! Keine Ahnung, aber, weißt du, also ich musste was sagen. Es kann ja nicht sein, dass äh wenn ich ja nichts sage, dann sie können mit mir alles machen. [26]

{00:28:15} I: Ja, wenn man da zu jeder Sache »Ja und Amen«, ja dann kommt ja wieder der Punkt, den du schon angesprochen hast, dann wirst du da auch nur ausgenutzt. Und wenn du da, dir das selber ja auch nicht äh sag' ich mal, zutraust, weil du ja in der Ausbildung bist, dann (.) müssten sich meiner Meinung nach auch noch ein anderer Kollege irgendwo finden (I LACHT).

{00:28:32} B5: Ja, aber die Sache ist, dass äh also (???) in der Schule//
Schulleiter haben ja viel zu regeln und viele kleine Probleme (-) Also,
wirklich. Und äh es ist keine Wünschrunde, da zu kommen und zu sagen:
»Ja, ich möchte diese, diese und diese Gruppe, weißt du, das geht nicht,
weil jeder seine eigenen Wünsche hat!« Aber ähm, ja, ich würde sagen,
dass äh, na ja, ich kenne meine// meine Rechte als (BEIDE LACHEN)
Referendarin. Und wenn sie mich als ausgebildete Lehrerin wahrnehmen
möchten, dann (--) vielleicht (BEIDE LACHEN) sollte sie mich äh
dementsprechend bezahlen (B5 LACHT). Oder ein bisschen warten, bis
ich fertig bin. Dann kann ich wirklich// Dann hab' ich keine Belastung mit
Seminare dazu. Dann kann ich jede Gruppe vielleicht haben, weil ich da
diese Zeit, die ich gerade Seminare habe, dann hätt' ich das zum Vorbereiten, oder so?! Aber ja. [27] (---)

{00:29:32} I: Ähm, auf der »Individuellen Eb// Ebene« würd' ich dich
ganz gern noch fragen ähm, hast ja auch schon erzählt, dass du sehr viel
Zeit ja für deinen Unterricht ja auch äh aufwendest, wenn du sagst, sechs
von sieben Tagen (---) ist wirklich die Schule im Fokus. Ähm, dass du da
auf jeden Fall auch da zeitig gesehen eine große Belastung vor allen Dingen
mit den Seminaren (.) hattst ja auch angesprochen, die noch dazukommen.
Ähm (---) Was mich noch interessieren würde beim Unterrichtsfach, ob
du da auch Unterschiede siehst. Wenn du sagst, Wirtschaftslehre und
Spanisch, wo du da eher siehst, was macht dir mehr oder bereitet dir mehr
Kummer oder Arbeit?

{00:30:16} B5: Wirtschaftlehre. Ja, auf jeden Fall. Definitiv. [Von// Von
der Vorbereitung dann und?] Ja, ja, von der Vorbereitung. Da mach' ich
mir// Also, eine andere Art von Kümmern, weißt du?! Weil zum Beispiel
Spanisch, da muss ich aufpassen sogar meine Operatoren vorher (B5
LACHT) vorher richtig zu überlegen, weil (.) also, mein// mein Fach (-)
die Sprache ist sowohl das Fach als auch// als auch das Werkzeug, um das
Fach zu// zu unterrichten, also. Und sie kennen die Sprache nicht. So von
daher, ich mache mich nicht diese// diese Kümmerung, die// welche
Wort, also welche Operatoren, so. Bisschen reduziert machen. Und in
Wirtschaftlehre es geht mehr (.) ja, inhaltlich. Es ist mehr (--) belastend,
schon. Und danach methodisch, ja, methodisch habe ich ja (--) eine Viel-
falt von Methoden (I LACHT) schon eingesetzt und es macht mir auch
Spaß, nur ich muss da nicht achten, dass die Schüler die Worte nicht äh
verstehen oder so, weißt du?! Wenn ich sage: »Ja, bildet Gruppen von vier

Mitgliedern!« Okay, das geht (B5 LACHT). In Spanisch muss ich das mit Zeichnungen das, also zeigen, so. Ja, aber, wie gesagt, (--) ähm (---) Ich finde beide Fächer (.) sehr interessant, es macht mir wirklich Spaß (I LACHT). [28]

{00:31:54} I: Gut, sonst würdst du wahrscheinlich nicht unterrichten wollen, sehr schön. Ähm, vielleicht noch den// den letzten Punkt, wie du ähm quasi so deinen// dein Privatleben und den Beruf verknüpfen kannst, geht das? Deiner Meinung nach.

{00:32:12} B5: Da mein Mann auch Lehrer ist und er auch viel für die Schule macht, auch von zu Hause. Im Moment ist es quasi, dass wir (---) nur (.) äh wie sagt man, wie äh (KLINGEL LÄUTET) (-) Mitbewohner wären, weißt du?! [So nebeneinander her, so=en bisschen.] Ja, jeder nur kurz äh sehen und so, weil, wenn er da// also, zuhause ist, dann er arbeitet auch weiter. Wenn ich dann komme, dann auch weiter. Und da ich jetzt samstags arbeite, und er nicht, also, wir können ja nicht zusammen freitags ausgehen, weil ich (???) samstags früh aufstehen muss, dann er nimmt sich freitags// äh samstags frei und so. Und dann, wenn ich zurück bin, d// also zuhause bin, samstags, dann entweder mache ich etwas für die Schule oder muss ich auch die Wohnung putzen, das machen wir manchmal zusammen oder kochen zusammen, ganz kurz. Dann sonntags, in der Regel hätten wir zusammen frei, aber er arbeitet schon für die Schule, weil er (.) äh [Für die Woche vorbereitet.] montags schon anfängt und nicht wie ich, also. Von daher, wie gesagt, es ist ganz wenige Zeit zusammen (.) meine Ehe leidet schon daran (BEIDE LACHEN). [29]

{00:33:27} I: Immerhin putzt ihr zusammen die Wohnung (BEIDE LACHEN).

{00:33:29} B5: Ja, das ist Qualitätszeit. Aber, ja. Also, ich merke ja schon einen Unterschied. Und unsere Gespräche beim Tisch, wenn wir Glück haben und zusammen frühstücken zu können, oder so, dann ist das m// wirklich (-) mmh, sage ich 80 Prozent der Zeit, ist die Schule. Er erzählt von// von seiner Schule und ich erzähle auch von meiner. Dann Anregungen, oder so. Und er gibt mir auch Tipps oder (.) keine Ahnung, also, seine Meinung, zu einer// einer Sache. Ja, äh aber mit meinen Freundinnen und auch// also, wirklich ganz wenige Zeit zusammen. [30]

{00:34:09} I: Einfach, weil nur so ein ganz kleiner Zeitraum zur Verfügung steht.

{00:34:12} B5: Ja. Und wenn ich ausgehe, dann (B5 LACHT) nächsten Tag bin ich auch in der Regel ein bisschen (.) kaputt und das möchte ich nicht, weil ich weiß, dass es// ich kann ja mir das nicht leisten noch ein zusätzlicher Tag freizuhalten. Ich kann einfach nicht! Weil danach kann// also, muss ich in der Schu// in der// in die Schule kommen und mich da vor der Klasse (.) äh, also, stehen. Und ja, ja, das// das war's. Ich muss vorbereitet sein. Und da auch, also ich mache dieses Referendariat, also, es wär' (???) Wirtschaftslehre, zum Beispiel, ist weder mein Fach noch meine Sprache. Dann vor da// also, es ist schon für mich wirklich, würd' ich sagen, steiler. Aber wenn ich da meinen Kollegen, also von Hauptseminar, zum Beispiel, da spreche und so, alle sind belastet. Alle. [31]

{00:35:03} I: Ja, das hab' ich (BEIDE LACHEN) jetzt auch schon erfahren, dass da keiner irgendwie so=nen Ausnahmestatus hat, ja.

{00:35:09} B5: Nein, also, es ist so. Aber ich sage immer: »Ja, Leute! Ich verstehe das, aber für mich persönlich es ist// das plus noch ein bisschen (---) ja, schwieriger!« Aber ich hab' es ja für mich ausgesucht und ja, jetzt muss ich// Ehrlich gesagt, bevor ich damit angefangen hab', ich hab' mir nich äh vorstellen können, ob ich das äh machen kann, tatsächlich, oder nicht. Für mich meine erste Lehrprobe war wirklich eine Probe (BEIDE LACHEN), um zu wissen, so: »Bin ich in der Lage das zu machen? Habe ich das alles, was ich brauche, oder nicht?« Ja, jetzt ist äh ja quasi ein Drittel schon hinter mir (BEIDE LACHEN). [32]

((...))

{00:36:03} I: Ja, dann vielleicht nur eine letzte Frage noch, die hab' ich auf// auf der äh// auf dem anderen Blatt noch notiert, genau, ah nee, die hab' ich mir nur selber notiert (BEIDE LACHEN). Und zwar ähm (.) wie das aussieht, mit ähm irgendwelchen Strategien, da wo du diese ganze Belastung, die ja auf dich einwirkt ähm, du die irgendwie von dir (.) schieben kannst? Oder einfach mal ausschalten kannst? Ob du da, keine Ahnung?

{00:36:29} B5: Also, äh, weiß ich// Ich würde sagen: Meine Strategie im Moment ist es, mich zu organisieren. Wirklich, ich halte meine Tage ganz fest und sage: Ja, montags werde ich das vorbereiten. Ähm, mittwochs das und das und so. Und wenn ich das so halte, dann in der Regel kann ich besser schlafen (B5 LACHT), weil ich das vorbereitet habe. Und äh ja, irgendwann es wird äh automatisiert, kein// oder so in der Richtung, [33] weil das ist// das kam noch dazu: Ich habe, seitdem ich mit dem Referendariat angefangen habe, wirklich sehr starke Schlafstörungen. Ich hatte Nächte gehabt, wo ich zwei Stunden (.) geschlafen habe und da// und am nächsten Tag von (.) 8 bis 19 Uhr irgendwie und dann weg und dann mit allem. Und das kannst du dir schon vorstellen, wie ich mich fühlte, also (B5 LACHT). Vielleicht weil ich (.) noch nicht so alt bin, konnte ich das aushalten, aber a// ein (.) also, jemand, der ein bisschen älter ist, dann glaube, das wäre nicht möglich. Also, ja das ist eine meiner Strategien, das// diese Belastungen ein bisschen (.) zu// [34]

{00:37:43} I: Einfach das du guckst, möglichst ähm [Zu managen.] genau, zu wissen, dass das und das äh da auch organisieren kannst und dann nicht noch irgendwo an anderen Tag//

{00:37:52} B5: Ich versuche, wie gesagt, mich zu organisieren, um den Überblick nicht zu verlieren. [35] Zum Beispiel jetzt, ich habe aber schon was äh schon (.) hin// äh, was im Kopf. Also, muss ich// muss ich// muss ich noch machen. Und ich habe keine Zeit gefunden, diese äh (-) Berichte, wochentliche Berichte, die wir hier in der Schule abgeben müssen als Referendare. Es ist wirklich eine Sache von fünf Minuten, aber ich (I LACHT) vergesse es immer und jetzt habe ich die letzten vier nicht abgegeben. [36]

{00:38:23} I: Ja und dann// dann sind's ja auf einmal 20 Minuten (BEIDE LACHEN), die dann, jaja.

((...))

Kategorisierungstabellen

a) Kategorisierungstabelle Alexis

Textpassage	Paraphrasierung	Generalisierung	Kategorisierung	Oberkategorie
[1] (vgl. S. 122)	Referendar Alexis sieht einen Belastungspunkt durch den Unterricht selbst. Dieser muss nicht zwangsläufig vom Referendar durchgeführt werden, da auch die Mentoren den Unterricht übernehmen können.	Das Unterrichten an sich belastet, kann aber mithilfe der Mentoren abgeschwächt werden, sofern eine sog. Doppelsteckung[51] besteht.	Zusammenarbeit mit Mentoren	Ausbildungsebene
[2] (vgl. S. 122)	Eine große zeitliche Belastung stellen laut Alexis die drei Seminare dar, die zusätzlich zum normalen Schulalltag zu besuchen sind. Mehrere Stunden in der Woche sind für sie aufzubringen.	Die Seminare belasten zeitlich sehr, da diese zusätzlich zum normalen Schulalltag anfallen.	Belastung durch die Seminare oder deren Leiter	Ausbildungsebene
[3] (vgl. S. 122)	Die Belastungen im normalen Unterricht hängen laut Alexis vom eigenen Anspruch ab, den ein Referendar an seinen Unterricht stellt. Je höher dieser Anspruch ist, desto stressiger kann es werden.	Die Belastung im Unterricht definiert sich anhand des eigenen Anspruchs, den ein Referendar an sein Handeln stellt.	Eigenverantwortliche Lehrertätigkeit	Ausbildungsebene
[4] (vgl. S. 122 f.)	Der Unterrichtsbesuch ist für Alexis als »Theaterstücke anzusehen, das nicht mit dem alltäglichen Unterricht zu vergleichen ist. Dort werden nicht ständig neue problemorientierte Lernsituationen geschaffen, was für den Unterrichtsbesuch gefordert wird.	Der Unterrichtsbesuch spiegelt nicht die Realität wider und kann als bloßes »Theaterstück« angesehen werden.	Prüfungsarbeit und deren Bewertung	Ausbildungsebene

---

[51] Eine Doppelsteckung liegt in einem Unterrichtsfach dann vor, wenn eine Klasse neben dem Referendar auch einen voll ausgebildeten Lehrer zur Seite gestellt bekommt.

Textpassage	Paraphrasierung	Generalisierung	Kategorisierung	Oberkategorie
[5] (vgl. S. 123)	Für Alexis stellt die größte Herausforderung der Unterrichtsbesuch mit sich bringt, damit zu bedenkender Puzzleteile mit sich bringt, damit sich ein großes Ganzes ergeben kann. Dies beginnt mit der Erstellung der Materialien, geht über die Entwicklung der Unterrichtsfragen und endet im verschriftlichten Unterrichtsentwurf, was für Alexis Zeit und Nerven kostet.	Der Unterrichtsbesuch ist als größte Herausforderung zu sehen, da eine Vielzahl an unterschiedlichen Aspekten zu bedenken ist.	Prüfungsarbeit und deren Bewertung	Ausbildungsebene
[6] (vgl. S. 123)	Der Unterrichtsbesuch ist bei Alexis omnipräsent. Selbst mit dem Aufstehen beginnt er schon damit, an den Unterrichtsbesuch zu denken, sofern dieser in Bälde stattfindet.	Das Denken an den Unterrichtsbesuch kann mitunter schon nach dem Aufstehen erfolgen.	Prüfungsarbeit und deren Bewertung	Ausbildungsebene
[7] (vgl. S. 123 f.)	Der gewöhnliche Schulalltag kann für Alexis ebenfalls ziemlich stressig sein. Neben den stets zu kurzen Pausen, muss ab und an der Beamer geholt, Arbeitsblätter kopiert und der Klassenraum für den Unterricht vorbereitet werden.	Ein normaler Schultag birgt ebenfalls ein enormes Stresspotenzial, weil neben zu kurzen Pausen auch einiges für den Unterricht vorzubereiten ist.	Eigenverantwortliche Lehrertätigkeit	Ausbildungsebene
[8] (vgl. S. 124)	Freizeit ist laut Alexis möglich, sofern diese bewusst genommen wird.	Freizeit ist möglich, wenn sich der Referendar dafür entscheidet.	Arbeitszeit und -struktur	Individuelle Ebene
[9] (vgl. S. 124 f.)	Alexis macht den Stress der Unterrichtsbesuche von einem selbst abhängig. Dieser hängt von der eigenen Zielstrebigkeit ab, die Alexis bei sich als sehr hoch einstuft.	Die Zielstrebigkeit des Referendars macht den Unterschied, ob dieser sich stresst oder nicht.	Eigenverantwortliche Lehrertätigkeit	Ausbildungsebene
[10] (vgl. S. 125)	Freizeit wird sich laut Alexis dann genommen, wenn es nicht mehr anders möglich ist. Ergo, sobald keine Energiereserven mehr für die Bewältigung des Vorbereitungsdienstes vorhanden sind.	Freizeit wird dann genommen, wenn sie tatsächlich gebraucht wird.	Arbeitszeit und -struktur	Individuelle Ebene

Textpassage	Paraphrasierung	Generalisierung	Kategorisierung	Oberkategorie
[13] (vgl. S. 126)	Bei Alexis kommt die Hilfe von Kollegen erst dann, wenn diese direkt danach gefragt werden. Von sich aus kommen die anderen Lehrer nicht.	Eine Unterstützung seitens der Kollegen kommt erst auf direkte Nachfrage hin.	Berufliche Autonomie	Systemebene
[14] (vgl. S. 126)	Am Ende des Tages muss der Unterricht bzw. die dafür notwendigen Arbeitsblätter von Alexis selbst erstellt werden, zumal ihm die Unterlagen seiner Kollegen niemals vollständig zusagen.	Für seinen Unterricht muss der Referendar am Ende doch alles selbst gestalten.	Berufliche Autonomie	Systemebene
[17] (vgl. S. 127)	Bei den vollschulischen Klassen kommt es für Alexis zu größeren disziplinarischen Schwierigkeiten als bei den dualen Ausbildungsgängen, da deren Schüler zielstrebiger sowie die Klassen insgesamt homogener sind.	Vollschulische Klassen sind in der Regel schwieriger zu disziplinieren als duale.	Belastung in der Klasse	Schulebene
[18] (vgl. S. 127)	Anstrengend werden die dualen Klassen, weil diese mehr inhaltlich fordern und die Lehrkraft immerzu bestmöglich auf deren Fragen eingestellt sein muss. Deswegen bereitet sich Alexis für diese Klassen besonders intensiv vor.	In dualen Bildungsgängen wird es dann anstrengend, wenn diese besonders leistungsstark sind und viel vom Referendar fordern.	Belastung in der Klasse	Schulebene
[19] (vgl. S. 128)	Die dualen Klassen sind für Alexis kühler, distanzierter und wollen lediglich so schnell wie möglich auf ihre Abschlussprüfung vorbereitet werden. Empathie findet sich in solchen Klassen seltener als in den vollschulischen.	Empathie lasst sich eher bei den vollschulischen Klassen finden. Duale Ausbildungsgänge sind kühler und distanzierter.	Belastung in der Klasse	Schulebene
[21] (vgl. S. 128 f.)	Dadurch, dass sich die Schulleitung fast gänzlich aus dem Schulleben der Referendare zurückzieht, muss Alexis dies als negatives Verhalten bewerten.	Die Schulleitung hält sich aus den Belangen der Referendare tunlichst heraus.	Probleme mit der Schulleitung	Schulebene

Textpassage	Paraphrasierung	Generalisierung	Kategorisierung	Oberkategorie
[22] (vgl. S. 129)	Sofern im Lehrerkollegium Leistung und Interesse gezeigt wird, kann laut Alexis auch nach Unterrichtsmaterialien oder speziellen Themen gefragt werden. Ansonsten ist es mitunter schwierig mit ihnen.	Leistung und Interesse am Fach machen den Unterschied aus, ob man als angehender Lehrer von Kollegen Anerkennung bzw. Aufmerksamkeit bekommt.	Soziale Unterstützung im Kollegium	Individuelle Ebene
[23] (vgl. S. 129)	Das Unterrichtsfach »Bankbetriebslehre« verlangt von Alexis ein besonders hohes Maß an Vorbereitung, da er es u. a. nicht an der Universität studiert hat.	Unterrichtsfächer, die nicht studiert und trotzdem unterrichtet werden müssen, bereiten noch einmal mehr Vorbereitung.	Unterrichtsfach	Individuelle Ebene
[25] (vgl. S. 130)	Es stellt eine gewisse Belastung für Alexis dar, ein Fach zu unterrichten, das nicht im Studium behandelt wurde, wie bspw. Bankbetriebslehre, da er sich hierzu viel Fachwissen neu anlesen muss.	Das Unterrichten von fremden Fächern kann Belastungen hervorrufen.	Unterrichtsfach	Individuelle Ebene
[26] (vgl. S. 130)	Auch wenn Alexis als Bankkaufmann eine fundierte Ausbildung genossen hat, muss er dennoch vieles neu erarbeiten, weil Produkte, die in der Bank gehandelt werden, kommen und gehen. Demnach gilt es sich im Fach »Bankbetriebslehre« stets auf dem neusten Stand zu halten.	Selbst mit abgeschlossener Ausbildung fällt es teilweise schwer, spezielle Fächer (z. B. Bankbetriebslehre) zu unterrichten, da sich dort im Laufe der Zeit viel verändert.	Unterrichtsfach	Individuelle Ebene
[27] (vgl. S. 130 f.)	Ohne die Ausbildung in der Bank wäre es Alexis unmöglich, seinen Unterricht für Bankkaufleute durchzuführen.	Ohne eine Lehre bei einer Bank kann ein Referendar auch keine Bankkaufleute unterrichten.	Unterrichtsfach	Individuelle Ebene
[29] (vgl. S. 132)	Zur Erholung benötigt Alexis geistige Pausen, bspw. indem er Musik hört oder mit dem Hund spazieren geht.	Geistige Pausen können zur erhofften Erholung führen.	Private Situation des Lehrers	Individuelle Ebene
[30] (vgl. S. 132)	Ein geistiges Abschalten bringt Alexis ebenjene Erholung, die er benötigt, um neue Kräfte zu sammeln.	Ein geistiges Abschalten hilft, um die Schule einmal beiseite zu stellen.	Private Situation des Lehrers	Individuelle Ebene

Textpassage	Paraphrasierung	Generalisierung	Kategorisierung	Oberkategorie
[31] (vgl. S. 132)	Ein vollständiges Abschalten vom schulischen Geschehen ist laut Alexis für ihn nicht möglich. Bei anderen kann er sich vorstellen, dass ihnen eine Trennung zwischen Beruflichem und Privatem gelingt.	Ein vollständiges Abschalten ist nicht möglich. Die Schule ist doch immer wieder präsent.	Private Situation des Lehrers	Individuelle Ebene
[32] (vgl. S. 132 f.)	Eine große Intransparenz bzgl. der zu erbringenden Leistung entsteht laut Alexis dadurch, dass die einzelnen Seminare nicht aufeinander abgestimmt sind. Jeder Seminarleiter stellt sich Unterricht anders vor, sodass die Referendare kaum die Möglichkeiten haben, ihren Unterricht in drei verschiedene Richtung hin auszurichten. Deswegen muss am Ende der Planung ein Weg gewählt werden, der mitunter mindestens einen der drei Notengeber missfallen könnte.	Die Intransparenz der Seminare sorgt dafür, dass bei den Referendaren Verwirrung und Verunsicherung entsteht. Eine perfekte Vorbereitung auf den Unterrichtsbesuch ist dadurch nicht möglich.	Belastung durch die Seminare oder deren Leiter	Ausbildungsebene
[34] (vgl. S. 133)	Es besteht kaum die Möglichkeit allen drei Seminarleitern gerecht zu werden. Problematisch daran ist für Alexis, dass es am Ende um eine Abschlussnote geht, die evtl. besser sein könnte, wenn zuvor die Anforderungen transparenter wären.	Allen Seminarleitern kann man nicht gerecht werden, da diese ihre Anforderungen untereinander nicht richtig kommunizieren.	Prüfungsarbeit und deren Bewertung	Ausbildungsebene
[35] (vgl. S. 134)	Selbst in den Fachseminaren widersprechen sich deren Leiter teilweise, sodass für Alexis noch mehr Verwirrung zustande kommt. Da helfen die Feedbackgespräche nach den Unterrichtsbesuchen auch nur bedingt weiter.	Die Fachseminare und anschließenden Feedbackgespräche klären nicht über die Anforderungen auf, die von den Referendaren zur Erreichung einer guten Note eingehalten werden müssten.	Belastung durch die Seminare oder deren Leiter	Ausbildungsebene

Textpassage	Paraphrasierung	Generalisierung	Kategorisierung	Oberkategorie
[36] (vgl. S. 135)	Alexis sieht eindeutig den normalen Unterricht durch die Unterrichtsbesuche gefährdet. Teilweise verliert der Unterricht sogar seinen Eigenwert, weil für die Unterrichtsbesuche so viel mehr Aufwand betrieben wird, dass für die alltäglichen Unterrichtsstunden nicht so viel vorbereitet und durchdacht werden kann.	Der Wert des normalen Unterrichts liegt einzig in der Verantwortung der Referendare.	Eigenverantwortliche Lehrtätigkeit	Ausbildungsebene
[37] (vgl. S. 136)	Für Alexis ist der Unterrichtsbesuch ein »Theaterstück«, wofür alles getan wird, damit es besser wird.	Der Unterrichtsbesuch gleicht einem »Theaterstück«.	Prüfungsarbeit und deren Bewertung	Ausbildungsebene
[38] (vgl. S. 136 f.)	Die Bewertungssituation ist für Alexis nicht nachvollziehbar, da lediglich der letzte Unterrichtsbesuch bewertet wird. Gleichzeitig weiß er, dass er in den anderen Unterrichtsbesuchen ebenfalls Bestleistungen zeigen muss, damit die Prüfer nicht gewisse Vorbehalte gegen ihn entwickeln. Da jeder Mensch subjektiv bewertet, möchte sich Alexis auf keine Experimente einlassen und bleibt bei seinem »Theaterstück«, in der Hoffnung, die Seminarleiter überzeugen zu können.	Einzig der letzte Unterrichtsbesuch wird benotet, was fernab von gewöhnlichen Bewertungskonventionen passiert. Leistung ist trotzdem immer zu zeigen, da eine objektive Bewertung vonseiten der Seminarleiter nicht erwartet werden kann.	Prüfungsarbeit und deren Bewertung	Ausbildungsebene
[39] (vgl. S. 137 f.)	Die Vergütung stellt laut Alexis ebenfalls ein Belastungsproblem dar. Neben einer Wohnung, Fahrkosten und Lebenshaltungskosten sind teure Hobbys nicht mehr möglich. Es muss schon genau auf sein Geld geachtet werden.	Bei der Vergütung muss ebenfalls genau geschaut werden, wie sich ein Leben mit begrenzten finanziellen Möglichkeiten gestalten lässt.	Vergütung des Referendariats	Ausbildungsebene
[40] (vgl. S. 138)	Hinsichtlich der Vergütung ist der Beruf des Lehrers für Alexis sehr uninteressant. In der freien Wirtschaft könnte er seiner Meinung nach wesentlich mehr verdienen.	Hinsichtlich der Vergütung kann der Lehrerberuf fast nicht uninteressanter sein.	Vergütung des Referendariats	Ausbildungsebene

Textpassage	Paraphrasierung	Generalisierung	Kategorisierung	Oberkategorie
[41] (vgl. S. 138 f.)	Die Unterrichtskonzeption muss an jede Klasse angepasst werden. Deswegen kann Alexis seinen Unterricht, den er für die dualen Bänkerklassen erstellt hat, nicht in den vollschulischen anwenden, sondern muss diesen für letztere vollständig überarbeiten.	Unterrichtsmaterialien müssen an jede Klasse angepasst werden. Ein blindes Übernehmen von Arbeitsblättern kann zum Wohle der Schüler nicht durchgezogen werden.	Eigenverantwortliche Lehrertätigkeit	Ausbildungsebene
[43] (vgl. S. 140 f.)	Modulprüfungen bereiten laut Alexis genauso viele Schwierigkeiten wie die Unterrichtsbesuche. Sie sind ebenfalls intransparent und lassen sich ebenso schlecht wie der Unterricht für die Lehrproben in die Unterrichtsvorstellungen der Seminarleiter einbauen.	Modulprüfungen sind ebenso intransparent wie Unterrichtsbesuche.	Prüfungsarbeit und deren Bewertung	Ausbildungsebene
[45] (vgl. S. 142)	Alexis ist der Überzeugung, dass sich in 1½ Jahren Referendariat die Wenigsten dazu befähigen, qualitativ hochwertigen Unterricht konzipieren und durchführen zu können. Entweder die Fähigkeiten sind vorhanden oder sie werden nicht schnell genug erlernt, um für das Examen abrufbar zu sein.	Die Befähigung zum Unterrichten kann nicht in 1½ Jahren gelernt werden. Entweder der Referendar kann es oder nicht.	Anforderungen des Referendariats als solches	Ausbildungsebene
[48] (vgl. S. 143)	Nach der Modulprüfung war für Alexis der Punkt erreicht, wo er sich selbst hinterfragen musste, ob der ganze Aufwand gerechtfertigt ist, da den Anforderungen der Seminarleiter sowieso nicht entsprochen werden kann.	Nach der Modulprüfung ist eine Grenze erreicht worden, die einen sich selbst hinterfragen lässt: »Wofür eigentlich der ganze Aufwand?«	Anforderungen des Referendariats als solches	Ausbildungsebene
[49] (vgl. S. 143 f.)	Bei Alexis ist das Setzen von Grenzen die einzige Möglichkeit, dem Referendariat Herr zu werden. Alles auf 100 Prozent laufen zu lassen, ist nicht möglich und zieht mittel- bis langfristig gesundheitliche Schäden nach sich.	Grenzen sind zu setzen, um dem Vorbereitungsdienst Herr werden können.	Arbeitszeit und -struktur	Individuelle Ebene

b) Kategorisierungstabelle Charlie (Teil 1)

Textpassage	Paraphrasierung	Generalisierung	Kategorisierung	Oberkategorie
[1] (vgl. S. 145)	Referendar Charlie berichtet darüber, dass ihm besonders der Beginn des Referendariats schwergefallen ist. Die neue Lebenssituation, welche neben einem unbekannten Umfeld auch bis dato fremde Menschen mit sich brachte, haben ein gewisses Maß an Unsicherheit bei ihm hervorgerufen.	Der Beginn des Vorbereitungsdienstes kann durch die vielen neuen Eindrücke sowie durch das noch unbekannte Umfeld und durch die vielen künftigen Kollegen überfordernd sein.	Beginn des Referendariats	Ausbildungsebene
[2] (vgl. S. 145 f.)	Als besonders belastend empfand Charlie eine Phase seines Vorbereitungsdienstes, in der er zusätzlich zu den Unterrichtsbesuchen einige Klassenarbeiten zu konzipieren und zu korrigieren hatte.	Eine Vielzahl von Unterrichtsbesuchen und Klassenarbeiten in kurzer Zeit können belastend sein.	Prüfungsarbeit und deren Bewertung	Ausbildungsebene
[3] (vgl. S. 146)	Dadurch, dass der vorbereitete Examensunterricht in Parallelklassen nicht funktionierte, hat dies bei Charlie neben zeitlichen Schwierigkeiten auch zu einer großen Unsicherheit geführt.	Vorbereiteter Unterricht, der sich nicht nach Plan umsetzen lässt, ruft Verunsicherung hervor.	Eigenverantwortliche Lehrertätigkeit	Ausbildungsebene
[5] (vgl. S. 146 f.)	Die familiäre Situation steht bei Charlie an erster Stelle, sodass er sich am Nachmittag und frühen Abend für seine Kinder die Zeit nimmt, um mit ihnen bspw. zu spielen. Dabei entscheidet er sich bewusst gegen weitere Erledigungen für das Referendariat.	Eine Zeit für seine Familie kann sich bewusst genommen werden, sofern man sich dafür entscheidet.	Private Situation des Lehrers	Individuelle Ebene
[7] (vgl. S. 148)	Den größten Zeitaufwand sieht Referendar Charlie in der eigenständigen Erstellung von Unterrichtsmaterialien, wenn diese von Grund auf erarbeitet werden müssen.	Die meiste Zeit wird für das Erstellen von Unterrichtsmaterialien benötigt.	Arbeitszeit und -struktur	Individuelle Ebene

Textpassage	Paraphrasierung	Generalisierung	Kategorisierung	Oberkategorie
[8] (vgl. S. 148)	Ein Wohlfühlen hat für Charlie nicht in allen Klassen stattgefunden. Die »Chemie« ist seiner Meinung nach der Garant dafür, dass es zu diesem (Un-)Wohlsein gekommen ist.	Für eine Wohlfühlen in der Klasse ist oftmals die »Chemie« verantwortlich.	Belastung in der Klasse	Schulebene
[9] (vgl. S. 148 f.)	Innerhalb der Klasse gab es für Charlie Probleme, die Schüler zu disziplinieren, damit diese in der Lage waren, dem Unterrichtsgeschehen folgen zu können.	In der Klasse können Disziplinprobleme für Belastungen sorgen.	Belastung in der Klasse	Schulebene
[11] (vgl. S. 149)	Charlie ist der Meinung, dass sich freie Zeit im Referendariat genommen werden kann. Es ist von einem selbst abhängig, ob man in der Lage ist, sich soweit zu organisieren, dass man mit den neuen Herausforderungen des Referendariats zurechtkommt, die anders seien, als noch im Studium.	Freizeit ist ohne Weiteres möglich zu nehmen. Es hängt vom Referendar ab, wie gut er sich organisieren kann.	Arbeitszeit und -struktur	Individuelle Ebene

c) Kategorisierungstabelle Charlie (Teil 2)

Textpassage	Paraphrasierung	Generalisierung	Kategorisierung	Oberkategorie
[1] (vgl. S. 150 f.)	Der Leistungsdruck kam nicht vom Vorbereitungsdienst aus, sondern von den Referendaren, die mit Charlie in den Seminaren saßen. Ihnen waren vornehmlich gute Noten wichtig, Charlie dagegen wollte in den Unterrichtsbesuchen zeigen, was er kann und gelernt hatte.	Noten spielen nicht unbedingt eine wichtige Rolle, sofern man nur zeigen möchte, was man kann.	Prüfungsarbeit und deren Bewertung	Ausbildungsebene
[2] (vgl. S. 151)	Für Charlie stellte vornehmlich das Hauptseminar eine zeitliche Belastung dar, da dies nachmittags stattfand und seine Familienplanung auf die Probe stellte. Zudem kannte er einen Großteil der Inhalte noch aus seinem Lehramtsstudium.	Das Hauptseminar kann eine zeitliche Belastung darstellen, wenn es mit anderen Terminen (z. B. Familienzeit) kollidiert.	Belastung durch die Seminare oder deren Leiter	Ausbildungsebene
[6] (vgl. S. 152 f.)	Dem Referendar Charlie war es besonders wichtig, sich als Auszubildender zu sehen, der auch Raum für Fehler haben durfte. Darauf konnte er aufbauen, um seine Lehrerhandlungen zu verbessern.	Der Vorbereitungsdienst ist eine Ausbildungssituation, in der man sich zeigen und ausprobieren kann.	Eigenverantwortliche Lehrertätigkeit	Ausbildungsebene

d) Kategorisierungstabelle Finn

Textpassage	Paraphrasierung	Generalisierung	Kategorisierung	Oberkategorie
[2] (vgl. S. 154)	Für Referendar Finn war die Einführungsphase sehr anstrengend, weil dort eine Vielzahl an Informationen die angehenden Lehrer überwältigen.	Durch die Vielzahl an Informationen kann der Beginn des Referendariats sehr überfordernd wirken.	Beginn des Referendariats	Ausbildungsebene
[3] (vgl. S. 154 f.)	Sofern ein Referendar wie Finn Politikwissenschaften studiert hat, kann ein solcher auch in den Fächern »Geschichte« und »Sozialkunde« eingesetzt werden; Fächer, mit denen der Lehramtsanwärter noch keinen Bezug zu gehabt haben muss und dort trotzdem zu unterrichten hat.	Je nach Fach müssen auch Fächer unterrichtet werden, die nicht studiert wurden.	Unterrichtsfach	Individuelle Ebene
[4] (vgl. S. 155)	Der Unterrichtsbesuch ist für Finn sehr anstrengend. Nicht nur die Vorbereitung belastet ihn, sondern speziell die Prüfungssituation als solches. Zusätzlich erschwert die Intransparenz der zu erfüllenden Vorstellungen der Seminarleiter den Akt des Unterrichtsbesuchs.	Unterrichtsbesuche sind durch ihre Vorbereitung, Prüfungssituation und Intransparenz anstrengend.	Prüfungsarbeit und deren Bewertung	Ausbildungsebene
[5] (vgl. S. 155)	Durch Rahmenlehrplan und schulinterne Curricular findet sich Finn in der Gestaltung seines Unterrichts sehr eingeschränkt.	Unterrichtseinschränkungen entstehen durch den Rahmenlehrplan und schulinterne Curricular.	Eigenverantwortliche Lehrtätigkeit	Ausbildungsebene
[7] (vgl. S. 155 f.)	Die Fachseminare sind dahingehend belastend, weil Referendare dort mit Seminarleitern konfrontiert werden, die ihrer Meinung nach keine guten Lehrer sein müssen. Selbst bei Diskrepanzen und möglichem Wechsel des Seminars sind die betroffenen Referendare noch eine gewisse Zeit an ihre alten Seminarleiter gebunden, was großen Unmut bei beiden Parteien auslösen kann.	Eine große Abhängigkeit geht von den Fachseminarleitern aus, selbst wenn diese durch einen Seminartausch gewechselt werden.	Belastung durch die Seminare oder deren Leiter	Ausbildungsebene

Textpassage	Paraphrasierung	Generalisierung	Kategorisierung	Oberkategorie
[8] (vgl. S. 156 f.)	Auch die Hauptseminarleiter können für Finn mitunter sehr pedantisch sein. So durfte Finn dem Seminar nicht fernbleiben, obwohl er am nächsten Tag einen Unterrichtsbesuch um 7:50 Uhr zu halten hatte. Die Vorbereitung musste dann sein Ehepartner übernehmen.	Die Wichtigkeit der Seminare wird von manchen Leitern überschätzt, sodass dadurch Unterrichtsbesuche gefährdet werden.	Belastung durch die Seminare oder deren Leiter	Ausbildungsebene
[9] (vgl. S. 157)	Extraaufgaben, wie die Betreuung eines Vorlesewettbewerbs oder die Integrierung des deutschen Sprachdiploms, sorgen bei Finn für eine zusätzliche zeitliche Belastung.	Verpflichtungen, die über das eigentliche Referendariat hinausgehen, belasten zusätzlich.	Eigenverantwortliche Lehrertätigkeit	Ausbildungsebene
[10] (vgl. S. 157 f.)	Vonseiten der Schulleitung werden Extraaufgaben gerne in die Verantwortung der Lehrer übergeben, auch wenn diese sich wie Finn noch in der Ausbildung befinden.	Extraaufgaben werden von der Schulleitung gerne abgegeben, auch an Referendare.	Probleme mit der Schulleitung	Schulebene
[12] (vgl. S. 158)	Sobald Finn seine Aufgaben als Referendar ordentlich machen möchte (z. B. bei der Klausurkorrektur), nimmt dies ungemein viel Zeit in Anspruch.	Bei ausführlicher Vorbereitung auf den Unterricht bleibt kaum mehr Zeit für andere Dinge übrig.	Eigenverantwortliche Lehrertätigkeit	Ausbildungsebene
[13] (vgl. S. 158)	Es bestehen wenig Ruhephasen für Finn, bspw. wenn der Notenschluss der Klassen zu unterschiedlichen Terminen realisiert wird.	Richtige Ruhephasen während ihrer Lehrertätigkeit haben Referendare nicht.	Arbeitszeit und -struktur	Individuelle Ebene
[14] (vgl. S. 159)	Die Absprache mit den Mentoren ist laut Finn auch daran gekoppelt, wann diese für den Referendar Zeit erübrigen können. In Finns Fall muss er separat zur Schule fahren, um konkrete Besprechungen bzgl. des Unterrichts durchzuführen.	Die Zusammenarbeit mit Mentoren ist auch immer daran gekoppelt, wann diese Zeit aufbringen können.	Zusammenarbeit mit Mentoren	Ausbildungsebene

Textpassage	Paraphrasierung	Generalisierung	Kategorisierung	Oberkategorie
[15] (vgl. S. 159)	Mit Unterrichtsbesuchen muss man laut Finn frühzeitig anfangen, damit auch Denkfehler bzw. überhaupt Zeit für Überarbeitungen bleibt.	Unterrichtsbesuche benötigen ihre Zeit und müssen deswegen frühzeitig angefangen werden.	Prüfungsarbeit und deren Bewertung	Ausbildungsebene
[16] (vgl. S. 159 f.)	Die Verwaltungsaufgaben halten sich bei Finn in Grenzen. Einzig für die Krankenversicherung hat er auf einmal viel Organisatorisches abzuklären. Dazu kommt der Mehraufwand durch das deutsche Sprachdiplom.	Verwaltungsaufgaben halten sich in Grenzen, lediglich die Krankenversicherung und zusätzliche Verpflichtungen (z. B. Implementierung des deutschen Sprachdiploms) weiten diese aus.	Verwaltungsaufgaben	Systemebene
[19] (vgl. S. 161)	Die Ellbogenmentalität im Lehrerzimmer findet Finn sehr belastend.	Belastungen entstehen innerhalb eines unkooperativen Kollegiums.	Belastung im Kollegium	Schulebene
[20] (vgl. S. 161)	Für Finn ist besonders die materielle Ausstattung der Schule belastend. Neben der schlechten technischen Ausstattung, fehlen ordentliche Toiletten sowie aktuelle Programme für die schulinternen Computer.	Die Ausstattung der Schule kann zum Belastungsproblem werden, sobald Computerprogramme nicht kompatibel sind oder Toiletten aus hygienischen Gründen nicht benutzt werden wollen.	Objektive Schulbedingungen	Schulebene
[21] (vgl. S. 161 f.)	Die technische Ausstattung sollte in dieser Form in keiner Schule vorherrschen. Darunter leiden nicht nur die Lehrer, sondern insbesondere auch die Schüler, wenn ihnen im Unterricht keine gut funktionierenden Laptops zur Verfügung stehen. Ebenfalls fehlt laut Finn eine Rückzugsmöglichkeit für Lehrer.	Auch die Schüler leiden unter der schlechten materiellen Ausstattung einer Schule.	Objektive Schulbedingungen	Schulebene
[22] (vgl. S. 162 f.)	Finn macht die Heterogenität der Schüler zu schaffen. Speziell in einer Klasse kommt dies zum Vorschein, wo Finn keine Möglichkeit sieht, einen extrem leistungsstarken Schüler soweit zu motivieren, dass dieser dem Unterricht folgen mag.	Die Heterogenität einer Klasse kann für Lehrer zur Belastung werden.	Belastung in der Klasse	Schulebene

Textpassage	Paraphrasierung	Generalisierung	Kategorisierung	Oberkategorie
[24] (vgl. S. 163 f.)	Einige Entscheidungen der Schulleitung stuft Finn als sehr fragwürdig ein, bspw. die Abschaffung bzw. Auslagerung der Weihnachtsfeier. Ein Zusammenhalt innerhalb des Kollegiums würde dadurch nicht gefördert.	Der Zusammenhalt im Kollegium wird durch fragwürdige Entscheidungen, wie die Verlagerung der Weihnachtsfeier, seitens der Schulleitung alles andere als forciert.	Probleme mit der Schulleitung	Schulebene
[26] (vgl. S. 164 f.)	Finn ist froh, dass er Politik unterrichten darf, denn er weiß noch nicht genau, wie er Schülern etwas beibringen soll, womit er sich noch nicht näher auseinandergesetzt hat (Geschichts- und Sozialkundeunterricht).	Fächer, die man nicht studiert hat, bald unterrichten zu müssen, kann belastend auf Referendare wirken.	Unterrichtsfach	Individuelle Ebene
[27] (vgl. S. 165)	Zusätzliche Belastung entsteht laut Finn durch die Betreuung der fünften Prüfungskomponente, zu der er sich bereiterklärt hat, diese mit zu betreuen. Weiterhin findet er es bedenklich, wie viele Seiten die Schüler in Klausuren schreiben würden, die er zu kontrollieren hätte.	Zusätzliche Aufgaben, wie die Betreuung der fünften Prüfungskomponente, können Stress auslösen.	Eigenverantwortliche Lehrertätigkeit	Ausbildungsebene
[29] (vgl. S. 166)	Das Eheleben leidet bei Finn sehr unter den Belastungen des Referendariats. Auch ein Kinderwunsch wurde zugunsten des Referendariats zurückgestellt.	Eheleben werden belastet und Kinderwünsche zurückgestellt, zugunsten des Referendariats.	Private Situation des Lehrers	Individuelle Ebene
[30] (vgl. S. 166 f.)	Auch die finanzielle Situation stellt laut Finn eine große Belastung dar. Mit 1.200 Euro ist ein Referendar kaum dazu in der Lage, seine aktuelle Lebenssituation zu stemmen. Eine Belohnungssituation kommt dadurch auch nicht zustande, um bspw. einmal in den Urlaub fliegen zu können.	Mit lediglich 1.200 Euro erscheint die finanzielle Situation eines Referendars soweit überschaubar, dass keine großen Sprünge für ihn zu machen sind.	Vergütung des Referendariats	Ausbildungsebene
[31] (vgl. S. 167)	Für Finn ist es kaum vorstellbar, wie Eltern mit ihren Kindern eine solche Situation bewältigen wollen.	Eltern mit Kindern müssen besonders mit ihrem Geld haushalten.	Vergütung des Referendariats	Ausbildungsebene

Textpassage	Paraphrasierung	Generalisierung	Kategorisierung	Oberkategorie
[32] (vgl. S. 167)	Beziehungen werden durch das Referendariat sehr auf die Probe gestellt, weil ein Referendar laut Finn ständig unter Stress steht, der durch die viele Zeit mit dem Partner noch verstärkt werden kann.	Die Zeit in einer Beziehung wird durch die stressigen Phasen des Referendariats sehr auf die Probe gestellt.	Private Situation des Lehrers	Individuelle Ebene
[33] (vgl. S. 168)	Solider Unterricht reicht für den Unterrichtsbesuch nicht aus. Finn versucht besonders anschaulichen Unterricht zu konzipieren, sodass dabei auch eine gute Note zustande kommen kann. Dies ist aber kaum möglich, weil die Anforderungen der Seminarleiter so intransparent sind, was eine große Verunsicherung auslöst, zumal die Feedbackgespräche auch nur teilweise für Aufklärung sorgen.	Während der Unterrichtsbesuche muss ganz besonders hochwertiger Unterricht gezeigt werden. Bei dem anschließenden Feedbackgespräch sowie der abschließenden Notengebung fehlt oftmals die notwendige Transparenz.	Prüfungsarbeit und deren Bewertung	Ausbildungsebene
[34] (vgl. S. 169)	Schlafstörungen sind bei Finn u. a. die Folge für den ganzen Stress, den das Referendariat mit sich bringt. Auch über die Weihnachtsferien wurde an den Unterrichtsbesuchen gearbeitet. Eine Zeit zur Erholung gibt es für Finn kaum.	Schlafstörungen sind als Belastungsfolge im Referendariat keine Seltenheit.	Private Situation des Lehrers	Individuelle Ebene
[35] (vgl. S. 170)	Der Druck des Referendariats macht sich auch bei anderen Referendaren außer Finn bemerkbar. Auch bei ihnen sind Schlafstörungen oder gar Konsultationen von Psychologen an der Tagesordnung.	Auch andere Referendare klagen über Schlafstörungen und suchen ihr Heil mittels psychologischer Gespräche.	Private Situation des Lehrers	Individuelle Ebene
[36] (vgl. S. 170)	Für Finn stand schon vor dem Referendariat fest, dass es anstrengende 1 1/2 Jahre werden, die irgendwie bewältigt werden müssen. Erst nach dem Referendariat kommt die Zeit der Erholung durch Shoppen und Urlaub. Während des Referendariats hilft es Finn, wenn Aufgaben bereits im Voraus erledigt werden, um diese ggf. noch abändern zu können.	Erst nach dem Referendariat kann ausgespannt werden, indem bspw. geshoppt oder Urlaub gemacht wird.	Arbeitszeit und -struktur	Individuelle Ebene

e) Kategorisierungstabelle Sam

Textpassage	Paraphrasierung	Generalisierung	Kategorisierung	Oberkategorie
[2] (vgl. S. 172)	Der Referendar Sam sieht es als problematisch an, dass die Auswahl seiner Mentoren lediglich zwischen Tür und Angel vollzogen wurde.	Die Auswahl der Mentoren fand lediglich zwischen Tür und Angel statt.	Zusammenarbeit mit Mentoren	Ausbildungsebene
[3] (vgl. S. 172)	Der Vorbereitungsdienst ist für Sam anstrengend, auch wenn die Möglichkeit besteht, sich freie Zeiten zu schaffen, sofern diese benötigt wird.	Der Vorbereitungsdienst ist belastend, es können aber Ruhephasen geschaffen werden.	Anforderungen des Referendariats als solches	Ausbildungsebene
[4] (vgl. S. 172)	Als Referendar lebt man von Lehrprobe zu Lehrprobe, was durch den Perfektionismus von Referendar Sam zusätzlich zu Belastungen führen wurde.	Als Referendar denkt man von Lehrprobe zu Lehrprobe. Perfektionismus erschwert diese Tatsache.	Eigenverantwortliche Lehrertätigkeit	Ausbildungsebene
[6] (vgl. S. 172)	Für Sam sind die schlimmsten Belastungsmomente, wenn ein Kollege unverhofft erkrankt, da er einen adäquaten Vertretungsunterricht durch ihn in der Kürze der Zeit als kaum realisierbar einstuft.	Erkrankungen von Kollegen können belasten, wenn absehbar ist, dass kein adäquater Vertretungsunterricht zustande kommen kann.	Eigenverantwortliche Lehrertätigkeit	Ausbildungsebene
[7] (vgl. S. 172)	Die Lehrproben sind für Sam realitätsfern, weil für diese ein unverhältnismäßiger Mehraufwand im Vergleich zum «normalen» Unterricht betrieben werden müsste.	Unterrichtsbesuche erfordern im Verhältnis einen unverhältnismäßigen Mehraufwand.	Prüfungsarbeit und deren Bewertung	Ausbildungsebene
[9] (vgl. S. 173)	Die Vorbereitungszeit für den eigenständigen Unterricht verlängert sich bei Sam nochmals, wenn man Dinge zu recherchieren hat, welche im Studium nicht behandelt wurden, bspw. Immobilienbuchführung.	Für die Unterrichtsgestaltung eines aus dem Studium nicht behandelten Themas wird zusätzliche Zeit benötigt.	Unterrichtsfach	Individuelle Ebene

Textpassage	Paraphrasierung	Generalisierung	Kategorisierung	Oberkategorie
[10] (vgl. S. 173)	Im Fach »Wirtschaft« muss den leistungsstarken Schülern mehr an Inhalten angeboten werden als für Sam zunächst gedacht, während in Rechnungswesen meistens eine große Aufgabe pro Stunde ausreicht.	Der Aufwand für die Fächer wurde anfänglich falsch eingeschätzt. Das vermeintlich »einfachere« Fach macht mehr Arbeit als das scheinbar »schwierigere«.	Unterrichtsfach	Individuelle Ebene
[11] (vgl. S. 174)	Bei der Erstellung von Unterrichtsmaterialien sind Sam seine aus seiner Ausbildung aufgehobenen Unterlagen von enormem Nutzen, da er sich an den alten Arbeitsblättern gut orientieren kann.	Unterrichtsmaterialien aus der eigenen Ausbildung helfen beim Erstellen von Arbeitsblättern für die eigenen Klassen.	Arbeitszeit und -struktur	Individuelle Ebene
[12] (vgl. S. 174)	Die Mentoren helfer dabei zu entlasten, indem diese bspw. vor einem Unterrichtsbesuch den Unterricht des Referendars Sam übernehmen, sofern eine Doppelsteckung besteht.	Mithilfe der Mentoren können Unterrichtsstunden, die vor einer Lehrprobe liegen, getauscht werden, sodass eine gewisse Entlastung entsteht.	Zusammenarbeit mit Mentoren	Ausbildungsebene
[13] (vgl. S. 175)	Phasenweise kommt es dazu, dass Sam nicht mehr weiß, wie die Anforderungen des Vorbereitungsdienstes bewältigt werden könnten.	Die Anforderungen des Vorbereitungsdienstes sind teilweise nicht mehr zu bewältigen.	Anforderungen des Referendariats als solches	Ausbildungsebene
[14] (vgl. S. 175)	Die Terminabsprache mit den Fachseminarleitern stellt sich für Sam mitunter als schwierig dar.	Terminabsprachen mit den Fachseminarleitern erweisen sich mitunter als schwierig.	Belastung durch die Seminare oder deren Leiter	Ausbildungsebene
[15] (vgl. S. 175)	Einen Termin für den Unterrichtsbesuch zu finden, ist weniger leicht für Sam, wenn die Fachbereichsleiter nicht an der gleichen Schule wie der Referendar sind.	Die Terminplanung für Unterrichtsbesuche ist teilweise sehr schwierig, vornehmlich mit externen Fachbereichsleitern.	Belastung durch die Seminare oder deren Leiter	Ausbildungsebene
[16] (vgl. S. 175 f.)	Referendar Sam fühlt sich durch die Omnipräsenz seiner Fachbereichsleiter in gewisser Weise eingeengt.	Fachbereichsleiter, die an der gleichen Schule wie der Referendar sind, können diese in gewisser Weise einengen.	Belastung durch die Seminare oder deren Leiter	Ausbildungsebene

Textpassage	Paraphrasierung	Generalisierung	Kategorisierung	Oberkategorie
[17] (vgl. S. 176)	Für Sam ist es besonders nachteilig, wenn die Fachbereichsleiter in den gleichen Klassen unterrichten wie der Referendar, weil dadurch ein direkter Vergleich des jeweiligen Unterrichtens zustande kommt.	Fachbereichsleiter, die die gleichen Klassen wie der Referendar unterrichten, können diesen durch einen direkten Vergleich des jeweiligen Unterrichts verunsichern.	Belastung durch die Seminare oder deren Leiter	Ausbildungsebene
[18] (vgl. S. 176)	Um den Fachbereichsleiter gerecht zu werden, muss man sich ihnen als Referendar wie Sam anpassen. Gleichzeitig können dadurch bessere Bewertungen des Unterrichts erzielt werden.	Referendare müssen sich ihren Fachbereichsleitern anpassen, wenn sie ihre Note einfacher verbessern wollen.	Belastung durch die Seminare oder deren Leiter	Ausbildungsebene
[19] (vgl. S. 176)	Eine Benotung der Unterrichtsbesuche findet nur am Ende der Semester statt, was Referendar Sam als nicht transparent genug empfindet.	Es herrscht Intransparenz in der Notengebung, da diese nur am Ende des Semesters stattfindet.	Prüfungsarbeit und deren Bewertung	Ausbildungsebene
[21] (vgl. S. 177)	Der Tag an dem für Sam das Hauptseminar ist, ist für ihn sehr lang und dennoch überaus wichtig, da der Seminarleiter ihn am Ende der Semester bewertet. Deswegen versucht er (nicht so wie andere Referendare, die im Seminar ihren Unterricht vorbereiten), möglichst konzentriert dem Geschehen zu folgen.	Da die Seminarleiter für die Benotung des Vorbereitungsdienstes zuständig sind, versuchen Referendare in den Seminaren möglichst präsent zu sein, um es sich mit den Leitern nicht zu verscherzen.	Belastung durch die Seminare oder deren Leiter	Ausbildungsebene
[22] (vgl. S. 177)	Ein Tag in der Woche, der komplett frei ist, hilft Sam ungemein, um die Anforderungen des Vorbereitungsdienstes besser stemmen zu können.	Einen Tag in der Woche frei zu haben, hilft ungemein.	Arbeitszeit und -struktur	Individuelle Ebene
[23] (vgl. S. 177)	Sobald der freie Tag für Sam wegfällt, gelingt es ihm weniger gut, seine Leistungsbereitschaft aufrecht zu erhalten.	Ohne freien Tag in der Woche erschwert sich das Referendariat nochmals.	Arbeitszeit und -struktur	Individuelle Ebene

Textpassage	Paraphrasierung	Generalisierung	Kategorisierung	Oberkategorie
[24] (vgl. S. 177 f.)	Ein Wochenende ist bei Sam nicht mehr vorstellbar, auch wenn die Möglichkeit besteht, sich freie Tage zu schaffen. Aber in der Regel hat man als Lehrer am Wochenende zu arbeiten.	Als Lehrer hat man am Wochenende zu arbeiten, auch wenn die Möglichkeit besteht, sich freie Tage zu schaffen.	Arbeitszeit und -struktur	Individuelle Ebene
[25] (vgl. S. 178)	Die Unterrichtsvorbereitung muss für Sam bereits Tage vorher abgeschlossen sein, damit für ihn qualitativ ansprechender Unterricht möglich werden kann.	Für qualitativ guten Unterricht muss dieser bereits Tage vorher fertig konzipiert sein.	Eigenverantwortliche Lehrertätigkeit	Ausbildungsebene
[26] (vgl. S. 178)	Sam kann sich im Lehrerzimmer nicht ausreichend konzentrieren, um dort die Erstellung von Unterrichtsmaterialien voranzubringen.	Das Lehrerzimmer als Arbeitszimmer ist für die Konzeption von Unterricht unzureichend.	Objektive Schulbedingungen	Schulebene
[27] (vgl. S. 178)	Im Lehrerzimmer lässt man sich laut Sam leichter von der Arbeit ablenken, als an seinem Arbeitsplatz zu Hause.	Im Lehrerzimmer kann weniger gut gearbeitet werden als von zu Hause aus.	Objektive Schulbedingungen	Schulebene
[28] (vgl. S. 179)	Viele Stunden wurden von Sam für die Unterredungen mit Kollegen verwendet, um diese besser kennenzulernen. Dies ist auch notwendig, weil man als Lehrer doch mehr Einzelkämpfer ist als anfänglich vermutet. Der Kontakt zu den Kollegen mildert dies teilweise ab.	Lehrer sind Einzelkämpfer und müssen im Lehrerzimmer Kontakte knüpfen, was wiederum viel Zeit in Anspruch nimmt.	Berufliche Autonomie	Systemebene
[29] (vgl. S. 179)	Die Kollegen von Sam sind in vielen Fällen nicht bereit, ihre erstellten Unterrichtsmaterialien mit den anderen Lehrern zu teilen.	Unterrichtsmaterialien werden teilweise ungern weitergegeben.	Belastung im Kollegium	Schulebene
[30] (vgl. S. 179)	Laut Sam behaupten einige Lehrer, sie hätten keine Unterlagen für den Unterricht, sodass ein Zusammenarbeiten untereinander unmöglich ist.	Manche Lehrer behaupten, sie hätten gar keine Unterrichtsmaterialien, was eine Zusammenarbeit unmöglich macht.	Belastung im Kollegium	Schulebene

Textpassage	Paraphrasierung	Generalisierung	Kategorisierung	Oberkategorie
[32] (vgl. S. 180)	In verschiedenen Fachbereichen der Schule ist eine Zusammenarbeit unter den Lehrern nicht vorstellbar. Aus diesem Grund versucht Referendar Sam auf Distanz zu gehen, um nicht immer wieder auf die Hilfe der Kollegen angewiesen sein zu müssen.	In verschiedenen Fachbereichen ist eine Zusammenarbeit unter den Lehrern nicht vorstellbar.	Belastung im Kollegium	Schulebene
[33] (vgl. S. 180)	Teilweise ist die Erstellung von Unterlagen durch die Verklausulierung des Lehrplans schwierig. Deswegen wünscht sich Sam ein vollständiges Paket, aus dem man Anleitungen für die Unterrichtsgestaltung bekommt.	Der Lehrplan erschwert manches Mal die Erstellung von Materialien für den Unterricht. Anleitungen würden hierbei helfen.	Eigenverantwortliche Lehrertätigkeit	Ausbildungsebene
[34] (vgl. S. 181)	Der zeitliche Aufwand, den die Planung eines Unterrichtsbesuchs ausmacht, ist für den Referendaren Sam kaum in Worte zu fassen. Die Arbeit, die in diese 45 Minuten gesteckt werden, erscheint für den »normalen« Unterricht unvorstellbar.	Der zeitliche Aufwand für die Konzeption eines Unterrichtsbesuchs ist vollkommen unverhältnismäßig.	Prüfungsarbeit und deren Bewertung	Ausbildungsebene
[35] (vgl. S. 181)	Die Möglichkeit, dass nicht jeder Referendar das Rad bei seiner Unterrichtskonzeption neu erfinden müsste, würde Sam sehr begrüßen.	Nicht jeder Referendar sollte für seinen Unterricht das Rad neu erfinden müssen.	Eigenverantwortliche Lehrertätigkeit	Ausbildungsebene
[36] (vgl. S. 181)	Wenn Sam jemanden nach Unterlagen fragt, möchte er seinen anleitenden Lehrer nicht übergehen, da dieser denken könnte: »Warum fragst du mich nicht zuerst nach Hilfe?« Zeitgleich möchte er aber auch nicht immer ihn als Unterstützung hinzuziehen.	Die Zusammenarbeit mit anleitenden Lehrern kann sich als schwierig erweisen, wenn man dieser immer oder gar nicht nach Hilfe gefragt wird. Ein Kompromiss ist schwer zu finden.	Zusammenarbeit mit Mentoren	Ausbildungsebene
[37] (vgl. S. 182)	Für Sam war zu Beginn vornehmlich wichtig, dass er an eine Schule kommt, in der er sich wohlfühlen kann. Dementsprechend nervenaufreibend stellten sich die ersten Tage im Referendariat heraus.	Der Beginn des Referendariats stellt sich durch die vielen unbekannten Parameter als nervenaufreibend dar.	Beginn des Referendariats	Ausbildungsebene

Textpassage	Paraphrasierung	Generalisierung	Kategorisierung	Oberkategorie
[38] (vgl. S. 182)	Die Möglichkeit seinen Unterricht in mehreren Klassen gleichzeitig einsetzen zu können, empfindet Sam als ein Muss für junge Lehrer, um ihre Unterrichtserfahrungen noch besser verfeinern zu können.	Den gleichen Unterricht in mehreren Klassen halten zu dürfen, könnte den Referendaren bei der Reflexion von Unterricht helfen.	Eigenverantwortliche Lehrertätigkeit	Ausbildungsebene
[39] (vgl. S. 182 f.)	Referendar Sam wollte keine Bankbetriebslehre unterrichten, da er durch seinen Wirtschaftslehreunterricht eher die Möglichkeit sieht, erstellte Materialien auch an anderen Schulen noch verwenden zu können. Die Vorstellung seine Materialien auch nicht einmal verwenden zu können, belastet ihn.	Einmal erstellte Materialien sind ein kostbares Gut, das unter allen Umständen auch im späteren Verlauf der Lehrertätigkeit genutzt werden will.	Unterrichtsfach	Individuelle Ebene
[40] (vgl. S. 184)	Laut Sam stellen die Sommerferien die einzige Gelegenheit dar, die Schule gänzlich für zwei bis drei Wochen aus seinem Gedächtnis zu verdrängen.	Die Sommerferien sind die einzigen Ferien, die für Erholungsurlaub genutzt werden können.	Private Situation des Lehrers	Individuelle Ebene
[41] (vgl. S. 184 f.)	Ein bis zwei Wochen Ferien reichen für Sam nicht aus, um einmal vollständig abschalten zu können. Organisatorisches für die Schule drängt sich in der Zeit immer auf und raubt einem den Schlaf, weil ständig an die noch zu erledigenden Aufgaben gedacht werden muss.	Ein bis zwei Wochen frei reichen nicht aus, um die Schule aus dem Gedächtnis zu drängen.	Private Situation des Lehrers	Individuelle Ebene
[42] (vgl. S. 185)	Im Moment sieht Sam keine Möglichkeit, das Wochenende in Gänze genießen zu können. Selbst ein freier Tag erweist sich als kaum realisierbar. Besonders der Unterrichtsentwurf nimmt eine Menge an zusätzlicher Zeit in Anspruch.	Über das Wochenende wird in der Regel für die Schule gearbeitet. Ein Abschalten ist kaum möglich.	Private Situation des Lehrers	Individuelle Ebene

Textpassage	Paraphrasierung	Generalisierung	Kategorisierung	Oberkategorie
[43] (vgl. S. 185)	Das Verfassen des Unterrichtsentwurfs stößt bei Sam auf Unverständnis, da er nicht verstehen kann, warum noch Fachaufsätze geschrieben werden müssen, wo es primär um die Konzeption von Unterricht geht.	Das Verfassen von Fachaufsätzen als Unterrichtsentwurf stößt auf Unverständnis.	Prüfungsarbeit und deren Bewertung	Ausbildungsebene
[44] (vgl. S. 186)	Für Sam sollten die Fachkonferenzen zu einer anderen Uhrzeit stattfinden, damit diese nicht erst gegen 17:15 Uhr enden. Je nach Heimweg würde man nämlich erst gegen 19 Uhr zu Hause ankommen.	Fachkonferenzen ziehen sich zu lange in den frühen Abend hinein.	Anforderungen des Referendariats als solches	Ausbildungsebene
[46] (vgl. S. 187)	Die Stadt Berlin löst bei Sam Stress aus, speziell die Verkehrssituation. Lehrer profitieren von keiner Gleitzeit, sodass sie immer pünktlich ankommen haben.	Lehrer haben keine Gleitzeit, sodass Pünktlichkeit sehr wichtig für den Beruf ist.	Eigenverantwortliche Lehrertätigkeit	Ausbildungsebene
[47] (vgl. S. 187)	Ein langer Fahrtweg zur Schule ist für Sam besonders belastend, weil dadurch zunehmende Abhängigkeit von den öffentlichen Verkehrsmitteln besteht.	Eine Abhängigkeit von den öffentlichen Verkehrsmitteln, speziell bei langem Fahrtweg, kann sehr belastend sein.	Eigenverantwortliche Lehrertätigkeit	Ausbildungsebene
[48] (vgl. S. 188)	Der Fahrtweg raubt Sam schon viel Zeit von seinem Tag, die er anderweitig einsetzen würde, bspw. um Unterricht vorzubereiten.	Der Fahrtweg vermag einen großen Zeitanteil des Tages einzunehmen.	Arbeitszeit und -struktur	Individuelle Ebene
[49] (vgl. S. 188)	Am liebsten würde Sam nach Brandenburg zurück, doch da wird sein Zweitfach »Rechnungswesen« nicht anerkannt. Dennoch hofft er, durch sein Erstfach »Wirtschaft« in genügend Klassen eingesetzt werden zu können, ohne Rechnungswesen gebrauchen zu müssen.	Standortwechsel können teilweise nicht realisiert werden, wenn das Unterrichtsfach nicht anerkannt wird, wie bspw. »Rechnungswesen«.	Unterrichtsfach	Individuelle Ebene
[50] (vgl. S. 188 f.)	Die Disziplinierung seiner Schüler fällt Sam schwerer als gedacht. Ihm sind noch keine adäquaten Methoden eingefallen, um die Redebedürftigkeit der Schüler einzudämmen.	Die Disziplinierung einer Klasse kann mitunter schwerer sein als gedacht.	Belastung in der Klasse	Schulebene

Textpassage	Paraphrasierung	Generalisierung	Kategorisierung	Oberkategorie
[51] (vgl. S. 190)	Disziplinprobleme belasten den Referendar Sam, auch wenn dieser gerne auch mal die vermeintlich schwierig zu disziplinierenden IBA-Klassen unterrichten würde.	Klassen mit Disziplinierungsprobleme reizen die Referendare, meistens wollen diese aber erst nach dem Referendariat »schwierige« Klassen unterrichten.	Belastung in der Klasse	Schulebene
[53] (vgl. S. 191)	Mit der Schulleitung hat Sam keinen Kontakt. Nicht einmal eine ausführliche Bekanntmachung hat stattgefunden, weil der Beginn des Vorbereitungsdienstes größtenteils nur via E-Mail vollzogen wurde.	Der Kontakt mit der Schulleitung beschränkt sich auf E-Mail-Korrespondenz.	Probleme mit der Schulleitung	Schulebene
[54] (vgl. S. 191)	Bei Sam besteht ein ständiges Gefühl des Nicht-fertig-werdens, das höchstens dann abklingen kann, wenn man kaum mehr etwas für den Unterricht vorzubereiten hat.	Ein Gefühl des Nicht-fertig-werdens ist allgegenwärtig.	Arbeitszeit und -struktur	Individuelle Ebene
[55] (vgl. S. 191)	Speziell eine Plattform, auf der Arbeitsblätter für Vertretungsunterricht hochgeladen werden können, würde helfen, um die Angst vor Lehrerkollegen, die plötzlich krank werden, zu mildern.	Plattformen mit Arbeitsblättern für den Vertretungsunterricht erscheinen für kurzfristige Erkrankungen als überaus sinnvoll.	Eigenverantwortliche Lehrertätigkeit	Ausbildungsebene
[56] (vgl. S. 191 f.)	Sam findet es sehr realitätsfern, wie viel Zeit für die Konzeption eines Unterrichtsbesuchs benötigt wird.	Der Unterrichtsbesuch erfordert unverhältnismäßig viel Aufwand.	Prüfungsarbeit und deren Bewertung	Ausbildungsebene
[57] (vgl. S. 192)	Die Vielzahl an Gedanken, die für den Unterrichtsentwurf gemacht werden müssen, belasten Sam sehr. Zumal dieser über mehrere Seiten verschriftlich werden muss.	Neben der Vielzahl an Gedanken muss der Unterrichtsentwurf überdies schriftlich fixiert werden.	Prüfungsarbeit und deren Bewertung	Ausbildungsebene
[58] (vgl. S. 193)	Sams Nerven werden durch die Unterrichtsbesuche sehr strapaziert. Sobald der eine geschafft ist, sind die Gedanken schon bei der nächsten Lehrprobe. Besonders die Prüfungssituation zehrt an Sams Kräften.	Sobald ein Unterrichtsbesuch erledigt ist, folgt in absehbarer Zeit schon der nächste, was diesen omnipräsent werden lässt.	Prüfungsarbeit und deren Bewertung	Ausbildungsebene

Textpassage	Paraphrasierung	Generalisierung	Kategorisierung	Oberkategorie
[59] (vgl. S. 194)	Durch das Referendariat hat Sam einen Teil der Freude am Fach »Wirtschaft« verloren.	Die Freude am Fach kann mitunter verloren gehen.	Unterrichtsfach	Individuelle Ebene
[60] (vgl. S. 194)	Sam wäre gern verbeamtet. Doch seine Situation zwingt ihn dazu, sich nach der möglicherweise bestandenen Examensprüfung für eine Lehrerstelle bewerben zu müssen, was große Unsicherheit bei ihm hervorruft.	Sich nach dem Examen noch um eine Lehrerstelle bewerben zu müssen, obwohl dies für Quereinsteiger nicht der Fall ist, ruft große Unsicherheit hervor.	Objektive Arbeitsmerkmale	Individuelle Ebene
[61] (vgl. S. 194 f.)	Trotz der aktuell guten Situation auf dem Lehrermarkt hat Sam Angst davor, sich nach seinen Examensprüfungen auf Lehrerstellen bewerben zu müssen. Dieses Prozedere bleibt den Quereinsteigern durch die Zusage eines unbefristeten Arbeitsvertrages erspart.	Trotz der guten Situation auf dem Lehrermarkt verunsichert die Bewerbung auf eine Stelle nach bestandener Examensprüfung.	Objektive Arbeitsmerkmale	Individuelle Ebene
[62] (vgl. S. 195)	Was in den 1 1/2 Jahren im Referendariat zu leisten ist, empfindet Sam als sehr gerafft. Man hat kaum die Möglichkeit sich Zeit mit den Unterrichtsbesuchen zu lassen, wenn man rechtzeitig sein Examen machen möchte.	Was in den 1 1/2 Jahren Referendariat auf die angehenden Lehrkräfte zukommt, ist nicht von der Hand zu weisen.	Anforderungen des Referendariats als solches	Ausbildungsebene
[63] (vgl. S. 195 f.)	Für Sam wäre es einfacher, wenn er bei der Modulprüfung ein Thema vorgegeben bekäme, als sich selbst eins ausdenken zu müssen. Er erkennt, dass die Modulprüfung zusätzlich zu den anderen Aufgaben im Referendariat nochmal viel Arbeit werden wird.	Die Modulprüfung belastet zusätzlich, besonders, weil das Thema selbst gewählt werden muss.	Prüfungsarbeit und deren Bewertung	Ausbildungsebene
[64] (vgl. S. 196)	Sam hat sich bewusst gegen Kinder während der Zeit im Vorbereitungsdienst entschieden, weil er der Meinung ist, dass dadurch alles noch belastender würde bzw. der Fokus nicht mehr auf dem Referendariat, sondern mehr auf den Kindern liegen würde, so wie er es bei vielen Quereinsteigern sieht.	Ein Kinderwunsch wird für das Referendariat zurückgestellt, da befürchtet wird, diesem nicht mehr gerecht werden zu können.	Private Situation des Lehrers	Individuelle Ebene

Textpassage	Paraphrasierung	Generalisierung	Kategorisierung	Oberkategorie
[65] (vgl. S. 196 f.)	Die Note am Ende des Referendariats spielt für Sam eine große Rolle, da diese seinen gesamten Weg hin zum Lehrer bewerten und somit manifestieren würde. Eine Drei oder schlechter wäre eine mittelschwere Katastrophe für Sam, wenngleich die Benotung überaus subjektiv erfolgen würde.	Die Examensnote spielt eine entscheidende Rolle, sofern sie als Gesamtbewertung seiner Lehrerlaufbahn gesehen wird.	Prüfungsarbeit und deren Bewertung	Ausbildungsebene
[66] (vgl. S. 197)	Ebenso wie die Noten im Unterricht sind auch die Bewertungen des Vorbereitungsdienstes sehr subjektiv, was Sam persönlich ärgerlich findet.	Die Notenvergabe ist überaus subjektiv.	Prüfungsarbeit und deren Bewertung	Ausbildungsebene
[67] (vgl. S. 197)	Die eigenständige Notengebung fällt Sam schwer, da er sich in einem Zwiespalt befindet: Einerseits ist in manchen Fällen die bessere Note rechnerisch nicht mehr möglich, andererseits obliegt ihm die Entscheidungsgewalt, sich für die bessere Note entscheiden zu können.	Eine eigenständige Notengebung birgt die Krux, dass zwischen rechnerischem und freiem Bewertungsschema entschieden werden muss.	Eigenverantwortliche Lehrertätigkeit	Ausbildungsebene
[68] (vgl. S. 198)	Ein Fertigwerden ist laut Sam nicht möglich, da immerzu etwas zu tun ist, wenn man denn möchte. Dies belastet ihn sehr.	Ein Fertigwerden ist im Referendariat nicht realisierbar.	Arbeitszeit und -struktur	Individuelle Ebene
[69] (vgl. S. 198)	Ab und an muss sich Sam Freizeit nehmen, um neue Energie zu sammeln. Am besten ist dies im Urlaub möglich.	Am besten ist eine Auszeit im Urlaub möglich.	Private Situation des Lehrers	Individuelle Ebene
[70] (vgl. S. 198 f.)	Die zeitlichen Spielräume, die während des Studiums noch vorhanden waren, sind jetzt nicht mehr da. Durch die festen Unterrichtszeiten muss dann auch kontinuierlich abgeliefert werden, was Referendar Sam sehr belastet. Auch zu Hause wird immerzu an die Arbeit gedacht, sodass ein richtiges Abschalten vom Beruf nicht möglich ist.	Die Verantwortung gegenüber den Schülern kann die Referendare unter Druck setzen, sodass auch zu Hause an die Arbeit gedacht wird.	Eigenverantwortliche Lehrertätigkeit	Ausbildungsebene

Textpassage	Paraphrasierung	Generalisierung	Kategorisierung	Oberkategorie
[71] (vgl. S. 200)	Dafür, dass Sam »nur« Lehrer werden will, hat er seiner Meinung nach unglaublich viel zu tun. Besonders die vielen Dokumente und Arbeitsblätter stören ihn am meisten in diesem Zusammenhang.	Der Weg bis zum »fertigen« Lehrer wird nach dem Studium durch das Referendariat nochmals verlängert.	Anforderungen des Referendariats als solches	Ausbildungsebene
[72] (vgl. S. 200)	Sam freut sich schon sehr darauf, wenn er keine Unterrichtsentwürfe mehr zu schreiben hat, weil er kein »Freund des Schreibens« ist.	Unterrichtsentwürfe können zusätzlich belasten, wenn sie von Referendaren geschrieben werden müssen, die keine Freude am Schreiben empfinden.	Prüfungsarbeit und deren Bewertung	Ausbildungsebene
[73] (vgl. S. 201)	Für Sam gibt es keine Strategie, die Schule vollständig zu vergessen. Selbst beim Sport oder wenn er sich mit Freunden trifft, verfolgt ihn seine Arbeit als Referendar.	Es gibt keine Strategie, um die Schule gänzlich vergessen zu können.	Arbeitszeit und -struktur	Individuelle Ebene
[74] (vgl. S. 201 f.)	Die einzige Möglichkeit, um abzuschalten, besteht darin, in den Urlaub zu fahren, sofern zwei Wochen Ferien dafür Zeit ist.	Die Fahrt in den Urlaub stellt das einzig probate Mittel dar, um abschalten zu können.	Private Situation des Lehrers	Individuelle Ebene
[75] (vgl. S. 202)	Am Wochenende oder einzelne Tage die Schule zu vergessen, ist für Sam nicht möglich.	Die Schule übers Wochenende oder einzelne freie Tage zu vergessen, ist nicht möglich.	Arbeitszeit und -struktur	Individuelle Ebene
[76] (vgl. S. 202)	Die Angst bei Beginn des Vorbereitungsdienstes war bei Sam groß, da er nicht genau abschätzen konnte, ob der Beruf des Lehrers tatsächlich etwas für ihn ist.	Der Beginn des Vorbereitungsdienstes zeigt erst wirklich, ob Referendare für den Beruf geeignet sind oder nicht.	Beginn des Referendariats	Ausbildungsebene

f) Kategorisierungstabelle Toni

Textpassage	Paraphrasierung	Generalisierung	Kategorisierung	Oberkategorie
[1] (vgl. S. 205)	Die Seminare sind laut Referendar Toni eine zeitliche Belastung.	Seminare bringen eine zeitliche Belastung mit sich.	Belastung durch die Seminare oder deren Leiter	Ausbildungsebene
[2] (vgl. S. 205)	Speziell der Beginn des Referendariats war für Toni überfordernd, da er noch nicht wusste, wo bspw. Beamer abzuholen und andere Technik für den Unterricht zu organisieren sind.	Der Beginn des Vorbereitungsdienstes kann für Referendare überfordernd wirken, da eine Vielzahl an neuen Eindrücken aus sie hereinbricht.	Beginn des Referendariats	Ausbildungsebene
[3] (vgl. S. 205 f.)	Auch der Unterricht an sich beansprucht Toni sehr, da viele kleine Entscheidungen zu treffen sind und die Schüler, auch wenn sie einen schlechten Tag haben, professionell unterrichtet werden müssen.	Innerhalb des Unterrichts sind viele Entscheidungen zu treffen, auch wenn die Schüler nicht ihren besten Tag haben.	Belastung in der Klasse	Schulebene
[4] (vgl. S. 206)	Die zeitliche Belastung der Seminare stresst Toni sehr, da seiner Meinung nach auch weniger Theorie notwendig sein könnte, um die Anforderungen des Vorbereitungsdienstes zu meistern. Praktische Hinweise für den Unterricht sind dagegen von Toni sehr erwünscht.	Die Seminare belasten zeitlich und könnten neben der vielen Theorie auch praktische Hinweise aufweisen.	Belastung durch die Seminare oder deren Leiter	Ausbildungsebene
[5] (vgl. S. 206)	Wegen Tonis Anpassungslehrgang[52] wird er von Beginn an bewertet und hat keinen Spielraum mehr, um sich in Dingen ausprobieren zu können, was ihn sehr unter Druck setzt.	Bei Anpassungslehrgängen erfolgt eine Benotung von Beginn an.	Prüfungsarbeit und deren Bewertung	Ausbildungsebene

52 Die Anpassungsqualifizierung für Lehrkräfte mit ausländischer Berufsqualifikation sorgt dafür, dass ausländische Lehrkräfte die fehlenden Qualifikationen erwerben, die dafür notwendig sind, damit sie sich bundesweit erfolgreich auf eine Stelle als Lehrer bewerben können. Hierbei sei erwähnt, dass es in diesem Fall nicht um eine professionelle Grundlagenqualifikation geht wie durch den Vorbereitungsdienst (vgl. Berliner Senatsverwaltung für Bildung, Jugend und Familie 2019c).

Textpassage	Paraphrasierung	Generalisierung	Kategorisierung	Oberkategorie
[6] (vgl. S. 206 f.)	Der Beginn des Referendariats war für Toni ein Sprung ins kalte Wasser. Dadurch, dass sein anleitender Lehrer krank wurde, musste Toni nur mithilfe der wenigen Arbeitsblätter, die ihm zur Verfügung gestellt wurden, Unterricht durchführen, was für ihn sehr nervenaufreibend war.	Der Beginn des Referendariats wird nochmals erschwert, wenn die anleitenden Lehrer krank sind und nur mit wenigen Arbeitsblättern als Hilfe Unterricht gemacht werden soll.	Beginn des Referendariats	Ausbildungsebene
[10] (vgl. S. 207)	Bei der Notenvergabe für seine Schüler ist sich Toni unsicher, wie er diese vollziehen soll.	Die Notenvergabe stellt sich als schwieriger heraus als gedacht.	Eigenverantwortliche Lehrertätigkeit	Ausbildungsebene
[11] (vgl. S. 209)	Samstags soll für Toni nach der Schule nichts mehr zu machen sein. Dies funktioniert aber nur dann, wenn die Schüler dem Unterrichtsstoff gut folgen konnten und Toni nicht noch kleine Tests zu korrigieren hat.	Nur wenn die Schüler gut mitgearbeitet haben, kann am Wochenende etwas neue Kraft getankt werden.	Eigenverantwortliche Lehrertätigkeit	Ausbildungsebene
[13] (vgl. S. 209)	Montags ist bei Toni ein ganz normaler Arbeitstag über acht Stunden, den er für die Erstellung von Unterrichtsmaterialien nutzt, was nicht immer in Gänze von ihm so umgesetzt werden kann, wie er sich das vorstellt.	Ganze Tage werden für die Konzeption von Unterricht benötigt, damit dieser einigermaßen ansprechend für die Schüler ist.	Arbeitszeit und -struktur	Individuelle Ebene
[14] (vgl. S. 209)	Bei der Arbeit zu Hause vergisst Toni teilweise Pausen zu machen. Dies geht sogar so weit, dass er das Essen dabei vergisst.	Pausen und Essen werden vergessen, um den Unterricht rechtzeitig zu erstellen.	Arbeitszeit und -struktur	Individuelle Ebene
[15] (vgl. S. 209)	Für die nächsten Male versucht sich Toni bewusst die Zeit für Pausen zu nehmen.	Pausenzeiten wollen eingeplant sein.	Arbeitszeit und -struktur	Individuelle Ebene
[18] (vgl. S. 210)	Auch wenn die Unterrichtsmaterialien fertig sind, werden sie von Toni noch auf ihre Tauglichkeit hin getestet. Dies passiert selbst dann, wenn es bereits spät am Abend ist und Toni eigentlich zu Bett gehen möchte.	Unterrichtsmaterial auf seine Tauglichkeit hin zu testen, kostet nochmals Zeit.	Eigenverantwortliche Lehrertätigkeit	Ausbildungsebene

Textpassage	Paraphrasierung	Generalisierung	Kategorisierung	Oberkategorie
[20] (vgl. S. 211 f.)	Im Kollegium wurde Toni gefragt, ob er eine Klasse mit übernehmen könnte, damit der anfragende Lehrer beim Umzug eines Freundes mithelfen kann.	Vertretungsunterricht soll für einen Umzug gemacht werden.	Belastung im Kollegium	Schulebene
[21] (vgl. S. 212)	Toni fand es respekt os, dass er gefragt wurde, eine Klasse zu übernehmen, da er sich sicher ist, dass es ohne Weiteres andere bereits ausgelernte Kollegen gegeben hätte.	Die Kollegen fragen auch Referendare nach Vertretungsunterricht.	Belastung im Kollegium	Schulebene
[22] (vgl. S. 212)	Beim Austausch von Materialien fühlt sich Toni ebenfalls in gewisser Weise von seinen Kollegen ausgenutzt, weil diese ihm nicht in dem Maße Arbeitsblätter für den Unterricht zur Verfügung stellen wie er ihnen.	Die Kollegen nehmen immer mehr Unterlagen als sie von sich aus zur Verfügung stellen.	Belastung im Kollegium	Schulebene
[24] (vgl. S. 213)	Zusätzlich dazu, wurde Toni von der Schulleitung gefragt, ob er nicht noch mehr Spanischunterricht geben könnte bzw. sich vorstellen könnte, dass die Klassenstärke für Spanisch verdoppelt werden kann.	Die Schulleitung fragt Referendare, ob diese noch eine weitere Klasse unterrichten könnten.	Probleme mit der Schulleitung	Schulebene
[25] (vgl. S. 213)	Toni erkennt, dass seine Ausbildung nur ihn allein tangiert. Deswegen fühlt er sich sehr als Einzelkämpfer, der irgendwie mit dem Referendariat klarkommen muss, ohne allzu viel Unterstützung erwarten zu können.	Das Referendariat interessiert nur den Referendar selbst. Alle anderen möchten auch nur den Weg des geringsten Widerstandes gehen.	Berufliche Autonomie	Systemebene
[26] (vgl. S. 213)	Vonseiten der Schulleitung wurde die zurückweisende Haltung von Toni nicht toleriert. Dieser hat sich den Entscheidungen der Schulleitung zu fügen, anstatt großartig Dinge in Frage zu stellen.	Die Schulleitung verfügt, wer für welchen Unterricht aufzukommen hat.	Probleme mit der Schulleitung	Schulebene

Textpassage	Paraphrasierung	Generalisierung	Kategorisierung	Oberkategorie
[27] (vgl. S. 214)	Toni würde sich gerne den Problemen der Schulleitung annehmen, gibt aber zu bedenken, dass er sich noch immer in Ausbildung befindet und zeitlich durch die Seminare kaum Spielraum aufzuweisen hat.	Referendare wollen gerne zeigen, wozu sie fähig sind, wollen aber auch daran erinnern, dass sie sich noch in der Ausbildung befinden.	Probleme mit der Schulleitung	Schulebene
[28] (vgl. S. 214 f.)	Durch die Fächerkombination »Wirtschaft/Spanische« sieht sich Toni dahingehend belastet, da in Spanisch sprachliche Barrieren überwunden werden müssten und in Wirtschaft inhaltlich viel vorzubereiten wäre.	Je nach Fächerkombination werden unterschiedliche Anforderungen an die angehenden Lehrkräfte gestellt.	Unterrichtsfach	Individuelle Ebene
[29] (vgl. S. 215)	Tonis Ehe leidet unter den Gegebenheiten des Vorbereitungsdienstes sehr. Weil sein Ehepartner ebenfalls Lehrer ist, gibt es keinen Tag in der Woche, wo die beiden gemeinsam frei haben. Dies liegt daran, dass Toni auch am Samstag Spanischunterricht geben muss, während dann der freie Tag seines Ehepartners ist.	Wenn gar keine Zeit mehr für den Partner übrigbleibt, dann können Beziehungen sehr unter dem Vorbereitungsdienst leiden.	Private Situation des Lehrers	Individuelle Ebene
[30] (vgl. S. 215)	Auch die Gespräche, die Toni mit seinem Ehepartner führt, handeln hauptsächlich von der Schule, sodass ein Abstand zu den Bildungsinstitutionen nicht aufgebaut werden kann.	Oftmals handeln die Gespräche zwischen Eheleuten, wenn beide Lehrer sind, nur von der Schule.	Private Situation des Lehrers	Individuelle Ebene
[31] (vgl. S. 216)	Selbst wenn Toni einmal abends ausgeht, findet er sich am nächsten Tag kaum dazu in der Lage, für die Schule alles geben zu können. Deswegen unterlässt er es überwiegend, sich einen vermeintlichen Ausgleich zu schaffen, zugunsten seiner Lehrertätigkeit.	Ausgehabende werden vermieden, damit konsequent guter Unterricht vorbereitet und gehalten werden kann.	Eigenverantwortliche Lehrertätigkeit	Ausbildungsebene
[32] (vgl. S. 216)	Die erste Lehrprobe stellte sich für Toni als tatsächliche Probe heraus, um für sich selbst festzustellen, ob der Beruf des Lehrers weiterhin für ihn so möglich ist.	Die erste Lehrprobe entscheidet teilweise darüber, ob der Referendar für den Beruf geeignet ist oder nicht.	Prüfungsarbeit und deren Bewertung	Ausbildungsebene

Textpassage	Paraphrasierung	Generalisierung	Kategorisierung	Oberkategorie
[33] (vgl. S. 216 f.)	Als Gegenmaßnahme zu all dem Stress versucht sich Toni so gut es geht zu organisieren und zu automatisieren.	Durch gute Organisation und Automatisation wird versucht, die Schwierigkeiten des Vorbereitungsdienstes abzuschwächen.	Arbeitszeit und -struktur	Individuelle Ebene
[34] (vgl. S. 217)	Seit dem Referendariat leidet Toni unter starken Schlafstörungen. Diese beeinträchtigen ihn auch während des Unterrichts sowie den langen Tagen, an dem er noch Seminare zu besuchen hat.	Schlafstörungen sind eine der Folgen, die das Referendariat mit sich bringen kann.	Private Situation des Lehrers	Individuelle Ebene
[35] (vgl. S. 217)	Toni versucht sich bestmöglich zu organisieren, damit er nicht den Überblick verliert.	Bestmögliche Organisation soll dafür sorgen, dass der Überblick nicht verloren geht.	Arbeitszeit und -struktur	Individuelle Ebene
[36] (vgl. S. 217)	Zu augenscheinlichen Nebensachen, wie das Schreiben von kurzen Berichten, kommt Toni nicht, sodass diese sich immer weiter anstauen.	Selbst Kleinigkeiten, wie das Schreiben von Berichten, können wegen der vielen Aufgaben des Vorbereitungsdienstes nicht mehr ausgeführt werden.	Arbeitszeit und -struktur	Individuelle Ebene

Danksagung

Wenngleich dieses Buch nur einen Teil des Belastungsempfindens angehender Berufsschullehrer abdeckt, so haben nicht wenige zu dessen Entstehung beigetragen. Zu aller erst möchte ich mich bei meinen fünf Interviewpartnern bedanken, die mir bereitwillig und überaus umfangreich aus ihrem Referendariatsalltag erzählt haben. Ohne ihre interessante Berichterstattung hätte es nichts zum Auswerten für mich gegeben. Des Weiteren gilt mein Dank meinen beiden Dozentinnen Prof. Dr. Steffi Badel und Dr. Cornelia Wagner, die mich nicht nur während meiner Masterarbeit betreuten, sondern auch über die Jahre meines Studiums immer daran erinnerten, wie interessant eine so kleine Sparte der Wissenschaft – die Wirtschaftspädagogik – sein kann.

Ein spezielles Dankeschön muss ich, wie in vielen Bereichen meines Lebens, meiner lieben Ehefrau Isabell zusprechen. Ohne ihr akribisches Korrekturlesen und ihre konstruktiven Verbesserungsvorschläge wäre meine Abschlussarbeit niemals mit »sehr gut« bewertet worden. Im gleichen Zug möchte ich meiner Familie sowie meinen Schwiegereltern für ihr konsequentes Mut-zu-sprechen und ihre vielen Gebete danken, die mich zu solch geistigen Höhenflügen befähigten.

Gebet ist das richtige Stichwort! Zum Abschluss bleibt mir gar nichts anderes übrig, als meinem größten Gönner aus tiefem Herzen zu danken, ohne den ich kein gescheites Wort zu Papier hätte bringen können: Guter Gott, Du weißt, was Du mit mir vorhast und ich danke Dir jetzt schon dafür!

Hendrik Preßler
Berlin, Oktober 2019